Moment mal!

Lehrwerk für Deutsch als Fremdsprache

Lehrbuch 2

von
Martin Müller
Paul Rusch
Theo Scherling
Edelgard Weiler
Lukas Wertenschlag

in Zusammenarbeit mit
Heinrich Graffmann

Langenscheidt
Berlin · München · Wien · Zürich · New York

Visuelles Konzept, Gestaltung und Illustrationen: Theo Scherling
Umschlaggestaltung: Theo Scherling und Andrea Pfeifer, unter Verwendung eines Fotos von Tony Stone Ass. GmbH (großes Foto) und eines Fotos von Theo Scherling (kleines Foto)
Aussprache-Teile: Heinrich Graffmann
Redaktion: Gernot Häublein
Verlagsredaktion: Sabine Wenkums

Autoren und Verlag danken Kolleginnen und Kollegen, insbesondere Christiane Lemcke, die **Moment mal!** erprobt, begutachtet sowie mit Kritik und wertvollen Anregungen zur Entwicklung des Lehrwerks beigetragen haben.

Moment mal!

Lehrwerk für Deutsch als Fremdsprache
Materialien

Lehrbuch 2	3-468-47771-6
Cassetten 2.1 *(2 Lehrbuch-Cassetten)*	3-468-47776-7
CDs 2.1 *(2 CDs zum Lehrbuch)*	3-468-47788-0
Arbeitsbuch 2	3-468-47772-4
Cassette 2.2 *(1 Arbeitsbuch-Cassette)*	3-468-47777-5
Cassette 2.3 *(1 Aussprache-Cassette zu Lehrbuch und Arbeitsbuch)*	3-468-47778-3
CDs 2.2 *(2 CDs zu Arbeitsbuch und Aussprache)*	3-468-47789-9
Lehrerhandbuch 2	3-468-47773-2
Folien 2	3-468-47774-0
Testheft 2	3-468-47775-9

Cassette 2.4 *(1 Testheft-Cassette)*	3-468-47778-3
CD 2.3 *(1 Testheft-CD)*	3-468-47810-0
Einstufungstest	3-468-47812-7
CD-ROM *zu Moment mal! 2*	3-468-47821-6
Glossar Deutsch–Englisch 2	3-468-47780-5
Glossar Deutsch–Französisch 2	3-468-47781-3
Glossar Deutsch–Griechisch 2	3-468-47782-1
Glossar Deutsch–Italienisch 2	3-468-47783-X
Glossar Deutsch–Polnisch 2	3-468-47814-3
Glossar Deutsch–Spanisch 2	3-468-47784-8
Glossar Deutsch–Russisch 2	3-468-47785-6
Glossar Deutsch–Türkisch 2	3-468-47786-4
Eserciziario 2	3-468-96956-2
Βιβλίο ασκήσεων 2	960-7142-54-3

Symbole in **Moment mal! Lehrbuch 2:**

A7 **Aufgabe** 7 in diesem Kapitel
Hören Sie! *(Lehrbuch-Cassetten)*
 **Hören** Sie! *(Aussprache-Cassette)*
 **Sprechen** Sie!
 **Lesen** Sie!

 **Schreiben** Sie!
→Ü18 – Ü21 **Übungen** 18–21 im Arbeitsbuch gehören hierzu.
 **Lerntipp 38 im Arbeitsbuch** gehört hierzu.
 **Achtung!** Das müssen Sie lernen!

Moment mal! berücksichtigt die Änderungen, die sich aus der Rechtschreibreform von 1996 ergeben.

Umwelthinweis: Gedruckt auf chlorfrei gebleichtem Papier

Druck: 5. 4. | Letzte Zahl
Jahr: 2001 2000 | maßgeblich

Besuchen Sie auch unsere Homepage **www.moment-mal.com.** Hier finden Sie zur Arbeit mit *Moment mal!* weitere Ideen, Informationen und Online-Projekte.

Druck: Druckhaus Langenscheidt, Berlin
Printed in Germany · ISBN 3-468-**47771**-6

Inhaltsverzeichnis

Moment mal!

Inhaltsverzeichnis

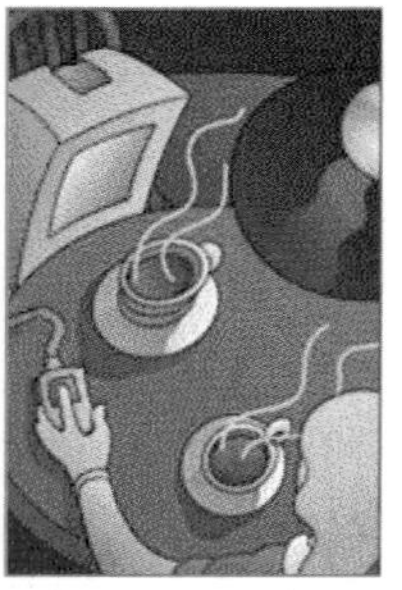

Inhaltsverzeichnis

Junge Leute

1 Hat man mit 17 noch Träume?

A1

Stimmungen beschreiben

a) Sehen Sie die Bilder zu A1 – A6 an. Sammeln Sie Wörter und Ausdrücke:

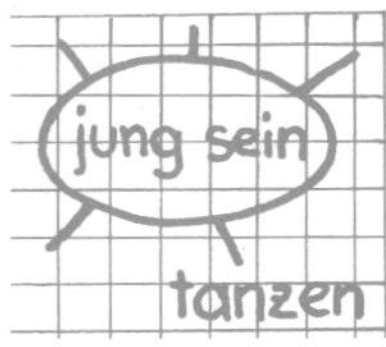

b) Vergleichen Sie.

→Ü1

A2

Aussagen wiedergeben und interpretieren

a) Lesen Sie die alten Schlager-Texte ① – ③: Wie fühlt man sich mit siebzehn? Sind Sie einverstanden?
b) Wählen Sie einen der drei Texte. Schreiben Sie ihn weiter oder neu.

→Ü2 – Ü4

A3

a) Lesen Sie den Zeitungstext ④: Was wollen die jungen Leute?
b) Was fällt Ihnen an der Sprache des Textes auf?
c) Gibt es eine internationale Sprache der Jugendlichen? Diskutieren Sie.

→Ü5

Ⓐ

①
Mit 17 hat man noch Träume, …
Mit 17 kann man noch hoffen,
da sind die Wege noch offen in den Himmel der Liebe.

②
… nimm das alles nur nicht so schwer
und denke stets daran: Mit 17 fängt das Leben erst an!

③
Du kannst nicht immer siebzehn sein,
Liebling, das kannst du nicht …

④

Berlin im Techno-Rhythmus:
Größte Open-Air-Disco der Welt am Tiergarten

Am 13. Juli 1996 treffen sich rund 600 000 Jugendliche zur „Love Parade“ in Berlin: Neon-Gelb und leuchtendes Orange, irres Pink und wahnsinniges Mint-Grün bis hin zu Enterprise-Silber bringen Farbe ins Stadtbild. Zu mehreren hunderttausend Watt aus Musikanlagen tanzen zahllose Techno-Fans, Mädchen und Jungen, dicht gedrängt auf der Straße des 17. Juni. „Es ist ein Riesen-Wahnsinns-Spaß“, sagt Anja (14), „einfach Fun, Love und Peace in einer echt geilen Stadt! Ich will heute mit meiner Freundin die ganze Nacht durchtanzen.“

Ⓑ

A1	Wie sehen die jungen Leute aus?	– Sie sehen fröhlich/locker/nachdenklich/… aus.
	Wie fühlen sie sich?	– Sie fühlen sich stark/frei/selbstbewusst/… . Sie sind wütend/unzufrieden/… .
	Was machen sie?	– Sie tanzen auf der Straße / protestieren gegen … .
A2	Im Text … steht: Mit 17 fängt das Leben erst richtig an. Text … sagt, dass junge Leute noch Träume haben, /dass alles für sie offen ist. Ich denke (nicht), dass … / Ich finde (auch), dass … / Ich glaube (schon), dass … .	

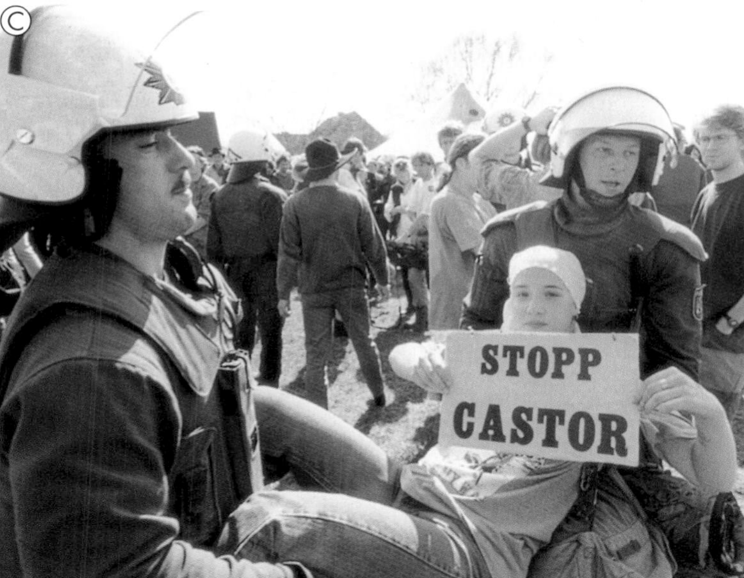

⑤
IHR HABT DIE WAHRE WELT ZERSTÖRT MICH GEJAGT UND MICH GETRIEBEN MICH BELOGEN UND BETROGEN ...

⑥
reich und schön ist das neue gesetz ...
ich kann nicht glauben dass sich alles nur noch um kohle dreht

⑦
ich nehm mein leben in die hand ich geb es nicht mehr her
nein nie wieder nie mehr
ich sag nein genug ist genug und ab hier geh ich allein ...

A4

Stellung nehmen und diskutieren

a) Vergleichen Sie die alten Schlager-Texte ① – ③ und die Song-Texte ⑤ – ⑦ aus den 90er Jahren: Notieren Sie Themen.

Schlager	Songs
Alter	
	Geld

b) Welche Unterschiede gibt es?
Welche Themen sind für Sie wichtig? Diskutieren Sie.

→Ü6 – Ü8

2 Jung und Alt

Interview mit Lara (19)

● Lara, freust du dich aufs Erwachsenwerden?

○ Naja, nicht nur ...
Weißt du, ich denke, man hat nicht mehr so viele Freiheiten, wenn man erwachsen ist. Denn man hat dann Kinder, vielleicht auch Schulden, keine feste Stelle oder eine langweilige Arbeit ... . Man muss bestimmt viele Kompromisse schließen, und das gefällt mir überhaupt nicht.

● Gibt es denn gar keine Vorteile, oder siehst du nur Nachteile?

○ Doch, eigentlich kann ich mir gut vorstellen, dass ich älter werde. Meine Mutter sagt immer, dass sie ganz viele Erfahrungen gesammelt hat. Und weil sie schon so viel erlebt hat, kann sie sich auch über kleine Dinge freuen. Jetzt möchte ich natürlich immer das Großartige, das Besondere, aber das kann ganz schön unter Stress setzen.

A5  

Meinungen formulieren

a) Wie denkt Lara über junge Leute und Erwachsene? Machen Sie Notizen.
b) Sind Sie mit Lara einverstanden?

→Ü9 – Ü12

A6 

Wie erleben Sie Jung und Alt in Ihrem Heimatland?

→Ü13 – Ü14

 **A7**

Über Moden sprechen

a) Woran denkt Gabi bei den Beatles und den Miniröcken? Sammeln Sie Stichpunkte.

Gabi:
ihr Bruder:
die Eltern:

b) Berichten Sie und vergleichen Sie mit Ihren Erlebnissen.

→Ü15

3 Moden früher und heute

1965

Eine Band ist in diesem Jahr das größte Ereignis für die jungen Leute: die „Beatles".
Die vier aus Liverpool verändern mit ihrer Musik und ihrem Aussehen eine ganze Generation: Ihre männlichen Fans lassen sich die Haare nach Beatles-Vorbild lang wachsen. Und begeisterte weibliche Fans fallen bei Konzerten von Ringo Starr, John Lennon, Paul McCartney und George Harrison in Ohnmacht. Die Beatles beeinflussen die Jugend in den 60er Jahren: Sie protestiert gegen alte Konventionen – und sie schafft sich neue.

1970

Das Musical „Hair" schockiert die Erwachsenen und fasziniert die Jugend. Mit „Flower Power" und Haschisch, großen Demonstrationen gegen Atomkraft und den Vietnam-Krieg zeigt sie ihre Sehnsucht nach Liebe – und nach einer Welt ohne Gewalt.
In der Frauenmode gibt es nur ein Motto: kurz! Der Minirock ist so kurz wie nie. Die Männer tragen weite „Schlag-Hosen" und Rollkragenpullover. Schuhe mit hohen, dicken Absätzen sind „in", und die Haare werden immer länger.
Jimi Hendrix, einer der besten Rock-Gitarristen der Welt, stirbt mit 24 Jahren nach einer Überdosis Drogen ...

 **A8**

a) Was war 1965, 1970, 1997 modern? Und heute?
b) Was war für die jungen Leute damals wichtig?
c) Wie ist das heute bei Ihnen? Diskutieren Sie.

→Ü16 – Ü19

1997

Der wichtigste Trend in der Mode heißt „Multi". Lange weite Hosen oder enge Miniröcke, asiatische Kleider oder afrikanische Frisuren – alles ist erlaubt. Die Männer tragen die Haare lang und zusammengebunden oder superkurz; und ihre Hemden, Krawatten und Jacken sind sehr bunt oder ganz schwarz. In der Freizeit will man „Fun", denn das Arbeitsleben ist hart genug. Techno und Hip-Hop sind die Schlagworte in der Musik-Szene. Die Esoterik boomt, politisches und soziales Engagement dagegen sind für die meisten „out".

A7	Gabi findet, dass die Beatles ... . Sie erinnert sich, dass ihre Eltern	
A8	Damals waren lange Haare / kurze Röcke / ... modern. Für die Jugend waren die Beatles / ... wichtig. Ihre Ziele waren: Liebe, ... Wie ist das bei dir? Was ist für dich wichtig? – Mir ist ... besonders wichtig.	
A9	Was halten Sie von ...? Wie wichtig ist für Sie ...? Warum tragen Sie (kein) ...?	– Ich finde, dass Mode das Leben bunter/ ... macht. – Mode ist unwichtig/..., denn sie ist ... / kostet ... . – Ich trage (nicht) gerne modische Kleidung, weil ... .

 **A9**

Ist Mode wichtig für Sie? Warum (nicht)? Spielen Sie eine Fernsehdiskussion.

4 Kleider machen Leute

①

- ● Guck mal, der Rock!
- ○ Welchen Rock meinst du – den roten?
- ● Ja, den roten. – Meinst du, der steht mir?
- ○ Bestimmt!
- ● Aber der passt doch nicht zu meinem grünen T-Shirt!
- ○ Stimmt, da hast du Recht.
- ● Und der da?
- ○ Der ist mir zu brav! Aber was hältst du von dem langen schwarzen?
- ● Ach, ich weiß nicht …
- ○ Also, den find ich echt gut!

A10 

Einkaufsgespräche führen

a) Hören und lesen Sie den Dialog ①.
b) Spielen Sie.

➜Ü20 – Ü25

②

- ■ Guten Tag, kann ich Ihnen helfen?
- □ Guten Tag. Ich möchte gerne das enge Stretch-Kleid aus dem Schaufenster anprobieren.
- ■ Welches meinen Sie? Das weiße oder das grüne?
- □ Das grüne.
- ■ Welche Größe?
- □ Äh, Moment mal! Ich glaube, ich probiere lieber mal den Pullover hier. Wo kann ich den probieren?
- ■ Dort drüben. … Und? Gefällt er Ihnen?
- □ Na ja, nicht so ganz. Ich schau mal bei den Jeans.
- ■ Was für eine suchen Sie?
- □ Ah, die sieht ja toll aus! Was kostet die?
- ■ Die ist im Sonderangebot: 69 Mark.
- □ Gut, die nehm ich. Und die Jacke hier?

c) Hören und lesen Sie den Dialog ②. Spielen Sie Einkaufsszenen.

A11  

a) Was tragen Sie gern? Was nicht?
b) Wann/Wo trägt man bei Ihnen was? Was trägt man nicht? Diskutieren Sie.

➜Ü26 – Ü28

A10	Gefällt Ihnen der/das/die … ?	– D… ist sehr schön/hübsch/super/toll/… !
	Wie findest du den/das/die … ?	– D… finde ich nicht besonders/… .
	Steht mir … ?	– Bestimmt! / Nicht so gut.
	Kann ich … tragen?	– Ich denke schon. / Ich finde nicht.
	Passt … zu … ?	– Auf jeden Fall! / Sehr gut!
	Gut, den/das/die nehm ich.	
	Kann ich (Ihnen) helfen?	– Danke, ich möchte mich nur umsehen.
	Was für ein/e/n … suchen Sie?	– Eine rote/… .
	Welche Größe/Farbe suchen Sie?	– Ich brauche/möchte … .
A11	Zu Hause / Bei der Arbeit / In der Freizeit trage ich gerne / am liebsten / oft … . Bei uns tragen Frauen/Männer meistens … . Bei uns trägt man auf einem Fest /… .	

A12

Akzent und Sprechmelodie

Hören Sie und sprechen Sie halblaut mit.

→Ü29

5 Aussprache

Hoffentlich!	Dicker Punkt	●	= **die Silbe hat den Akzent**
Kommst du auch?	Roter Pfeil nach oben	↗	= **die Melodie steigt**
Er kocht, isst und spült.	Blauer gerader Pfeil	→	= **die Melodie bleibt gleich**
Wir kommen bald.	Schwarzer Pfeil nach unten	↘	= **die Melodie fällt**

A13

Satzakzent: neue Information

Hören Sie die Sätze und lesen Sie mit.

→Ü30 – Ü31

Die Beatles kommen aus **Liverpool**.
Liverpool liegt in **England**.

bekannt = „Thema“ — **neu = „Kern der Information“**

Satzakzent: Man betont den **Kern der neuen Information** im Satz am stärksten.

A14

Hören Sie und lesen Sie die Sätze.

Die Beatles beeinflussen die **Jugend**.
Sie protestiert gegen **alte Konventionen**.
Und sie schafft sich **neue**.

A15

„r“ als Vokal [ɐ]

Sprechen Sie den Text halblaut.

→Ü32 – Ü33

„r“ wird als schwaches a [ɐ] gesprochen:

1. nach langem Vokal: w**ir** [viːɐ] – du h**ör**st [duː høːɐst] – das M**eer** [das meːɐ]
2. in „-er“ am Wortende und „-er-“ in Vorsilben: d**er** Bäck**er** [deːɐ bɛkɐ] – v**er**lassen [fɐlasən]

V**or** d**er** T**ür** v**ier** Musik**er**, s**ehr** v**er**lassen. Ein leis**er** alt**er** Schlag**er**.
Drinnen ein jung**er** Verkäuf**er**: **Er ar**beitet nicht. **Er** h**ör**t lieb**er** zu.

A16

Dialog-Partikeln

Beschreiben Sie die Personen: Wie sprechen sie?

A17

a) Suchen Sie am Anfang der Sätze Dialog-Partikeln aus der Wort-Kiste.
b) Lesen Sie beide Dialoge laut.

A18

Suchen Sie Partikeln im Dialog ②, A10. Variieren Sie mit anderen Partikeln.

→Ü27 – Ü28

6 Wortschatz

● He, das ist ein toller Laden!
○ Ja, echt gut. Aber teuer.
● Und die rote Jacke da: Mensch, die ist super!
○ Nein, hier die grüne, die ist viel besser.
● Aber nein. Schau, dieses Rot! Eine tolle Jacke.
○ Ja schon, aber nicht für dich, die ist so, äh, so …
● Doch, die ist toll. Komm, die muss ich anprobieren.
○ Aber die grüne ist einfach viel schicker.

● He, das ist ein toller Laden!
□ Naja, ganz gut. Aber teuer.
● Und die rote Jacke da: Mensch, die ist super!
□ Tja, meinst du? Hier die grüne, die ist besser.
● Aber nein. Schau, dieses Rot! Eine tolle Jacke.
□ Gut und schön, aber nicht für dich, die ist so, äh, so …
● Doch, die ist toll. Komm, die muss ich anprobieren.
□ Also, ich find die grüne einfach besser.

ZUSTIMMUNG	MIT ZWEIFEL	WIDERSPRUCH/ABLEHNUNG
ja genau	gut, schön schon, naja, tja also	doch/nein

die farbige Unterwäsche: die bunte Unterhose, der schwarze Slip, der weiße BH

der gemusterte Rock, das helle Kleid, die gestreifte Bluse

der dunkle Anzug,
der/das schicke Sakko,
die weite Hose,
das helle Hemd,
die modische Brille

- enge Jeans
- eine coole Sonnenbrille
- ein modischer Bikini
- kurze Socken
- lange Strümpfe
- ein breiter Gürtel
- ein leichter Mantel
- ein schickes Kostüm
- feine Handschuhe
- eine gestreifte Krawatte
- ein weites Sweatshirt
- eine warme Mütze
- ein dicker Schal
- ein dünnes Tuch

der elegante Hut,
die dicke Jacke,
der warme Rolli/Pullover,
der große Schirm

die bequemen Sandalen, das Paar Schuhe, die leichten Turnschuhe, die hohen Stiefel

das kurze Unterhemd, die Badehose, das lässige T-Shirt, der enge Badeanzug

A19 

Wort-Gruppen

a) Lesen Sie die Wörter zu jedem Foto laut: Zeigen Sie dabei auf die Bilder.
b) Ordnen Sie den Fotos die Wörter/Ausdrücke aus der Wort-Kiste zu.

A20  

a) Was trägt „Er", was trägt „Sie"? Hören Sie und betrachten Sie alle Fotos.
b) Was trägt die Person auf den Fotos ③ und ④ wohl sonst noch?

A21  

„Kofferpacken"

Was nehmen Sie mit auf die Reise? Die/Der Erste beginnt: „Ich packe … ein." Die/Der Nächste im Kreis wiederholt und packt etwas Neues dazu.

➜Ü20 – Ü23

7 Grammatik

→Ü17

Text-Referenz (2)

unbestimmter Artikel	Eine Band ist in diesem Jahr das größte Ereignis für die jungen
bestimmter Artikel	Leute: die „Beatles"!
Possessivartikel	Die vier aus Liverpool verändern mit ihrer Musik und ihrem
	Aussehen eine ganze Generation: Ihre männlichen Fans lassen
Reflexivpronomen	sich die Haare nach Beatles-Vorbild lang wachsen, und begeisterte
	weibliche Fans fallen bei Konzerten von Ringo Starr, John Lennon,
	Paul McCartney und George Harrison in Ohnmacht. Die Beatles
Personalpronomen	beeinflussen die Jugend in den 60er Jahren: Sie protestiert gegen
Reflexivpronomen	alte Konventionen – und sie schafft sich neue.

→Ü9 – Ü14

Satzverbindungen

→Ü9, Ü14

a) Hauptsatz und Nebensatz

Lara denkt,	**dass**	man später nicht mehr so viele Freiheiten hat.
Man muss Kompromisse schließen,	**wenn**	man erwachsen ist.
Die Mutter von Lara kann sich auch über kleine Dinge freuen,	**weil**	sie schon so viel erlebt hat.

HAUPTSATZ , KON-JUNK-TION NEBENSATZ

Oft können Nebensätze auch vor dem Hauptsatz stehen:

Wenn man erwachsen ist,	muss	man	Kompromisse schließen.
Weil die Mutter von Lara so viel erlebt hat,	kann	sie	sich über kleine Dinge freuen.
	⚠ VERB	SUBJEKT	

KON-JUNK-TION NEBENSATZ , HAUPTSATZ

→Ü10 – Ü11

b) Hauptsatz und Hauptsatz

Die Beatles beeinflussen die Jugend,	**und**	die schafft sich neue Konventionen.
Lara möchte immer das Besondere,	**aber**	das kann ganz schön unter Stress setzen.
Man hat weniger Freiheiten,	**denn**	man hat Kinder, vielleicht auch Schulden.
Gibt es denn gar keine Vorteile,	**oder**	siehst du nur Nachteile?

HAUPTSATZ KON-NEK-TOR HAUPTSATZ

Konnektoren

→Ü10 – Ü11

Eine Welt ohne Krieg	**und**	Gewalt.
Lange weite Hosen	**oder**	kurze enge Röcke – alles ist erlaubt.
Die Jugend ist gegen alte Konventionen,	**aber**	(sie) schafft sich neue.
Die Mutter sagt, dass man viele Erfahrungen hat	**und**	(dass) man sich auch über kleine Dinge freuen kann.

Konnektoren verbinden …

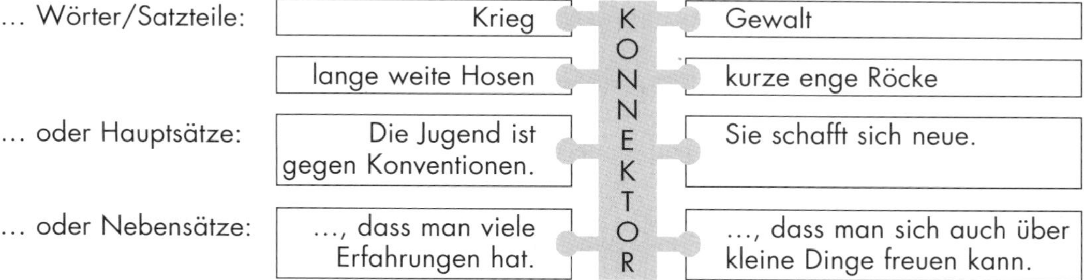

Definitionsfragen: „welch-?, was für ein-?"

→Ü24 – Ü26

a) „welch-?"

Guck mal, **der** Rock! ● ○ **Welchen** Rock meinst du – **den** roten?

Ich möchte **das** enge Kleid anprobieren. ● ○ **Welches** meinen Sie? **Das** weiße oder **das** grüne?

	SINGULAR MASKULIN	NEUTRUM	FEMININ	PLURAL
NOM	welch-**er** Rock?	welch-**es** Hemd?	welch-**e** Bluse?	welch-**e** Kleider?
AKK	welch-**en** Rock?			
DAT	(zu) welch-**em** Rock?	(zu) welch-**em** Hemd?	(zu) welch-**er** Bluse?	(zu) welch-**en** Kleider**n**?

b) „was für ein- …?"

Ich möchte auch **eine** Hose probieren. ● ○ **Was für eine**?

Eine Jeans, **eine** rote. ● ○ **Was für eine** Marke?

	SINGULAR MASKULIN	NEUTRUM	FEMININ	PLURAL
NOM	was für ein Rock?	was für ein Hemd?	was für ein-**e** Bluse?	was für Kleider?
AKK	was für ein-**en** Rock?			
DAT	(zu) was für ein-**em** Rock?	(zu) was für ein-**em** Hemd?	(zu) was für ein-**er** Bluse?	(zu) was für Kleider**n**?

Lebensträume

1 Traumgeschichten

A1

Vermutungen formulieren

Sehen Sie das Foto an: Wo ist das wohl? Was tut der Mann? Was hat er vor? Erzählen Sie.

→Ü1

A2

Eine Geschichte erfinden

a) Was machen der Vater, die Mutter, die Kinder?
b) Wie geht die Geschichte weiter? Sammeln Sie Ideen und spielen Sie.

→Ü2 – Ü3

A3

a) Hören Sie das Ende des Textes: Was tun die Kinder? Was tut der Vater?
b) Suchen Sie Gründe.

A4

Über Wünsche sprechen

Möchten Sie auch manchmal „davonfliegen"? Erzählen und diskutieren Sie.

Vater im Baum
(von Margret Steenfatt)

„Mama, Vater sitzt im Baum!"
„Erzählt doch keine Märchen, Kinder. Papa wäscht den Wagen!"
„Nein, Mama, er sitzt im Baum!"
„Lasst mich in Ruhe mit euren Scherzen. Wir wollen gleich in die Stadt fahren. Ich habe noch zu tun."
„Aber es ist die Wahrheit, Mama. Er will nicht herunterkommen!"
Die Mutter glaubt den Kindern nicht.
„Was tun wir jetzt?", fragt Christian.
„Ich sag's dir ins Ohr." Sabine beugt sich zum Bruder und flüstert etwas. Gleich darauf …

A1	Das ist vermutlich in/an/bei/über … . Im Vordergrund/Hintergrund sieht man … . Der Mann springt/fliegt/stürzt sich von … . Er will/möchte bestimmt … . Er hat wohl/wahrscheinlich vor, in/nach … zu fliegen. Es ist möglich, dass er … . Ich vermute/nehme an, dass er … . Ja, und dann … .	 – Nein, das kann nicht sein, weil … . – Aber das ist seltsam/unmöglich, denn … .
A2	Die Mutter glaubt nicht, dass … . Die Kinder haben eine Idee: … .	– Aber der Vater ist vielleicht … ? – Ich habe auch eine / eine andere Idee: … .
A4	Ich habe nie/manchmal/oft den Wunsch davonzufliegen, wenn/weil … . Ich habe schon einmal geträumt wegzufliegen und … . Was ist dann passiert? / Wie ist der Traum weitergegangen?	

2 Träume und Wünsche

Frieden

viel Zeit haben

Sicherheit

sein Glück finden

Liebe erfahren

Erfolg haben

Ansehen gewinnen

viel Geld verdienen

eine gute Arbeit haben

weite Reisen machen

Kinder haben

Gesundheit

glücklich sein

A5	Ich bin in ein fremdes Land / auf eine einsame Insel / zu einem Planeten / ... geflogen. Es war schön/wunderbar/..., dort spazieren zu gehen / mit den Menschen zu sprechen / viel Zeit zu haben / ... . Ich hatte (große) Lust, dort zu bleiben / weiterzufliegen / wieder nach Hause zu ... .
A6	Warum hast du diese Blätter gepflückt? – Weil ich davon träume / mir wünsche, ... Was bedeutet ... für dich? – Ich finde ... besonders wichtig, denn ... . Welcher Wunsch ist dir besonders wichtig? – Am wichtigsten ist mir ... .

A5 

Über Träume sprechen

a) Pflücken Sie drei Blätter vom Traum-Baum.
b) Hören Sie und machen Sie mit Ihren Traum-Blättern eine Fantasie-Reise.
c) Berichten Sie: Was haben Sie geträumt?

➜Ü4 – Ü8

A6 / 

Wünsche begründen

a) Welche Blätter vom Traum-Baum haben Sie gewählt? Warum?
b) Machen Sie Interviews: Sammeln Sie Wünsche und Gründe.

➜Ü9 – Ü11

A7

Eine Lebensgeschichte erzählen

a) Was sind wichtige Abschnitte in Gundis Leben? Machen Sie Notizen.

Schule: 8 Jahre
Ausbildung:
Mann:
Wohnung:

b) Vergleichen Sie mit Ihrer Partnerin / Ihrem Partner.

→Ü12 – Ü16

3 Traum und Wirklichkeit

Gundi Görg kommt aus Grissenbach, einem kleinen Dorf in der Nähe von Siegen. Sie hat immer davon geträumt, einmal nach Südamerika zu fahren und dort herumzureisen. Immer hat sie diesen Traum gehabt – aber zuerst ist ihr Leben ganz normal verlaufen: Sie ist acht Jahre zur Schule gegangen und wurde danach Industriekauffrau. Mit 18 Jahren hat sie ihren Mann kennen gelernt; und als sie 21 war, haben die beiden geheiratet. Sie haben bei Gundis Schwiegereltern in Ferndorf gewohnt und viel gearbeitet.

Ein paar Jahre später hat Gundi eine gute Stelle bei Mercedes bekommen. Sie war dort in der Marketing-Abteilung und hat viel Geld verdient. Aber zufrieden war sie nicht. Etwas hat gefehlt in ihrem Leben … .
Gundi war 30, als sie eine Fernsehsendung über Amnesty International gesehen hat – und plötzlich hat sie gewusst: „Da will ich mitmachen!" Bald hat sie in ihrer Freizeit bei „ai" mitgearbeitet und sich immer stärker für Politik interessiert. Es war kein Zufall, dass sie schon nach zwei Jahren politische Gefangene in Chile betreut hat.

A8

a) Wovon träumt Gundi? Wie sieht ihr Leben in Wirklichkeit aus?
b) Welche Blätter vom Traum-Baum passen dazu?

Gundi sagt, dass sie damals zwei Leben nebeneinander gelebt hat. Tagsüber musste sie Werbung für teure Autos machen – abends und an den Wochenenden hat sie in der Amnesty-Gruppe gearbeitet. Das mochte sie viel lieber!
Und Gundi hat sich immer mehr verändert. Ihr Mann und ihre Schwiegereltern haben das nicht gesehen. Für Gundi wurde die Welt in Ferndorf immer kleiner, sie hat sich dort immer unfreier gefühlt. So wollte sie nicht weiterleben, sie musste einfach weggehen!

A9

Was wollte/mochte/musste/konnte Gundi in ihrem Leben, was nicht?

→Ü17 – Ü19

A7		
Wo ist … geboren/aufgewachsen?	–	In (der Nähe von) … . / Bei … .
Wie lange ist … zur Schule gegangen?	–	… Jahre lang. Von 19… bis 19… .
Was für eine Ausbildung hat … gemacht?	–	(Eine Ausbildung) als … .
Wann hat sie … kennen gelernt?	–	Mit … Jahren.
Wo / Bei wem hat sie gewohnt?	–	In … . Bei ihren … .

Gundi erzählt: „Erst fünf Jahre später bin ich dann wirklich gegangen. Ich bin an einen anderen Ort gezogen, und drei Jahre später habe ich auch bei Mercedes aufgehört. Es war immer schon mein Traum, nach Lateinamerika zu reisen. Und es war toll, dass ich das dann auch wirklich gemacht habe!
... Ich habe dort für Amnesty politische Gefangene besucht und bin im Land herumgereist."

„... Ja, und dann bin ich nach Deutschland zurückgekommen und hatte ziemliche Schwierigkeiten, mich wieder an das Leben hier zu gewöhnen.
Außerdem musste ich mir ja auch wieder Arbeit suchen. Für mich war klar, dass ich für die Dritte Welt arbeiten wollte, für die Menschenrechte.
... Da haben die Grünen in Bonn gerade für den Bundestag eine Mitarbeiterin gesucht, und ich habe die Stelle bekommen."

„... In der Zwischenzeit hatte ich Rudolf kennen gelernt, er ist Lehrer. Nach zwei Jahren bin ich von Bonn zu ihm nach Düsseldorf gezogen. Ich hatte wieder Glück und konnte bei den Grünen im Landtag von Nordrhein-Westfalen eine Stelle finden. Und da arbeite ich jetzt noch.
Rudolf und ich haben inzwischen geheiratet, und ich habe ein Kind bekommen, unseren Sohn David. Eigentlich habe ich ja gemeint, ich bin viel zu alt für ein Kind. Aber das ist schon eine tolle Erfahrung!
... ich träume oft davon, mit David später einmal nach Lateinamerika zu fahren. Ich möchte dort selbst noch viel sehen und David zeigen, dass das Fremde sehr spannend sein kann und sehr schön."

A10

a) Wie ist Gundis Leben weitergegangen? Notieren Sie.

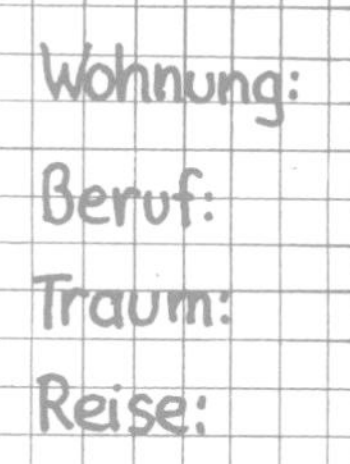

b) Hören Sie und ergänzen Sie Ihre Notizen.

➜Ü20 – Ü25

A11

Stellung nehmen

Welche Handlungen und Entscheidungen von Gundi verstehen Sie, welche nicht? Diskutieren Sie.

A12

Eine Person vorstellen

a) Machen Sie ein Interview mit Ihrer Partnerin / Ihrem Partner.
b) Stellen Sie sie/ihn in der Gruppe vor.

A9 Sie wollte immer ... . Aber sie musste ... . Bei ihrer Firma konnte sie nicht/nur ... . Sie durfte nie / immer nur ... . Das mochte sie nicht / gern / lieber als ... .

A12

Bist du verheiratet?	– Ja, seit 19... . / Nein, ich bin ledig.
Hast du Kinder? Wie viele?	– Ja, ... Jungen/Mädchen. / Leider nicht.
Möchtest du Kinder haben?	– Nein, eigentlich nicht. / Ja, ich wollte schon immer gern Kinder (haben).
Was wolltest du immer gerne machen?	– Ich wollte unbedingt ... machen/werden.
Was konntest du davon realisieren?	– Nur wenig / Fast alles, denn ich ... .
Was möchtest du jetzt (eigentlich) tun?	– Am liebsten möchte ich ... .

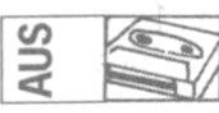

A13

„W-Fragen": Melodie und Satzakzent

Hören und sprechen Sie die Sätze.

→K2, A15 – A17

4 Aussprache

Wovon **träumt** Gundi?

Wie **fühlt** sie sich?

Was **denkt** sie?

Warum ist sie **trau**rig?

A14

„W-Fragen": Akzent auf der letzten Silbe

Hören und sprechen Sie die Sätze.

→Ü26

Wer hat Gundi interviewt?

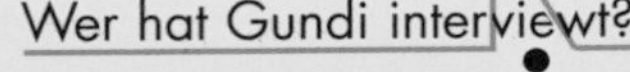

Was hat sie erzählt?

Wenn der Satzakzent auf der letzten Silbe liegt, **fällt die Melodie in der Akzentsilbe**.

1. Wo kommt Gundi her?
2. Wo hat sie gewohnt?
3. Was hat ihr dort gefehlt?
4. Warum verlässt sie ihren Mann?
5. Wann kommt sie aus Amerika zurück?
6. Worüber hat sie sich gefreut?

A15

Elimination des unbetonten „e"

Hören Sie: Achten Sie auf die Endsilben.

→Ü27

Wie ein Vo**gel** flie**gen**. Auf einer In**sel** le**ben**. In frem**den** Ländern rei**sen**.

['fo:gl] ['fli:gn] ['ɪnzl] ['le:bn] ['fremdn] ['raizn]

In Endsilben kann das unbetonte „e" [ə] nach Konsonanten wegfallen: **-~~e~~n, ~~e~~l**.
⚠ Nicht nach „m, n, l, r"!

A16

Rhythmisch sprechen

Sprechen Sie nach.

→Ü28 – Ü31

spät	holen	halten	hoch
Spät ist es.	wiederholen	anhalten	Hochhäuser
Wie spät ist es?	Bitte wiederholen!	Bitte anhalten!	drei Hochhäuser

A17

Wort-Familien erkennen und ergänzen

a) Lesen Sie die „fliegenden Wörter": Zu welcher Zeile = Wort-Familie passen sie?
b) Lesen Sie die Wort-Familien laut und rhythmisch.

5 Wortschatz

das Unglück — der Unsinn — friedlich — die Vorliebe

der Traum	traumhaft	träumen
das Glück	glücklich	
der Frieden		
die Gesundheit	gesund	
die Sicherheit	sicher	
der Wunsch		wünschen
die Liebe	lieb	lieben
der Sinn	sinnvoll	
die Freiheit		

frei — unfrei — sinnlos — unglücklich — der Traumtag — ungesund

die Trauminsel — das Lieblingsessen — die Versicherung — unzufrieden — zufrieden

A18

Formulieren Sie drei Wünsche für sich.

① aufwachsen
zur Schule gehen
eine Ausbildung machen
Kaufmann/Kauffrau werden
von etwas träumen

② eine Frau / einen Mann kennen lernen
sich verloben
(jemanden) heiraten
sich auf den Beruf konzentrieren
das Leben verläuft normal

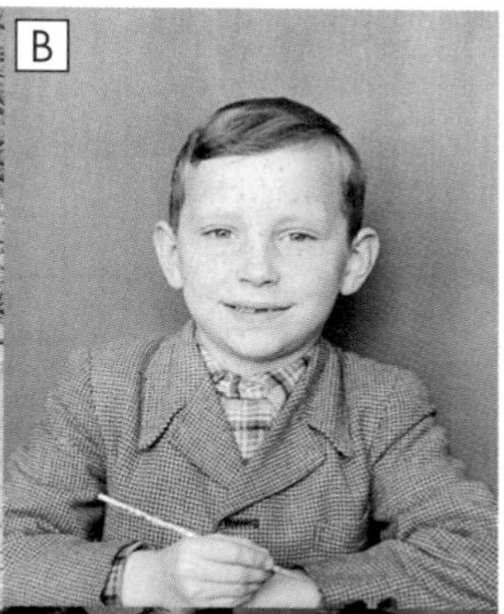

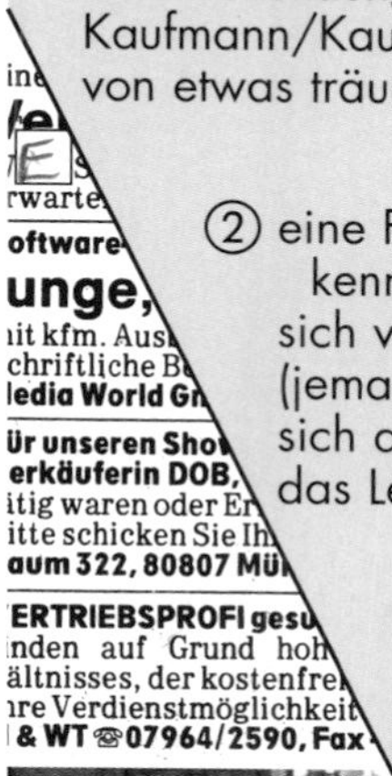

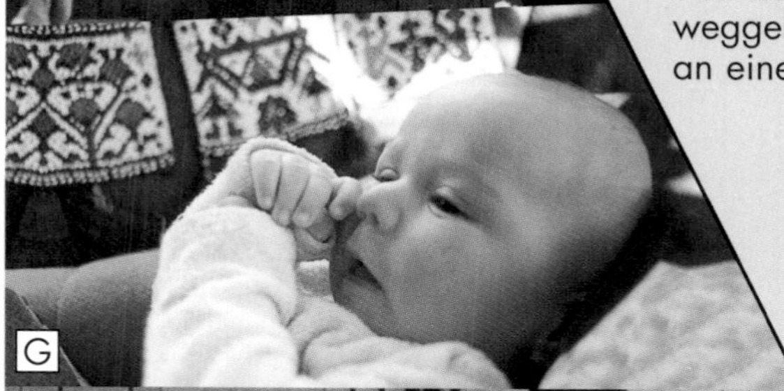

③ die Stelle wechseln
an einem anderen Ort arbeiten
wenig/viel Geld verdienen
nicht zufrieden sein
Kompromisse schließen müssen
etwas fehlt im Leben

④ die Freizeit genießen
am Abend und am Wochenende fernsehen
bei einem Verein mitarbeiten/mitmachen
sich für Politik interessieren

⑤ ein/kein interessantes Leben führen
sich immer mehr verändern
die Welt wird kleiner
sich frei/unfrei fühlen
weggehen
an einen anderen Ort ziehen

⑥ einen Traum verwirklichen
eine große Reise machen
andere Länder/Menschen kennen lernen
mehr Freiheit suchen
etwas erleben
eine Fremdsprache lernen

⑦ zurückkommen
Schwierigkeiten haben
sich an den Alltag gewöhnen
Arbeit suchen
keine Arbeit finden
eine neue Stelle bekommen
Mitarbeiter/Mitarbeiterin werden

⑧ einen neuen Partner finden
zu jemand(em) ziehen
wieder heiraten
ein Kind bekommen
neue Erfahrungen machen
von etwas träumen

A B C D E F G H

A19 

Stationen einer Geschichte rekonstruieren

a) Welches Foto passt zu welcher Station? Lesen und suchen Sie.
b) Suchen Sie für jede Wort-Gruppe eine Überschrift.

A20 

Suchen Sie Fotos aus: Schreiben Sie Lebensgeschichten.

6 Grammatik

Infinitiv-Gruppen

a) Infinitiv-Gruppen im Text

Gundi Görg will nicht mehr in Ferndorf **leben**. Sie beginnt, bei Amnesty International **mitzuarbeiten**. Später kann sie für „ai" eine Reise nach Südamerika **machen**. Sie kommt wieder zurück nach Deutschland und versucht, eine Arbeit **zu finden**. Sie kann eine Stelle bei den Grünen **bekommen** und geht wieder **arbeiten**.

b) Infinitiv-Gruppen ohne „zu" →Ü24

Sie will nicht mehr in Ferndorf **leben**.

Infinitiv steht bei Modalverben:
wollen, sollen, müssen, dürfen, können, mögen, „möchte"

Sie geht wieder **arbeiten**.

Infinitiv möglich bei folgenden Verben:
hören, sehen, spüren;
gehen, bleiben, fahren, kommen;
lernen; helfen;
lassen

c) Infinitiv-Gruppen mit „zu" (als Ergänzung) →Ü5 – Ü7

Ich habe davon geträumt,	auf einer Insel **zu leben**.
Es war sehr schön,	viel Zeit **zu haben**.
Aber dann hatte ich keine Lust mehr,	allein **zu sein**.
Ich habe mir gewünscht,	bald wieder in meine Stadt **zurückzukommen**.

⚠ Bei trennbaren Verben steht **„zu"** zwischen betontem Präfix und Infinitiv.

Die Infinitiv-Gruppe mit „zu" steht nach:

Verben	träumen, wünschen, versuchen, vergessen, beginnen/anfangen, sich entschließen ...
Adjektiven + „sein/finden"	es ist schön/wunderbar/lustig; es wichtig/interessant finden ...
Substantiven + Verb	Lust/Zeit/Angst haben; es ist ein Traum/Wunsch ...

d) Infinitiv-Gruppe mit „zu" und Nebensatz mit „dass" →Ü8 – Ü10

Ich habe davon geträumt, auf einer Insel **zu leben**.

oder:

Ich habe geträumt, dass ich auf einer Insel lebe.

SUBJEKT = SUBJEKT

Gundi wünscht, dass ihr Sohn Südamerika kennen lernt.

SUBJEKT ≠ SUBJEKT

⚠ Infinitiv mit „zu" nicht möglich.

Präteritum (2): Modalverben

→Ü13 – Ü14

Gundi Görg erzählt: „Ich bin zurückgekommen und **musste** wieder Arbeit suchen. Mir war klar, dass ich für die Dritte Welt arbeiten **wollte**. Ich hatte Glück und **konnte** bald eine Stelle finden."

	wollen	sollen	müssen	dürfen	können	mögen	ENDUNGEN
ich	woll-**t**-e	soll-**t**-e	m**u**ss-**t**-e	d**u**rf-**t**-e	k**o**nn-**t**-e	m**o**ch-**t**-e	**-e**
du	woll-**t**-est	soll-**t**-est	m**u**ss-**t**-est	d**u**rf-**t**-est	k**o**nn-**t**-est	m**o**ch-**t**-est	**-est**
er/es/sie	woll-**t**-e	soll-**t**-e	m**u**ss-**t**-e	d**u**rf-**t**-e	k**o**nn-**t**-e	m**o**ch-**t**-e	**-e**
wir	woll-**t**-en	soll-**t**-en	m**u**ss-**t**-en	d**u**rf-**t**-en	k**o**nn-**t**-en	m**o**ch-**t**-en	**-en**
ihr	woll-**t**-et	soll-**t**-et	m**u**ss-**t**-et	d**u**rf-**t**-et	k**o**nn-**t**-et	m**o**ch-**t**-et	**-et**
sie/Sie	woll-**t**-en	soll-**t**-en	m**u**ss-**t**-en	d**u**rf-**t**-en	k**o**nn-**t**-en	m**o**ch-**t**-en	**-en**

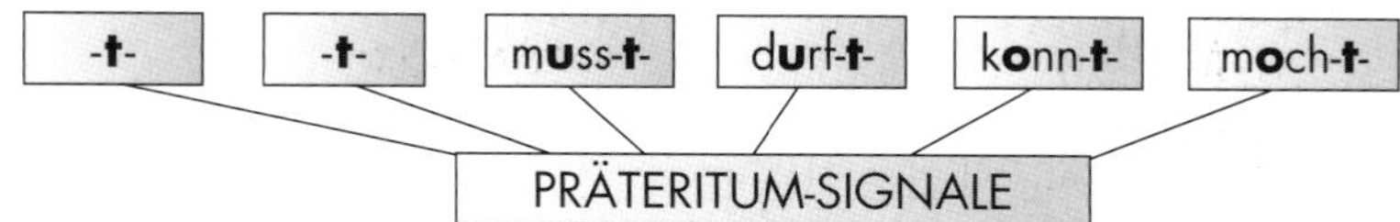

PRÄSENS:
Gundi **mag** nicht mehr in Ferndorf wohnen.
Sie **möchte** für die Dritte Welt arbeiten.

PRÄTERITUM:
⚠ Gundi **mochte** nicht mehr in Ferndorf wohnen.
⚠ Sie **wollte** für die Dritte Welt arbeiten.

Vollverb „werden": Präsens, Präteritum, Perfekt

→Ü16 – Ü21

Gundi macht eine Ausbildung und **wird** Kauffrau.
Sie war verheiratet und hatte eine gute Arbeit, aber diese Welt **wurde** immer enger für sie.
„Ich **bin** dann weggegangen und Mitarbeiterin bei den Grünen **geworden**", erzählt sie.

	PRÄSENS	PRÄTERITUM	PERFEKT **„sein"**	+	PARTIZIP II
ich	werd-e	wurd-e	bin	...	geworden
du	**wirst** ⚠	wurd-est	bist	...	geworden
er/es/sie	**wird** ⚠	wurd-e	ist	...	geworden
wir	werd-en	wurd-en	sind	...	geworden
ihr	werd-et	wurd-et	seid	...	geworden
sie/Sie	werd-en	wurd-en	sind	...	geworden

Demonstrativartikel: „dieser, dieses, diese"

Plötzlich war ich auf einem fremden Stern. Und **dieser** Stern war wunderschön.

Da war ein Tier. Es konnte sprechen und hat mich durch **diese** schöne fremde Welt begleitet. – Ich mag **diese** Fantasie-Reisen!

	SINGULAR MASKULIN	NEUTRUM	FEMININ	PLURAL
NOM	dies-**er** Stern	dies-**es** Tier	dies-**e** Welt	dies-**e** Reisen
AKK	dies-**en** Stern	dies-**es** Tier	dies-**e** Welt	dies-**e** Reisen
DAT	dies-**em** Stern	dies-**em** Tier	dies-**er** Welt	dies-**en** Reisen

Leben im Alter

1 Das Fotoalbum

A1

Eine Geschichte erfinden

Schauen Sie die Fotos an:
a) Wie alt ist die Frau?
b) Wie sieht sie aus? Was sagt ihr Gesicht? Sammeln Sie.

A2

a) Lesen Sie den Brief: Wer ist wer? Was ist passiert?
b) Was möchten Sie noch über die Frau wissen? Notieren Sie Fragen.

c) Hören Sie und notieren Sie. Vergleichen Sie.

→Ü1 – Ü11

Meine heißgeliebte Johanna!

Da Du Dich diese Weihnachten mit dem Portmann Peter verlobt hast, falle ich außer Betracht und schicke Dir die Photographie von Dir wieder zurück. Bin stets in Gedanken bei Dir. Für die Zukunft alles Gute.

Ein stiller Verehrer

A3

Von der Familie erzählen

Wie war das in Ihrer Familie? Bringen Sie Fotos mit. Erzählen Sie.

→Ü12 – Ü14

A1	Sie sieht zufrieden/glücklich/traurig/schön/hübsch/sympathisch aus. Sie schaut ängstlich/interessiert/freundlich/selbstsicher/... aus. Sie wirkt auf mich	
A2	Was war Johannas Vater / ihre Mutter? Wie viele Brüder/Schwestern hatte sie? Was machte/tat sie gern? Wo wohnte sie, als sie zur Schule ging? Wann war sie das erste Mal im Ausland?	– Er war ... . / Sie war ... . – (Sie hatte) ... . – Tanzen. / Sie tanzte gern. – (Damals wohnte sie) in einem Dorf. – Als sie nach ... reiste.
A3	Erzähl mal, wie war das in deiner Familie? Was ist/war dein Vater / deine Mutter?	– Also, bei uns/mir war das so: ... . Darüber möchte ich nicht sprechen. – Er/Sie ist/war ... (von Beruf).

2 Die Lebensalter früher und heute

Früher stellte man sich das Leben als Treppe vor: Links unten spielen Kinder, ein Mädchen und ein Junge. Sie werden größer und entdecken die Welt.
Eine junge Frau und ein junger Mann in Uniform schauen sich verliebt in die Augen. Mit dreißig wirkt das Paar sehr selbstsicher: Beide ziehen die besten Kleider an und gehen tanzen. Sie haben sicher schon Kinder.
10 Jahre später sehen sie nachdenklich aus: Haben sie Probleme?
Mit 50 sind sie ganz oben, sie haben viel erreicht. Es geht ihnen gut. Die Frau blickt nach vorn, der Mann zurück.
Gemeinsam gehen sie den Weg weiter: 60, 70, 80, 90. Die Haare sind jetzt grau und der Bart weiß. Sie haben nicht mehr so viel Kraft wie früher. Sie sehen alt und krank aus. Mit 100 Jahren sterben sie.
Die wichtigsten Stationen des Lebens sind: *Geburt, Kindheit, Jugend,* dann: *erste Liebe, Erwachsensein, Heirat, Arbeit und Kinder, Erfolg und Macht, Alter, Krankheit* und *Tod.*
Der Bilderbogen zeigt das ideale Leben eines Mannes und einer Frau im 19. Jahrhundert. Aber heute lassen sich viele Menschen scheiden, leben allein oder sterben früher.

Kindersterblichkeit pro 1000 lebend geborenen Kindern	
1800	250
1945	70
1992	7

Anzahl der Kinder pro Familie	
1800	6,5
1945	2,5
1992	1,6

Scheidungsquoten (europäischer Durchschnitt)	
1800	0%
1945	10%
1992	20%

Lebenserwartung der Frauen nach Ruhestand (60 Jahre)	
1800	8 Jahre
1945	15 Jahre
1992	23 Jahre

A4 Mit fünf Jahren ... . / Wenn man achtzehn ist, dann ... .
„Jung" ist man bis ... , weil ... .
Ich finde, ab ... ist man zu alt für ... / bis ... ist man zu jung für ... .
Bei uns heiraten die Leute normalerweise mit ... .
Kinder hat man häufig zwischen ... und ... .

A6 Um das Jahr 1800 starben 250 von 1000 Kindern.
Früher hatte man mehr Kinder. / Heute hat man weniger Kinder.
Heute gibt es doppelt so viele Scheidungen wie früher.
Die Scheidungsrate lag 1945 bei 10 Prozent.
Um 1800 war die Lebenserwartung der 60-jährigen Frauen noch 8 Jahre.

A4 

Bild und Text vergleichen

a) Schauen Sie den Bilderbogen an: Was macht man in welchem Alter? Wann ist man „jung"? Wann ist man „alt"?
b) Lesen Sie den Text und vergleichen Sie: Was fehlt auf dem Bilderbogen?

➜Ü15 – Ü16

A5  

Gibt es für Sie auch eine „Lebenstreppe"? Zeichnen und schreiben Sie.

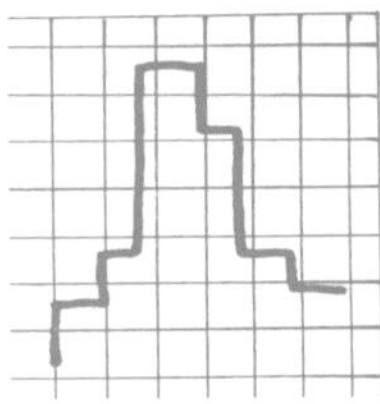

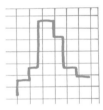

A6 

Vortrag und Statistik vergleichen

a) Hören Sie und vergleichen Sie mit den Zahlen in der Tabelle.
b) Was hat sich zwischen den Jahren 1800, 1945 und 1992 verändert?

➜Ü17 – Ü19

A7

Das Leben im Alter beschreiben

Sammeln Sie Informationen zu Frau Reitz.

→Ü20 – Ü21

3 ALTERnativen

Die Frau stößt einen lauten Schrei aus. Krachen und Splittern – mit der Handkante schlägt Hildegard Reitz, 77, das Holzbrett in zwei Teile: „Ich habe nicht geglaubt, dass ich das schaffe!"

Sie ist die älteste Teilnehmerin eines Wen-Do-Kurses für Seniorinnen. Wen-Do heißt „Weg der Frauen" und ist kein normaler Kampfsport. Es geht um Selbsterfahrung und Techniken der Selbstverteidigung. Frau Reitz besucht den Kurs, um sich sicherer zu fühlen. Den Kurs haben die „Grauen Panther" organisiert.

Frau Reitz ist seit vielen Jahren Mitglied in dieser Gruppe. Sie hat vier Kinder, zwölf Enkelkinder und vier Urenkel. Sie lebt heute allein; sie ist Witwe, ihr Mann ist vor ein paar Jahren gestorben. Sie ist mit ihm durch die ganze Welt gereist und hat an verschiedenen Orten in Deutschland gelebt.

Als sie sich bei den „Grauen Panthern" engagierte, arbeitete sie auch schon in einem Dritte-Welt-Laden.

A8

a) Warum ist Frau Reitz bei den „Grauen Panthern"?
b) Schauen Sie die Fotos an: Welche Probleme haben ältere Leute? Warum?

→Ü22 – Ü27

Hildegard Reitz erzählt, warum sie bei den „Grauen Panthern" ist:

„Ich merke, es ist nötig, sich mit den Problemen der alten Menschen zu befassen. Und man muss helfen, wenn man noch Kraft und Zeit dafür hat. Darum bin ich bei den ‚Grauen Panthern'. In einer Gruppe gemeinsam beraten und helfen ist wichtig. Die Probleme von Menschen in den Altenheimen sind riesengroß, da ist Hilfe nötig. Und die Einsamen zu Hause und auf der Straße dürfen wir auch nicht vergessen."

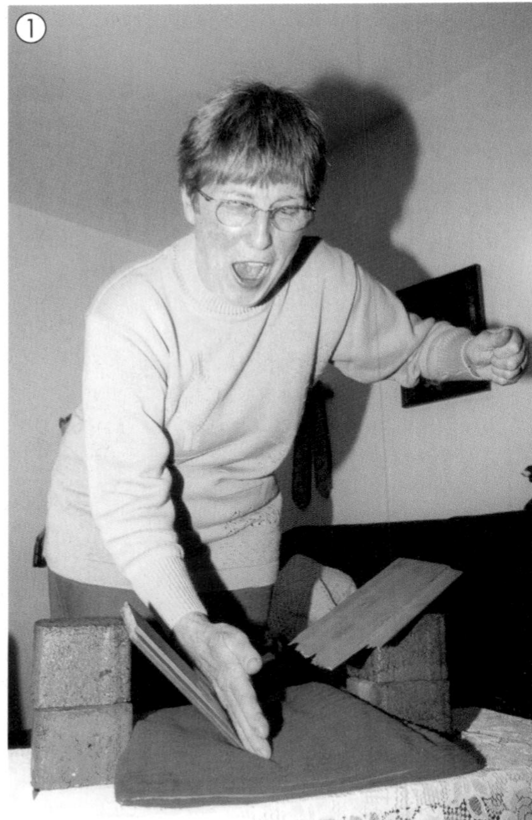
①

②

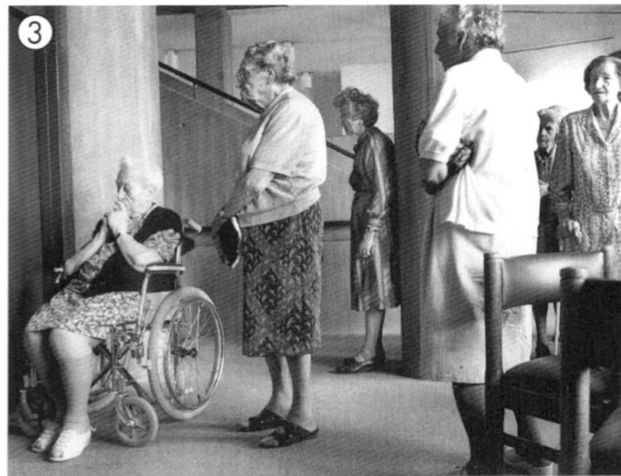
③

④

A9

Wie stellen Sie sich das Leben im Alter vor?

4 Gespräch zwischen den Generationen

Eine 70-jährige Frau, Elsbeth W., hat sich Gedanken gemacht über die Beziehung der älteren zur jüngeren Generation: Elsbeths Zeichnung heißt „Verständigungsversuche". Sie sagt zu ihrem Bild: „Die blauen Linien zwischen den Figuren sind Gesprächsversuche mit verschiedenen Personen: jung und alt, Mann und Frau. Die rote Line bedeutet Liebe, Hass, Verstehen und Nicht-Verstehen. Sie sind alle ein Teil des Gesprächs. Ich selber habe mit kleinen Kindern keine Probleme. Aber bei Jugendlichen spüre ich kein Echo, und ich glaube, sie haben auch Probleme mit mir.

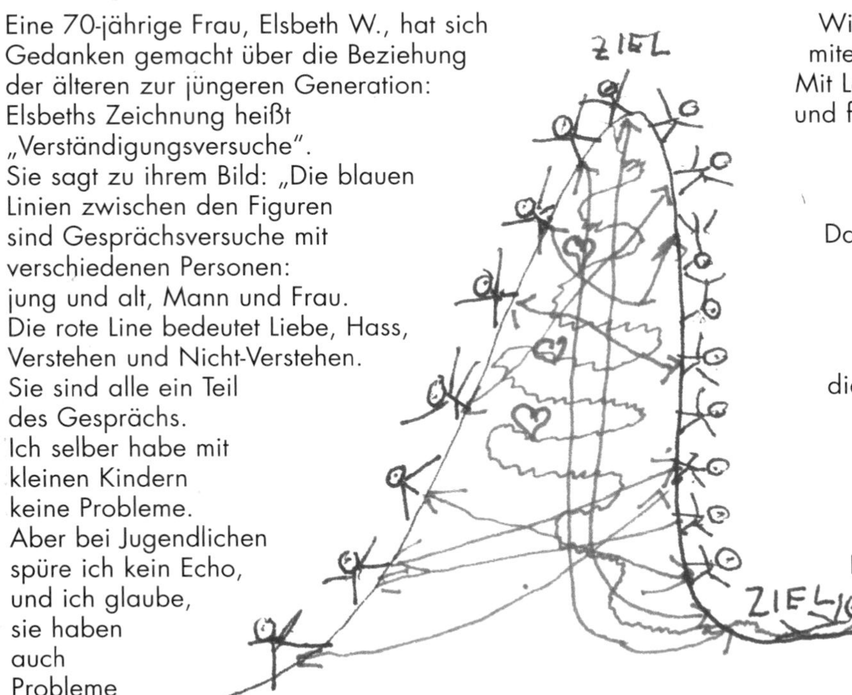

Wir wissen nicht, was wir miteinander reden können. Mit Leuten zwischen dreißig und fünfzig Jahren dagegen geht es gut. Ich habe zwei Ziele gezeichnet: Das Ziel oben ist das Ziel der jungen Leute. Dahin kommt man mit etwa vierzig: Beruf, Familie, die eigene Persönlichkeit. Das nächste Ziel ist der Tod. Ich glaube, man muss an den Tod denken und mit ihm leben. Ich bin auch überzeugt, dass es im Leben nach dem Tod keine Unterschiede zwischen jüngeren und älteren Menschen mehr gibt."

A10 

Eine Zeichnung verstehen

Was ist das?
Was sehen Sie?

A11 

Lesen Sie den Text und vergleichen Sie mit der Zeichnung. Hat die Frau Recht?

→Ü28

A12 

Bilder entwerfen

Was für eine Beziehung haben Sie zu älteren oder zu jüngeren Menschen? Zeichnen Sie oder schreiben Sie.

Brif, Bruf, Braf

(nach Gianni Rodari)

In einem Hof spielten einmal zwei Kinder ein lustiges Spiel. Sie dachten sich eine eigene Sprache aus. Sie konnten miteinander reden und niemand verstand sie.
„Brif, braf", sagte der Erste.
„Braf, brof", antwortete der Zweite. Und dann lachten alle beide ganz toll.
Im oberen Stockwerk des Hauses saß ein alter Mann auf dem Balkon und las seine Zeitung. Im Haus gegenüber schaute eine alte Frau zum Fenster hinaus.
„Verstehen Sie etwa die beiden Kinder?", fragte sie den Nachbarn.
„Ja, ich habe alles verstanden. Der Erste sagte: ‚Was für ein herrlicher Tag heute.' Und der Zweite antwortete: ‚Morgen ist es noch viel schöner.' "
Die alte Frau machte ein erstauntes Gesicht, schwieg aber, als die Kinder im Hof in ihrer Geheimsprache weitersprachen.
„Maraschi, barabaschi, pfiffirimoschi", sagte der Erste.
„Bruf", antwortete der Zweite. Und wieder lachten sie.
„Haben Sie das auch verstanden?", fragte die alte Frau ihren Nachbarn.
„Sicher", antwortete der alte Mann lächelnd. „Der Erste hat gesagt: ‚Wie sind wir doch froh, dass wir auf der Welt sind!' Und der Zweite hat ihm geantwortet: ‚Die Welt ist ganz wunderbar!' "
Die Frau dachte nach und sagte dann: „Brif, bruf, braf."

A13 

Einen Text interpretieren

a) Verstehen Sie die Kinder? Was sagt die alte Frau am Schluss?
b) Warum versteht der alte Mann die Kinder? Warum versteht die alte Frau die Kinder am Anfang nicht?

→Ü29 – Ü30

A10	Was kann diese Linie/Figur/Kurve bedeuten?	– Ich sehe da ... . / Für mich ... .
	Verstehst du die Verbindung zwischen ... ?	– Das ist (so) ähnlich wie ... .
	Warum sind hier so viele/wenige ... ?	– Ich verstehe das so: ... . / Keine Ahnung!
	Was bedeutet die Zeichnung für dich?	– Für mich stellt sie ... dar. Das ist ein Symbol für ... .

A14

Hauptsatz + Nebensatz: Sprechmelodie

a) Hören Sie und sprechen Sie mit.

b) Sprechen Sie.
c) Hören Sie zur Kontrolle.

→Ü31

5 Aussprache

Ich verliebte mich, als ich gerade zwölf war.
1. HAUPTSATZ 2. NEBENSATZ

Wenn ich alt bin, mache ich große Reisen.
1. NEBENSATZ 2. HAUPTSATZ

Am Ende des 1. Satzes: Die **Sprechmelodie bleibt gleich**.
Das heißt: Man spricht/hört weiter.

Als er arm war, jammerte er.
Als er reich war, sparte er.
Als er krank war, klagte er.
Als er gesund war, konnte er's nicht glauben.

Wenn sie froh ist, singt sie.
Wenn sie traurig ist, hört sie Musik.
Wenn sie müde ist, trinkt sie Tee.
Wenn sie hungrig ist, isst sie Obst.

A15

Substantiv-Ausdrücke: Hauptakzent

a) Hören Sie. Sprechen Sie 3x.
b) Sprechen Sie laut. Hören Sie zur Kontrolle.

→Ü32 – Ü36

die **Kinder**zahl

Bei Komposita hat das **linke Wort** den **Hauptakzent**.

die Zahl der **Kinder**

Bei Substantiv-Ausdrücken hat das **rechte Wort** den **Hauptakzent**.

die Handkante
das Holzbrett
der Kampfsport
der Seniorinnenkurs

Menschen in Altenheimen
die Lebenserwartung der Frauen
die Einsamen zu Hause
die Probleme der Menschen

A16

Wort-Netz „Familie"

Lesen Sie immer in einer Richtung von „ICH" aus. Sprechen Sie die Wörter laut.

A17

Zeichnen Sie ein großes Wort-Netz von Ihrer Familie (mit den Namen).

A18

Betrachten Sie die Fotos zu A1 – A3. Entspannen Sie sich und hören Sie zu.

→Ü2 – Ü5

6 Wortschatz

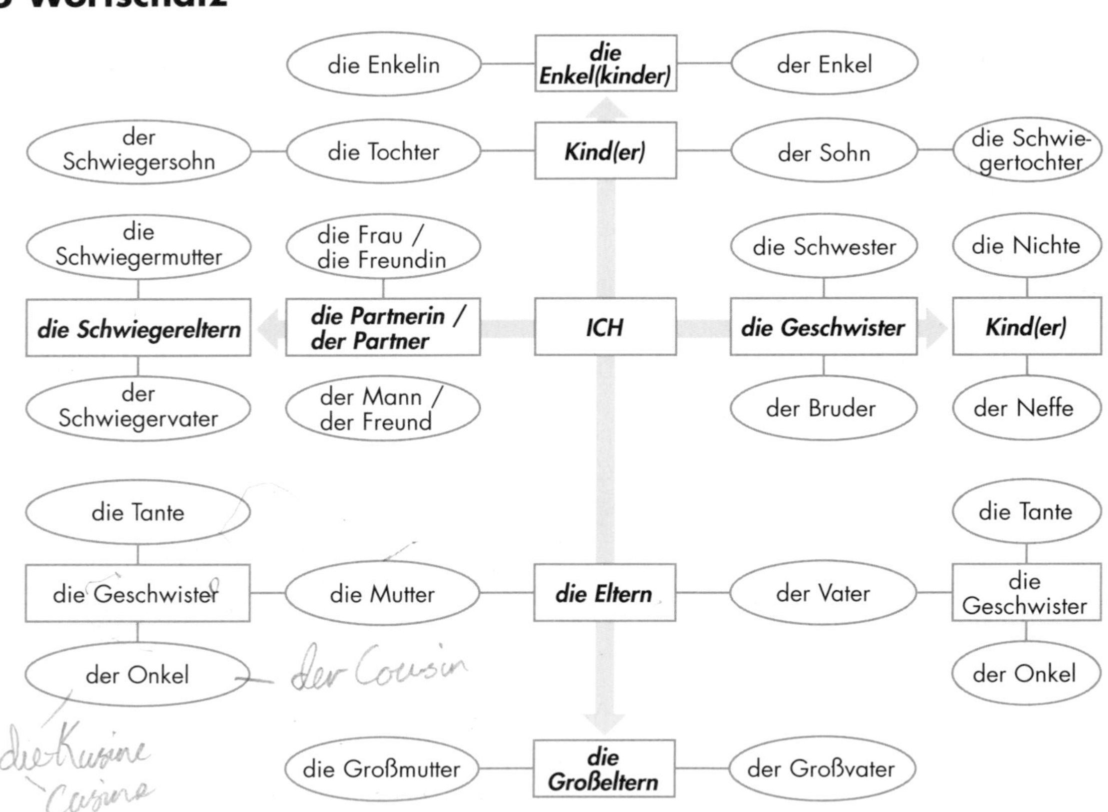

7 Grammatik

Tempusformen der Verben: Bedeutung

→Ü25 – Ü27

„Gestern habe ich mit Johanna Fotos angeschaut. Sie hat mir dieses Foto gegeben. Zum zweiten Mal.	Johannas Verehrer sagt:	
Früher sah ich Johanna immer, wenn sie in die Kirche ging. Sie war immer mit ihren Schwestern zusammen.	Es erinnert mich an unsere Kindheit:	
Einmal traf ich sie allein vor der Kirche. Ich sagte ihr,	dass sie schöner ist als ihre Schwestern.	
Da gab sie mir dieses Foto und sagte:		‚Wenn ich einmal groß bin, heiraten wir.'
Von da an trafen wir uns immer wieder und redeten viel miteinander."		
Das ist vorbei.	*Das ist jetzt. Oder: Das ist immer so.* 	*Das kommt später.*
Perfekt oder **Präteritum** Berichten mündlich / Erzählen schriftlich	**Präsens**	**Präsens**

Futur I →K28
Plusquamperfekt →K24

Präteritum (3): Formen

→Ü6 – Ü10, Ü26 – Ü30

a) Regelmäßige Verben

	sagen	reden	⚠ denken	⚠ nennen	ENDUNGEN
ich	sag-**t**-e	red-**et**-e	d**ach**-**t**-e	n**a**nn-**t**-e	**-e**
du	sag-**t**-est	red-**et**-est	d**ach**-**t**-est	n**a**nn-**t**-est	**-est**
er/es/sie	sag-**t**-e	red-**et**-e	d**ach**-**t**-e	n**a**nn-**t**-e	**-e**
wir	sag-**t**-en	red-**et**-en	d**ach**-**t**-en	n**a**nn-**t**-en	**-en**
ihr	sag-**t**-et	red-**et**-et	d**ach**-**t**-et	n**a**nn-**t**-et	**-et**
sie/Sie	sag-**t**-en	red-**et**-en	d**ach**-**t**-en	n**a**nn-**t**-en	**-en**

PRÄSENS-STAMM + PRÄTERITUM-SIGNAL **-(e)t-**

⚠ PRÄTERITUM-STAMM + PRÄTERITUM-SIGNAL **-t-**

denken, bringen; nennen, kennen, brennen, senden, wenden; wissen

→Ü9, Ü30

b) Unregelmäßige Verben

	sehen	gehen	treffen	essen	ENDUNGEN
ich	sah--	ging--	traf--	aß--	--
du	sah-st	ging-st	traf-st	aß-t	**-st**
er/es/sie	sah--	ging--	traf--	aß--	--
wir	sah-en	ging-en	traf-en	aß-en	**-en**
ihr	sah-t	ging-t	traf-t	aß-t	**-t**
sie/Sie	sah-en	ging-en	traf-en	aß-en	**-en**

PRÄTERITUM-STAMM

→Ü10

Unregelmäßige Verben: Typen

	Merkwort	Infinitiv	Präteritum 1. P. Sg.	Partizip II
Typ 1: **a/i/a**	**A**id**a**	schl**a**fen braten, beraten, lassen, verlassen, anfangen, fallen, gefallen, halten, erhalten, unterhalten	schl**i**ef	geschl**a**fen
Typ 2: **a/u/a**	M**a**t**u**r**a**	f**a**hren erfahren, einladen, schlagen, vorschlagen, tragen, schaffen, waschen, wachsen	f**u**hr	gef**a**hren
Typ 3: **e/a/e**	B**e**at**e**	g**e**ben geschehen, lesen, sehen, essen, fressen, vergessen	g**a**b	geg**e**ben
Typ 4: **e/a/o**	S**e**n**a**t**o**r	n**e**hmen empfehlen, sprechen, brechen, erschrecken, treffen, sterben, gelten, helfen, werfen	n**a**hm	gen**o**mmen
Typ 5: **e/o/o**	B**e**lm**o**nd**o**	h**e**ben schmelzen	h**o**b	geh**o**ben
Typ 6: **i/a/e**	Z**i**g**a**rr**e**	l**i**egen sitzen	l**a**g	gel**e**gen
Typ 7: **i/a/o**	P**i**c**a**ss**o**	beg**i**nnen gewinnen, schwimmen	beg**a**nn	beg**o**nnen
Typ 8: **i/a/u**	P**i**l**a**t**u**s	s**i**ngen binden, verbinden, finden, klingen, verschwinden, springen, trinken	s**a**ng	ges**u**ngen
Typ 9: **i/o/o**	K**i**m**o**n**o**	fl**i**egen abbiegen, anbieten, verlieren, ziehen, anziehen, gießen, fließen, schließen, erschließen, schießen	fl**o**g	gefl**o**gen
Typ 10: **ei/i/i**	W**ei**k**i**k**i**	schr**ei**ben bleiben, ausleihen, reiben, unterscheiden, scheinen, steigen, umsteigen, treiben, schweigen, vergleichen, abreißen, reiten, schneiden	schr**i**eb	geschr**i**eben

⚠ Einzelverben:

stehen	stand	gestanden	tun	tat	getan
gehen	ging	gegangen	rufen	rief	gerufen
hängen	hing	gehangen	laufen	lief	gelaufen
kommen	kam	gekommen	heißen	hieß	geheißen
stoßen	stieß	gestoßen	(be)lügen	(be)log	(be)logen
			betrügen	betrog	betrogen

Hauptsatz und Nebensatz (4): gleichzeitige Temporalsätze

→Ü11 – Ü14

Als	Johanna klein war,	mussten die Kinder am Sonntag zur Kirche.
Als	Johanna heiratete,	war sie zwanzig Jahre alt.

Der stille Verehrer sah Johanna immer, wenn sie in die Kirche ging.

Johanna sagte: „Wenn ich einmal groß bin, heiraten wir."

„wenn" oder „als"

Wann hat Johanna geheiratet?	„als sie zwanzig war" – in der Vergangenheit – einmalige Handlung / einmaliges Ereignis
Wann sah der stille Verehrer Johanna?	„(immer) wenn sie in die Kirche ging" – in der Vergangenheit – wiederholte Handlung / wiederholtes Ereignis
Wann will Johanna heiraten?	„wenn ich einmal groß bin" – in der Gegenwart oder Zukunft

Artikel-Wörter und Substantiv (4): Genitiv

Stationen de**s** Leben**s** **das Leben** ein**er** Frau / ein**es** Mann**es** **die Anzahl** de**r** Kind**er**

1. BEZUGSWORT ← 2. GENITIV

	SINGULAR MASKULIN	NEUTRUM	FEMININ	PLURAL
NOM	de**r** Mann	da**s** Leben	di**e** Frau	di**e** Kinder
AKK	de**n** Mann			
DAT	de**m** Mann	de**m** Leben	de**r** Frau	de**n** Kinder**-n**
GEN	de**s** Mann**-es**	de**s** Leben**-s**	de**r** Frau	de**r** Kinder

n-Deklination →K21

Die Genitiv-Endungen sind bei allen Artikel-Wörtern (der, ein, kein, mein, dies-) gleich.

⚠ Johanna**s** **Kinder** sind erwachsen. Hans Maier**s** **Kinder** sind noch klein.

PERSONENNAMEN: 1. GENITIV → 2. BEZUGSWORT

Alle Personennamen haben im Genitiv ein **-s**.

Umwelt

 A1

Natur und Gefühle

Schauen Sie die zwei Bilder an: Welche Unterschiede sehen Sie?

1 Alles dreht sich ...

A2

a) Welche Texte passen zu den Bildern?
b) Sammeln Sie Wörter zu „Natur".

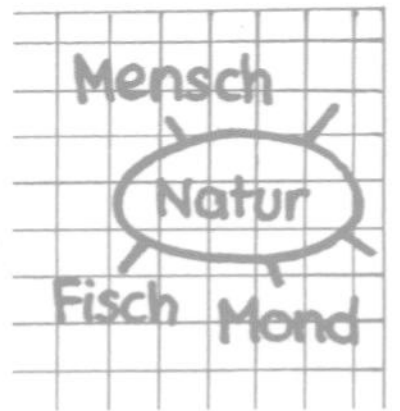

→Ü1

A3

a) Was drücken die Texte aus: Angst, Sorge, Faszination?
b) Was denken/fühlen Sie?

→Ü2 – Ü3

①

Es ist ein fantastisches Erlebnis, auf dem Mond zu stehen und die Erde zu sehen. Mich beeindruckt, wie schön diese Erde ist. Aber auch wie klein! Wie eine winzige Insel in einem unermesslichen Meer: die einzige Insel, wo – soweit wir wissen – die Menschen wohnen können. Mir ist bewusst geworden, wie wichtig es ist, diese Insel zu erhalten, zu bewahren und zu schützen – nicht vor fremden Angreifern, sondern vor uns selbst, vor den Menschen!

Neil Armstrong, Astronaut

②

Ich finde es schlimm, dass sich heute immer noch alles ums Geld und nicht um die Gesundheit unserer Natur dreht.

Sabrina, 14

③

Eine Welt ohne Liebe
ist wie Wasser ohne Fische.
Ich fürchte, dass wir
das Wasser völlig kaputtmachen.
Ich habe Angst davor, dass es bald
keine Fische mehr gibt.

Melanie, 15

④

Erst wenn ihr den letzten Baum gerodet,
den letzten Fluss vergiftet
und den letzten Fisch gefangen habt,
dann stellt ihr fest,
dass man Geld nicht essen kann.

(Indianische Weisheit)

2 Der Wasserkreislauf

Mehr als drei Viertel der Erde sind Wasser: Meere, Seen und Flüsse. Wenn die Sonne scheint, wird die Luft erwärmt. Wasser verdunstet und steigt auf, so dass am Himmel Wolken, Regenwolken, entstehen. Die Wolken steigen auf und werden in der Höhe abgekühlt. Dann regnet es. Wenn es sehr kalt ist, schneit es.

Das Wasser fällt als Regen oder als Schnee zurück auf die Erde. Ein Teil fällt aufs Land, auf Berge, Wälder, Felder, Städte und Dörfer. Dort brauchen es Menschen, Tiere und Pflanzen, um zu leben. Viel Wasser sammelt sich wieder in den Bächen, Flüssen und Seen und fließt zurück ins Meer. Der Kreislauf beginnt wieder von vorne.

A3 Wovor hast du Angst? / Was fürchten Sie? – Ich habe Angst / fürchte, dass … .
Machst du dir (auch) Sorgen um … ? – Ja/Nein. Ich finde es wichtig, … zu … .
Was sollen/müssen wir denn jetzt tun? – Es ist nötig, dass endlich etwas gegen/für … getan/unternommen wird.
Was ist deiner Meinung nach nötig?
Wie geht es wohl weiter (mit) … ? – Wenn wir so weitermachen, dann … .
Was beeindruckt dich am meisten? – Ich finde es faszinierend, dass … .

A5 Die Qualität des Wassers hat sich stark verändert. Das hat drei Gründe: Erstens … .
Der Boden wird/wurde mit zu viel Chemikalien behandelt, so dass … .
Wenn viele giftige Stoffe ins Meer geworfen werden, dann … .

A6 Bei uns wird zu wenig getan, um … zu… .
Man tut viel für/gegen … .
Die Lage hat sich verbessert/verschlechtert.
Das Grundwasser wird vergiftet, so dass … .
Unser Wasser kann man trinken, weil … .
Wir haben ganz andere Probleme: … .

A4 

Wasserprobleme erklären

Schauen Sie das Bild an: Wo fängt der Wasserkreislauf an? Zeichnen Sie beim Lesen mit dem Finger den Kreislauf nach.

→Ü4 – Ü6

A5 

a) Schauen Sie das Bild an und hören Sie: Warum ist das Wasser nicht mehr sauber? Notieren Sie.
b) Nennen Sie Gründe.

→Ü7 – Ü16

A6 

Welche Probleme gibt es bei Ihnen? Gibt es genug Wasser für alle? Kann man das Wasser ohne Probleme trinken? Was wird für die Umwelt getan?

→Ü17 – Ü18

A7

Umweltverhalten beschreiben

a) Notieren Sie Wörter/Ausdrücke zur Collage.
b) Was soll man tun? Was nicht? Beschreiben Sie mit Hilfe der Fotos.

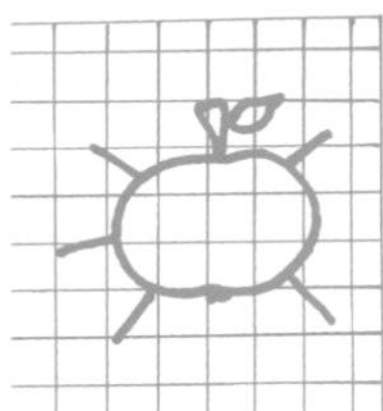

3 Was tun *Sie* für die Umwelt?

„Luftverschmutzung, Wasserverschmutzung, Ozonloch, Müllberge – all das sind alltägliche Themen."
„Ich heize im Winter weniger, damit ich Energie sparen kann."
Frau Svoboda

„Es ist schon sehr viel für die Umwelt getan worden. Wir können aber in Zukunft nicht so weitermachen."
„Wir müssen etwas tun, damit es der Wirtschaft wieder besser geht."
Herr Koller

A8

a) Eine Sendung im Radio: Welche Leute sind für den Schutz der Natur, wer ist dagegen? Welche Bilder passen?
b) Was tun diese Leute im Alltag für eine gesunde Umwelt? Notieren Sie.

„Es ist wichtig, dass wir mit allem sparsam umgehen. Dann haben wir vielleicht noch eine Chance."
Frau Haupt

„Ich mache mir keine Illusionen. Die Natur geht langsam kaputt. Für die meisten Menschen ist unsere Natur heute ein Mülleimer, aber schon früher in meiner Jugend wurde alles einfach weggeworfen."
Herr Hansen

→Ü19 – Ü20

A8 Hier wird (nicht) nur über … geredet.
A9 Junge Menschen stellen sich das einfach vor … . Man vergisst leicht, dass … .
Alles braucht seine Zeit, und dazu kostet es … . Warum soll gerade ich … ?
Bei uns zu Hause war Umweltschutz … . Früher wurde alles weggeworfen.
Ich mache mir Gedanken über … . Ich persönlich bin dafür, aber … .
Ich bin froh, dass immer mehr Menschen … . Zum Glück … .
Was tust du / tun Sie konkret im Alltag? – Ich habe angefangen, … zu… .
Wie machst du / machen Sie das genau? – Ich verbrauche/verwende weniger/mehr … .

A9

Was tun Sie persönlich für den Schutz der Umwelt?

→Ü21 – Ü28

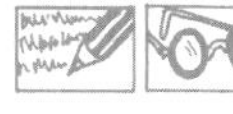

4 Das Auto der Zukunft oder Zukunft ohne Auto?

Wir sind eine mobile Gesellschaft

Und das Auto ist das beste Mittel für individuelle Mobilität. Jeder Einzelne von uns ist bereit, große Teile seines Einkommens fürs Autofahren auszugeben. Und die Automobilindustrie ist unser Wirtschaftsfaktor Nummer eins. Mehr als 800 000 Menschen arbeiten hier. Wir wollen und könnten gar nicht ohne Auto sein: In Deutschland gibt es 52 Millionen Kraftfahrzeuge.

Das ist heute. Doch wie sieht die Zukunft aus? Der größte Feind des Autos ist das Auto selbst. Andere Produkte gehen unter, weil sie so schlecht sind. Das Auto kommt in Schwierigkeiten, weil es so gut ist.

Das Automobil befriedigt den Wunsch nach individueller Mobilität so perfekt, dass niemand darauf verzichten will. Deshalb gibt es Probleme mit den Auswirkungen auf die Natur. Deshalb gibt es Probleme mit der Sicherheit. Und deshalb gibt es auch Probleme mit der Mobilität selbst. Zum Beispiel verbringt jeder deutsche Autofahrer im Durchschnitt pro Jahr drei Tage im Stau.

Aber mit Aussteigen löst man Verkehrsprobleme nicht, denn Verbote und Beschränkungen sind nicht nur das Ende der Mobilität, sondern auch das Ende unserer Kreativität.

(Der deutsche Bundesminister für Forschung und Technologie auf der Internationalen Automobil-Ausstellung, Frankfurt, 1995)

A10

Pro und Kontra diskutieren

a) Notieren Sie zuerst Argumente für und gegen das Auto.

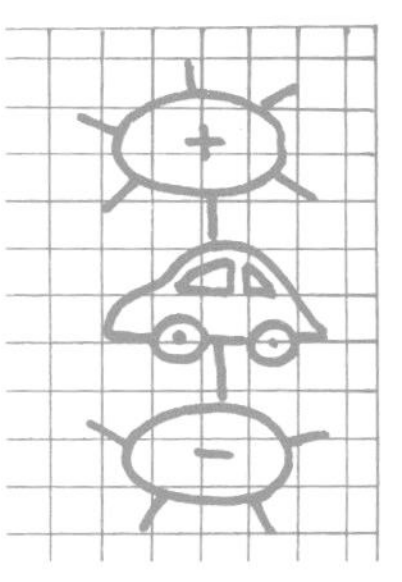

b) Lesen Sie dann den Text (oben) und ergänzen Sie Ihre Argumente.

Der sicherste Weg aus dem Alltag: Das neue T-Modell der C-Klasse. In einem Moment geniessen Sie den Komfort eines Fünfplätzers, im nächsten machen Sie kurzum vier Sitze flach. Bei soviel Flexibilität können Sie ruhig wieder mal ans Geschäft denken.

Vielleicht auch an die individuellen Design- und Ausstattungslinien «Esprit», «Classic», «Sport» und «Elegance». In jedem Fall machen Sie 100'000 km Gratis-Service und 3 Jahre Vollgarantie von einigen Sorgen frei. Viel Spass bei der Probefahrt! Für eine Dokumentation vorweg: 155 5 155.

Das T-Modell der C-Klasse ab Fr. 38'400.–

Für Aussteiger.

Mercedes-Benz

Ohne Auto leben? Ohne Auto leben!

Versuchspersonen ließen Pkw drei Monate stehen – 63% verkaufen Privatwagen

Wien. – Kann man ohne eigenes Auto leben, arbeiten und einkaufen? 40 Wienerinnen und Wiener probierten es: Sie ließen ihr Auto drei Monate lang stehen und versuchten in dieser Zeit, mit öffentlichen Verkehrsmitteln, Fahrrad und Car-Sharing mobil zu bleiben.

Das Ergebnis des Versuches liegt nun vor: 63 Prozent aller Teilnehmer wollen nach den drei Monaten das eigene Auto verkaufen oder haben dies schon getan. Die Analyse zeigt, dass vor allem auf den Wegen zur und von der Arbeit auf das eigene Auto verzichtet werden kann: 18 Prozent fuhren vor dem Versuch mit dem Auto zur Arbeit, während des Versuchs waren es nur zwei Prozent. Ähnlich große Unterschiede wurden beim Einkaufen festgestellt – dort reduzierte sich der Anteil von 16 auf drei Prozent, bei Freizeit-Fahrten hingegen nur von 28 auf zwölf Prozent.

A11

Sammeln Sie Informationen zu: Verkehrsmitteln, Veränderungen, Zukunft.

➜Ü29

A12 Für/Gegen das Auto spricht, dass … .
Meiner Meinung nach muss/sollte … .
Man kann doch nicht einfach … !
– Aber die Zahlen zeigen doch, dass … .
– Nein, es ist dringend nötig, dass … .
– Doch! Die Lösung ist, dass … .
Ich bin gleicher Meinung wie Sie/du. Ich stimme Ihnen/dir zu. Das ist richtig.
Sie haben nicht Recht. Ich bin nicht Ihrer Meinung. Das ist doch Unsinn!

A12

Diskutieren Sie: für oder gegen das Auto?

A13

Entscheidungsfragen (Satzfragen)

a) Hören Sie.
b) Sprechen Sie.

5 Aussprache

Kannst du auf dein Auto verzichten?
Gibt es bei euch ein Car-Sharing-Projekt?
Können Sie mit dem Rad einkaufen?

Hast du ein teures Auto?
Willst du dein Auto verkaufen?
Können Sie mit dem Bus zur Arbeit fahren?

A14

Entscheidungsfragen: Akzent auf der letzten Silbe

a) Hören Sie.
b) Sprechen Sie.
→Ü30

Schaden Flugzeuge der Luft?

Wenn der Akzent auf der letzten Silbe liegt, **steigt die Melodie in der Akzentsilbe**.

Reinigt der Regen den Wald?
Verbraucht dein Auto viel Benzin?
Ist Öl im Wasser ein Gift?

Ist die Luft in Ihrer Stadt gut?
Gibt es Leben auf dem Mond?
Lebt hier noch ein Fisch?

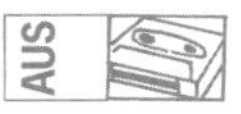

A15

Assimilation: „-en" am Wortende

Hören und sprechen Sie.

→Ü31 – Ü35

● Siehst du die dick**en** Wolk**en** dort?
○ Ja, die Wolk**en** steig**en** auf. Es gibt Reg**en**.
■ Möchten Sie ein Glas Wasser trink**en**?
□ Sie hab**en** hier noch sauberes Wasser?

	Gehobene Sprache	→ Alltagssprache
ausgeb**en**	[-bən]	→ [-bm]
stopp**en**	[-pən]	→ [-pm]
trink**en**	[-kən]	→ [-kŋ]
befriedig**en**	[-gən]	→ [-gŋ]

In der Alltagssprache wird nach den Konsonanten „b, p, g, k" die Endung **„-en" assimiliert**.

sie bleiben
wir leben

die Gruppen
sie stoppen

der Regen
wir steigen aus

die dicken Wolken
die Fabriken

A16

Wörter im Text: Assoziationen

a) Was assoziieren Sie zu den blau markierten Wörtern?
b) Wählen Sie andere Wörter im Text. Notieren Sie Ihre Assoziationen auf ein Blatt.
c) Vergleichen Sie.

→Ü27

6 Wortschatz

gefährlich, das Problem, ...

Es ist auch problematisch, dass Flüsse, Seen und vor allem das Meer heute immer noch als Mülleimer missbraucht werden. Viele giftige Stoffe wie Chemikalien, verschmutztes Öl oder Atommüll werden einfach ins Meer geworfen, damit man sie nicht mehr sehen muss und einfach vergessen kann. In manchen Gebieten ist deshalb das Wasser so schmutzig, dass darin keine Fische mehr leben können; und für Menschen musste dort das Baden verboten werden.

der Müll, wegwerfen, das Recycling, ...

das Trinkwasser, der See, ...

das Gift, lebensgefährlich, ...

A17

Wörter gesucht

a) Wie heißen die gesuchten Wörter?
b) Schreiben Sie „Steckbriefe" für andere Wörter.
c) Lesen Sie ohne Namen vor: Die Gruppe rät.

→Ü21 – Ü22

GESUCHT! WANTED!

Name: ???

Wohnort: die Landschaft
Bekannte: der Bach, der See, das Meer
Schlechte Eigenschaften: verschmutzt, keine Fische mehr, das Baden für Menschen verboten

GESUCHT! WANTED!

Name: ???

Wohnort: die Fabrik, die Industrie
Bekannte: Gift, Dünger
Schlechte Eigenschaften: gefährlich für den Boden und das Grundwasser
Gute Eigenschaften: Medikamente

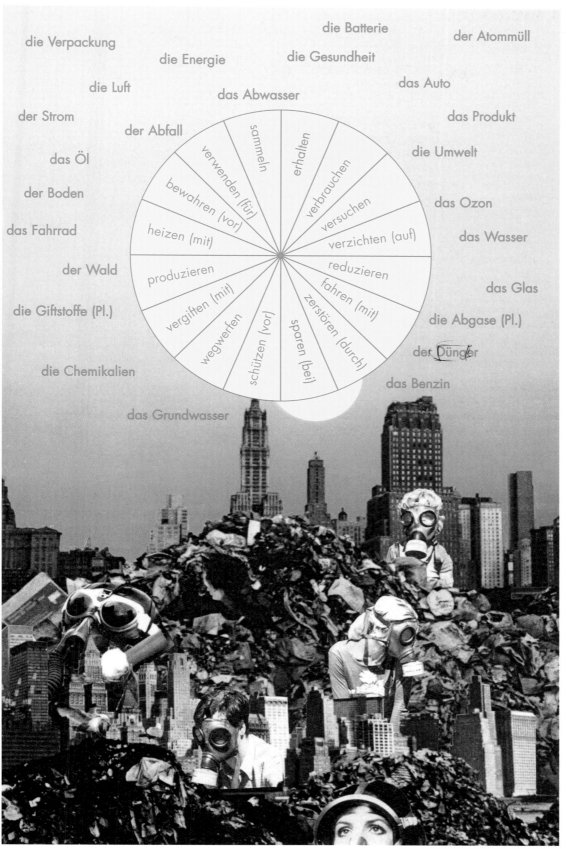

die Verpackung
die Energie
die Batterie
die Gesundheit
der Atommüll
die Luft
das Abwasser
das Auto
der Strom
der Abfall
das Produkt
das Öl
die Umwelt
der Boden
das Ozon
das Fahrrad
das Wasser
der Wald
das Glas
die Giftstoffe (Pl.)
die Abgase (Pl.)
der Dünger
die Chemikalien
das Benzin
das Grundwasser

sammeln
erhalten
verbrauchen
versuchen
verzichten (auf)
reduzieren
fahren (mit)
zerstören (durch)
sparen (bei)
schützen (vor)
wegwerfen
vergiften (mit)
produzieren
heizen (mit)
bewahren (vor)
verwenden (für)

A18

Ausdrücke kombinieren

a) Lesen Sie die Verben im Kreis und suchen Sie passende Substantive.
b) Schreiben Sie Sätze:
Was ist gut/schlecht für die Umwelt?

A19

Ein Spiel mit Sätzen:
Bilden Sie Gruppen. Drehen Sie einen Stift auf dem Kreis. Bilden Sie mit dem Verb einen Satz zum Thema „Umwelt“.
Spielen Sie, bis alle Verben einmal dran waren.

7 Grammatik

→Ü8 – Ü18

Passiv (1): Vorgangspassiv

a) Verbformen: Aktiv und Passiv

VERBFORMEN AKTIV		VERBFORMEN PASSIV
sind	Mehr als drei Viertel der Erde sind Wasser: Meere, Seen und Flüsse.	
scheint	Wenn die Sonne scheint, **wird die**	wird … erwärmt
verdunstet	**Luft erwärmt**. Wasser verdunstet und	
steigt auf	steigt auf, so dass am Himmel Wolken,	
entstehen	Regenwolken, entstehen. **Die Wolken**	
steigen auf	steigen auf und **werden in der**	werden … abgekühlt
regnet	**Höhe abgekühlt**. Dann regnet es.	

b) Bildung des Passiv

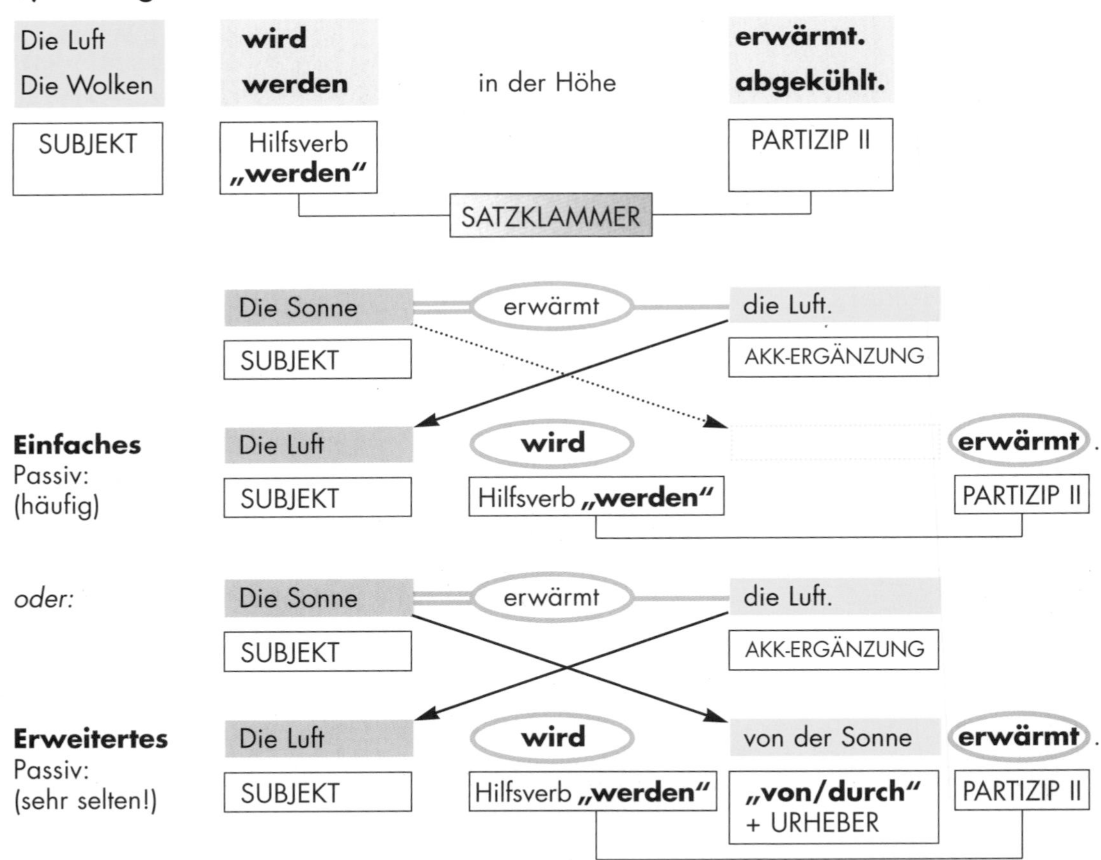

c) Tempusformen des Passiv: Präsens, Präteritum, Perfekt und Infinitiv Passiv

Die Luft	**wird**		**erwärmt.**	PRÄSENS
Der Boden	**wurde**	mit Chemikalien	**behandelt.**	PRÄTERITUM
Es	**ist**	schon sehr viel für die Umwelt	**getan ⚠ worden.**	PERFEKT
Es	**muss**	noch viel mehr	**gemacht werden.**	INFINITIV PASSIV (Part. II + „werden")

Formen von „werden" →K17

d) Passiv im Text: Funktionen

Flüsse, Seen und vor allem das Meer **werden** heute immer noch als Mülleimer **missbraucht**. Es ist sehr problematisch, dass viele giftige Abwässer aus der Industrie und aus den Haushalten ins Meer **geleitet werden**.
In manchen Flüssen und Seen können Fische nicht mehr leben, und das Baden für Menschen **musste verboten werden**.

Gründe für das Passiv im Text:

1. Interesse am Vorgang:
   Was passiert? Was geschieht?
2. Der Urheber kann oder soll nicht genannt werden:
   Man erfährt nicht, wer … .

Flüsse, Seen und vor allem das Meer **werden** heute als Mülleimer **missbraucht**.

oder: **Man missbraucht** heute Flüsse, Seen und vor allem das Meer als Mülleimer.

Statt Passiv kann man auch das Indefinitpronomen **„man" + Verb im Aktiv** verwenden.

Hauptsatz und Nebensatz (5): Konsekutivsätze

→Ü28

Das Wasser verdunstet und steigt auf,	so dass	am Himmel Wolken entstehen.
Das Grundwasser wird vergiftet,	so dass	man es nicht mehr trinken kann.
Der Boden wird so behandelt,	dass	Gift ins Grundwasser kommt.

1. Hauptsatz: URSACHE/GRUND ⟶ **(so) dass** 2. Nebensatz: FOLGE

Hauptsatz und Nebensatz (6): Finalsätze

→Ü23 – Ü25

Frau Svoboda heizt im Winter weniger,	damit	sie Energie spart.
Sie duscht mehr und badet nur ganz selten,	damit	sie weniger Wasser braucht.
„Was können wir konkret machen,	damit	es nicht noch schlimmer wird?"

1. Hauptsatz: HANDLUNG/MASSNAHME ⟶ **damit** 2. Nebensatz: ZIEL/ZWECK

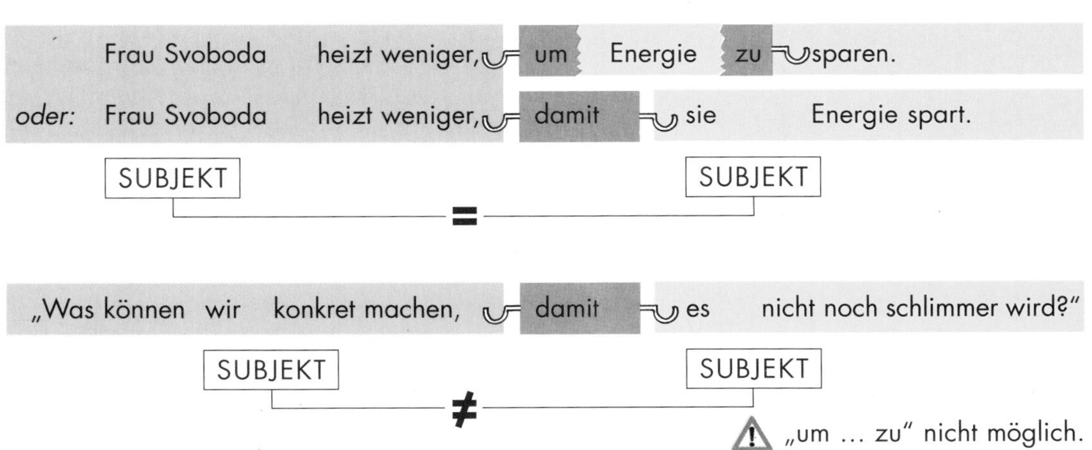

Frau Svoboda heizt weniger, um Energie zu sparen.
oder: Frau Svoboda heizt weniger, damit sie Energie spart.
SUBJEKT = SUBJEKT
„Was können wir konkret machen, damit es nicht noch schlimmer wird?"
SUBJEKT ≠ SUBJEKT
„um … zu" nicht möglich.

Bei gleichem Subjekt verwendet man fast immer **„um … zu"**.

Auf Reisen

A1

Reisebilder/ Reisegefühle

a) Hören Sie die Geräusche: Was kommt Ihnen in den Sinn? Notieren Sie.
b) Schauen Sie die Bilder an und hören Sie noch einmal die Geräusche. Was passt zusammen?

➜Ü1

1 Reise-Impressionen

①
Die Reisebetrachtungen Goethes sind anders als die heutigen, weil sie aus einer Postkutsche gemacht wurden und weil sie sich mit der langsamen Veränderung des Geländes entwickeln.

②
Reisen ist heute wie Fernsehen. Vor allem jüngere Menschen, die mit dem Fernsehen aufgewachsen sind, „zappen" durchs Leben, im Last-Minute-Flug von Destination zu Destination.

A2

a) Wer hat wohl die Texte ① – ⑧ geschrieben? Kinder oder Erwachsene? Frauen oder Männer?
b) Welche Texte sind alt, welche neu? Raten Sie.

➜Ü2 – Ü3

eine Schwäche haben für etwas = etwas lieben, etwas sehr gern tun

③
Heute habe ich einen D-Zug gesehen,
Der ging direkt in die Schweiz.
Mancher findet nur schnittige Achtzylinder
schön,
Ich aber meinerseits
Habe seit langen
Sehnsuchtsvollen Jahren
Eine Schwäche für rauchgraue D-Zug-
Schlangen,
Die in entlegene Länder fahren.

④
„Wenn ich einmal das große Los gewinne", rief Julie, „so will ich immer reisen; ich kann mir kein größeres Glück denken." „Ich glaube", sagte Elise, „dass das gar zu viele Reisen nicht gut tut und unzufrieden im Haus macht; ich will lieber zu Hause bleiben und lasse mir Reisen erzählen."

A1	Was kommt dir/Ihnen in den Sinn? – Mir kommt in den Sinn, wie ich früher (ein)mal .... Woran denkst du / denken Sie? – Ich musste an ... denken.
A2	Hast du eine Ahnung, wer diesen Text geschrieben hat / ob das ein Text von ... ist? Weißt du/Wissen Sie, wie alt dieser Text ist? Weißt du/Wissen Sie, ob der Text da alt/neu ist?

⑤
528 Millionen Touristen können sich nicht irren. Reisen ist schön. 528 Millionen Ankünfte zählte die Welttourismus-Organisation im vergangenen Jahr. Ich frage mich aber ernsthaft, ob das Reisen bei solchen Massen wirklich noch schön ist?

⑥
Kennst du das Land, wo die Zitronen blühn,
Im dunkeln Laub die Gold-Orangen glühn,
Ein sanfter Wind vom blauen Himmel weht,
Die Myrte still und hoch der Lorbeer steht –
Kennst du es wohl?
Dahin! Dahin
Möcht ich mit dir, o mein Geliebter, ziehn!

A3 

Eine Collage machen

a) Was bedeutet Reisen für Sie? Sammeln Sie Bilder, schreiben Sie Texte und machen Sie Collagen.

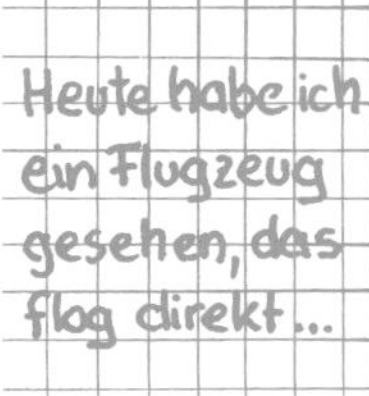

Heute habe ich
ein Flugzeug
gesehen, das
flog direkt ...

b) Kommentieren Sie Ihre Collagen.

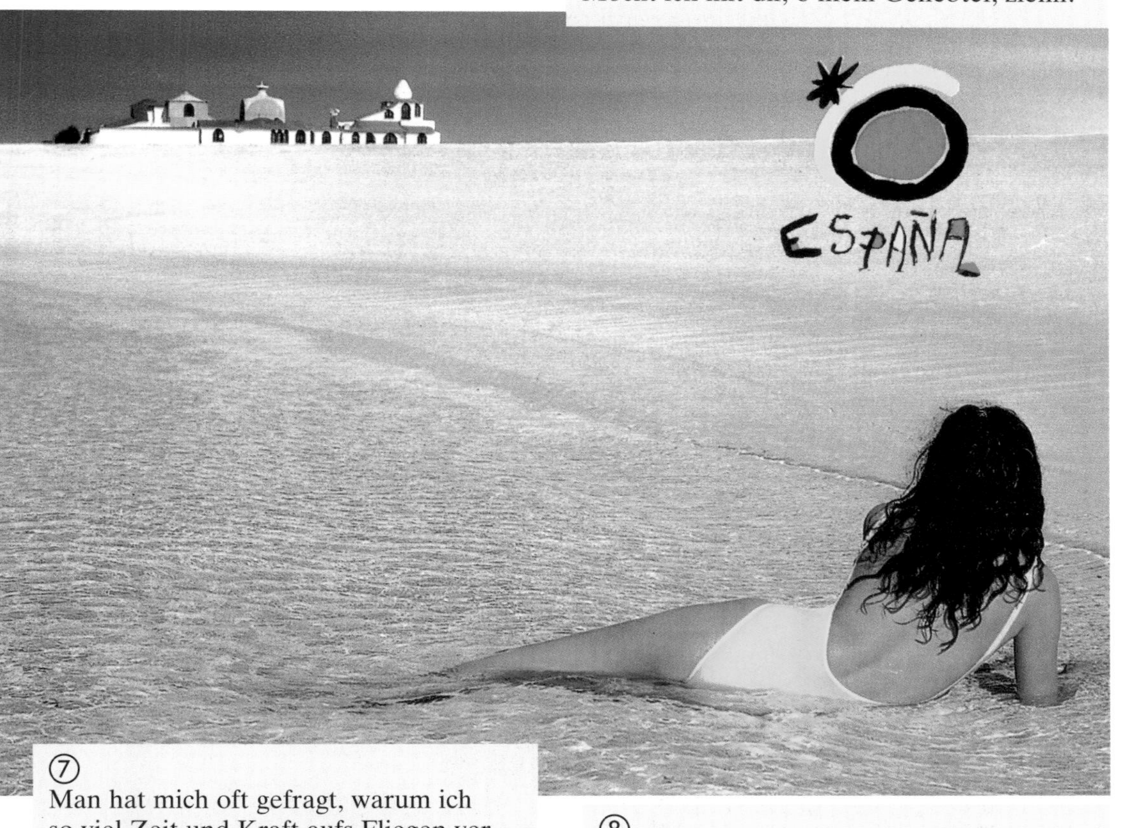

⑦
Man hat mich oft gefragt, warum ich so viel Zeit und Kraft aufs Fliegen verwende. Meine Antwort: Fragen Sie doch einen Maler, warum er Bild für Bild malt und nicht ans Verkaufen denkt.

⑧
Die Erde ist rund, darum kommen wir beim Reisen immer wieder zu dem Punkt zurück, von dem wir weggegangen sind.

Was bewegt die Menschen?

Haben Sie sich auch schon gefragt, warum Jahr für Jahr Millionen von Menschen in ihrer Freizeit verreisen, vor allem in den Ferien? Ist es der Alltag zu Hause, der die Menschen langweilt? Sind es fremde Menschen, die uns anziehen? Oder ist es die Stimmung einer fremden Stadt, die uns fasziniert? Was ist es, das die Menschen immer wieder bewegt und oft weit weg in die Ferne zieht?
Und alle haben ihre eigenen Vorlieben: Die einen gehen zu Fuß auf den Mount Everest, die anderen reisen mit dem Schiff oder Flugzeug auf eine ferne Südseeinsel. Die einen haben eine Schwäche für den Zug, die anderen lieben ihr Wohnmobil ...

A4 Ich frage mich, wann/warum/ob ... . Ich weiß nicht, warum / ob viele Menschen ... .
Reisen heißt für mich: ... . Ich reise sehr gern mit/nach/in ... .
Meine Mutter / Mein Großvater hat mir mal erzählt, wie sie / er früher ... .
Heute geht alles viel ... als früher: Man nimmt / fährt mit ..., früher dagegen ... .

A4 

Über Reisen reden

Warum reisen die Menschen? Reisen Sie gern? Wie war das bei Ihren Eltern/ Großeltern? Diskutieren Sie.

➜Ü4 – Ü11

A5

Über Länder reden

Was kommt Ihnen in den Sinn, wenn Sie die Wörter „Polen", „Italien" oder „Tirol" hören? Notieren Sie und vergleichen Sie.

A6

Welche Texte passen zu welchen Bildern?

➔Ü12

A7

a) Was beobachtet Heine: Menschen, Sprachen, Gefühle, Natur ... ? Notieren Sie Stichworte zu den Texten/Regionen.
b) Vergleichen Sie.

2 Heinrich Heine: Reisebilder (1822–28)

1
Fort, fort von hier,
Das Auge sieht die Türe offen ... *(Briefe aus Berlin, 1822)*

2
Seit einigen Monaten habe ich den preußischen Teil Polens kreuz und quer durchstreift. Hier gibt es nur weite Flächen und Ackerland, das meistens gut ist, und dichte Fichtenwälder. Polen lebt nur von Ackerbau und Viehzucht; von Fabriken und Industrie gibt es hier fast keine Spur.
(Über Polen, 1823)

3
In der „Krone" zu Klausthal im Harz aß ich zu Mittag. Ich bekam frühlingsgrüne Petersiliensuppe, veilchenblauen Kohl, einen Kalbsbraten sowie auch eine Art geräucherte Heringe, die Bücklinge heißen. Nach dem Essen machte ich mich auf den Weg, die Gruben zu besuchen.
(Die Harzreise, 1824)

4
Die Einwohner der friesischen Insel Norderney sind meistens bleich und leben vom Fischfang; viele dienen auch als Matrosen auf fremden Schiffen und bleiben jahrelang vom Hause entfernt, ohne ihren Angehörigen eine Nachricht von sich zukommen zu lassen. Sie reden eine Sprache, die sie selber kaum verstehen. *(Die Nordsee, 1826)*

5
Tirol ist sehr schön, aber die schönsten Landschaften können uns nicht erfreuen bei trüber Witterung und ähnlicher Gemütsstimmung; und da es draußen regnete, so war auch in mir schlechtes Wetter. Nur dann und wann durfte ich den Kopf zum Wagen hinausstrecken, und dann schaute ich himmelhohe Berge. *(Italien, 1828)*

6
Wegen meines Italienischsprechens hielt sie mich am Anfang für einen Engländer; aber ich sagte ihr, dass ich nur ein Deutscher sei. Sie stellte sogleich viele geographische, ökonomische und klimatische Fragen über Deutschland und wunderte sich, daß bei uns keine Zitronen wachsen.
(Italien, 1828)

7
Die Engländer sind jetzt in Italien sehr zahlreich, sie durchziehen dieses Land in ganzen Schwärmen, sitzen in allen Wirtshäusern, laufen überall umher, um alles zu sehen, und man kann sich keinen italienischen Zitronenbaum mehr denken ohne eine Engländerin, die daran riecht.
(Italien, 1828)

A8

Welche Texte sind noch aktuell? Warum?

A7	In welchem Text schreibt Heine etwas darüber, warum/wozu/wie lange/woher ... ? – In Text 3 beschreibt/erzählt Heine, was er in Klausthal ... . In Text ... wird beschrieben/erzählt, wie die Menschen / die Natur ... .
A8	Text ... ist für mich (noch) aktuell, denn auch heute noch ist/sind ... .

3 Auf Heines Spuren

Heinrich Heine wurde 1797 in Düsseldorf als Kind jüdischer Eltern geboren. Er besuchte zuerst das Gymnasium und dann eine Handelsschule. Nach seinem Jura-Studium in Bonn, Berlin und Göttingen arbeitete er als Jurist, Schriftsteller und Journalist in Hamburg, München und Berlin. Er unternahm längere Reisen durch Deutschland und Europa.
1831 emigrierte er nach Frankreich. Weil er sich als Schriftsteller politisch exponierte, wurde er in Deutschland von der Polizei gesucht. Paris war damals das Zentrum der sozialistischen und der liberalen politischen Bewegungen in Europa. Heine lebte sich schnell in seiner Exil-Heimat Frankreich ein. 1856 starb er in Paris nach achtjähriger schwerer Krankheit.
Bekannt geworden ist Heine als „Weltbürger" durch seine romantische ironische Lyrik und durch seine modern-kritischen Reise-Impressionen.

A9 

Eine Biografie lesen

a) Wie alt war Heine etwa, als er seine „Reisebilder" schrieb? Ordnen Sie die Texte seiner Biografie zu.
b) Warum ging Heine nach Paris?

➜Ü13 – Ü18

Ⓐ **Gourmet-Tage (Anreise nach Wunsch)**

4 Übernachtungen mit Frühstücksbuffet, Begrüßungscocktail, Besuch des Oberharzer Bergwerksmuseums, Harzer Wander- oder Autokarte, 1 x freier Eintritt in das Hallenbad Clausthal-Zellerfeld, 2 verschiedene 5-Gang-Gourmetmenüs inklusive Aperitif sowie ein rustikales Haxenessen inklusive einem Glas Bier und einem Harzer Grubenlicht.

Preis pro Person im Doppelzimmer 322,– DM

Ⓑ **Ostfriesland wie es**

So. 01.09.- So. 08.09.
(8 Tage)
Reise-Nr. 6038

1. Tag: Anreise über die Autobahn Würzburg - Kassel - Hannover - Bremen nach Leer. Abendessen und Übernachtung.

2. Tag: Heute geht es mit dem Bus nach Norden-Norddeich; von hier fahren Sie mit der Fähre nach Norderney, der mondänen Badeinsel in der Nordsee. Hier können Sie die Insel auf eigene Faust erkunden. Am späten Nachmittag geht es wieder zurück nach Norddeich, wo der Bus wartet und Sie wieder nach Leer

chen such
geht es w
rocken W
auch die
heute no
ten im S
die Run
werden.

5. Tag:
1.200 J
ihren viel
für jeden
besteht
die Innen
gel ist d
beka
und
ei
Vorb
die
wo f

Ⓒ **Lagunenstadt Venedig**

Anreise auf der Tauern-Autobahn – über Udine nach Venedig – Fahrt mit einem Motorboot auf dem Canale Grande zum Markusplatz – Stadtführung mit Dogenpalast – Markuskirche – Markusturm – Seufzerbrücke usw. – anschließend zur freien Verfügung – am Spätnachmittag Rückreise.
Abf.: 04.10 Uhr – zurück ca. 22.30 Uhr
Inkl. Motorboot/Stadtführung DM 89.00

Markuskirche und Campanile

A10 

Texte vergleichen

a) Zu welchen Reisebildern 1–7 von Heine passen die Werbetexte A–C?
b) Wo möchten Sie Urlaub machen? Haben Sie eine Schwäche für einen bestimmten Ort?

A11 

Schreiben Sie ein Reisebild oder einen Werbetext über Ihr Land oder Ihren Wohnort.

A12

Unterwegs: Post, Bank, Polizei, Zoll

a) Was passiert? Hören Sie und machen Sie Notizen.
b) Wie reagieren Sie in so einer Situation? Erzählen Sie oder spielen Sie.

→Ü19 – Ü20

4 „Wenn einer eine Reise tut, dann kann er was erzählen ...“

①
- ● Guten Tag!
- ○ Guten Tag, wo kann ich hier Geld wechseln, bitte?
- ● Da vorne links.
- ○ Nehmen die auch Schecks?
- ● Aber sicher, das ist gar kein Problem. …

③
- ● Guten Abend.
- ○ Guten Abend. Was kann ich für Sie tun?
- ● Mir ist der Geldbeutel gestohlen worden.
- ○ Aha! Und wann ist das passiert?
- ● So vor einer Stunde.
- ○ Und wo war das?
- ● Ich saß in einem Café und wollte zahlen, da war er weg.
- ○ Aha, weg war er! Und wie sieht er denn etwa aus, der Geldbeutel? …

②
- ● Guten Tag, was kostet denn eine Postkarte nach Griechenland?
- ○ Moment mal, … Griechenland: 80 Pfennig.
- ● Und ein Brief?
- ○ Eine Mark.
- ● Geben Sie mir bitte fünf Marken zu 80 Pfennig und sieben zu einer Mark.
- ○ So, das macht dann genau 11 Mark.
- ● Oh, danke. Und können Sie mir sagen, wo ich telefonieren kann? …

④
- ● Guten Tag, Ihre Papiere bitte!
- ○ Moment, hier bitte.
- ● Haben Sie Waren bei sich?
- ○ Wie bitte?
- ● Ich hab Sie gefragt, ob Sie etwas zu verzollen haben?
- ○ Ach so, ja, natürlich, äh, wir haben … .
- ● Fahren Sie doch bitte hier rechts raus. …

A13

Haben Sie unterwegs auch schon etwas Ähnliches erlebt? Erzählen Sie oder erfinden Sie eine Geschichte und spielen Sie.

→Ü21

A12	Entschuldigung, wo kann ich hier (Geld) wechseln? Nehmen Sie auch Schecks? Was kostet eine Postkarte / ein Brief nach …? Können Sie mir bitte sagen, ob/wo/was …? Mir ist … gestohlen worden. / Ich habe … verloren.
A13	Ich war mal in … . Da fragte mich der Beamte, warum/ob ich … . Da habe ich … . Ich habe (natürlich) nicht bemerkt/gesehen, wie … . Der Beamte fragte mich, ob ich … . Da habe ich ihm gesagt, dass … . Ich habe ihm geantwortet: „… .“

5 Aussprache

A14 

Kontrastakzent

a) Sprechen Sie die Sätze mit Kontrastwort nach.

- ● Kommst du heute? — ○ Nein, morgen!
- Fährst du mit dem Zug? — Nein, mit dem Auto.
- Möchtest du morgens fahren? — Lieber fahre ich abends.
- Besuchst du einen Freund? — Nein, eine Freundin!

Heine wurde in Düsseldorf geboren. Er besuchte eine Handelsschule. Später studierte er Jura in Bonn. Heine schrieb scharfe politische Texte. In Deutschland suchte ihn die Polizei. Er lebte lange im Exil.

b) Suchen Sie ein Kontrastwort.
c) Lesen Sie.

→Ü22 – Ü23

A15 

Kontrastakzent: Artikel betont

Hören und lesen Sie.

→Ü24

- ● Wir waren im Sommer auf Norderney. — ○ Die Insel kenne ich leider gar nicht.
- Die Reise war sehr schön. — Die Reise möchte ich auch gern machen!
- Wir hatten jeden Tag Sonne. — Bei dem Wetter macht das Reisen Spaß.
- Unser Auto machte leider Probleme. — Mit dem Auto möchte ich nicht verreisen!

A16

Rhythmisch sprechen

Lesen Sie laut.

→Ü25 – Ü26

Aus: **Deutschland, ein Wintermärchen**
(Heinrich Heine)

Von Harburg fuhr ich in einer Stund
Nach Hamburg. Es war schon Abend.
Die Sterne am Himmel grüßten mich,
Die Luft war lind und labend.

6 Wortschatz

A17 

Assoziationen sammeln

a) Was fällt Ihnen noch ein? Notieren Sie.
b) Schreiben Sie mit Ihren Notizen eine Postkarte an Freunde.

→Ü3

A18 

Betrachten Sie die Postkarte. Entspannen Sie sich und hören Sie zu.

7 Grammatik

→Ü9 – Ü11

Relativsatz (1)

a) Relativsatz: Referenz

Ist es **der Alltag** zu Hause, **der** die Menschen langweilt? Sind es **die fremden Menschen**, die wir kennen lernen wollen? Oder ist es **die Stimmung** einer fremden Stadt, **die** uns fasziniert? Was ist **es, das** die Menschen auch heute noch bewegt und in die Ferne zieht?

Die Erde ist rund. Darum kommen wir beim Reisen immer wieder **zu dem Punkt** zurück, **von dem** wir weggegangen sind.

b) Relativ-Pronomen: „der, das, die"

	SINGULAR MASKULIN	NEUTRUM	FEMININ	PLURAL
NOM AKK DAT	der den dem	das dem	die der	die ⚠ denen

Das Relativ-Pronomen ist identisch mit dem bestimmten Artikel. Nur im **Dativ Plural** (und im Genitiv) hat es andere Formen.

c) Relativsatz: Bildung

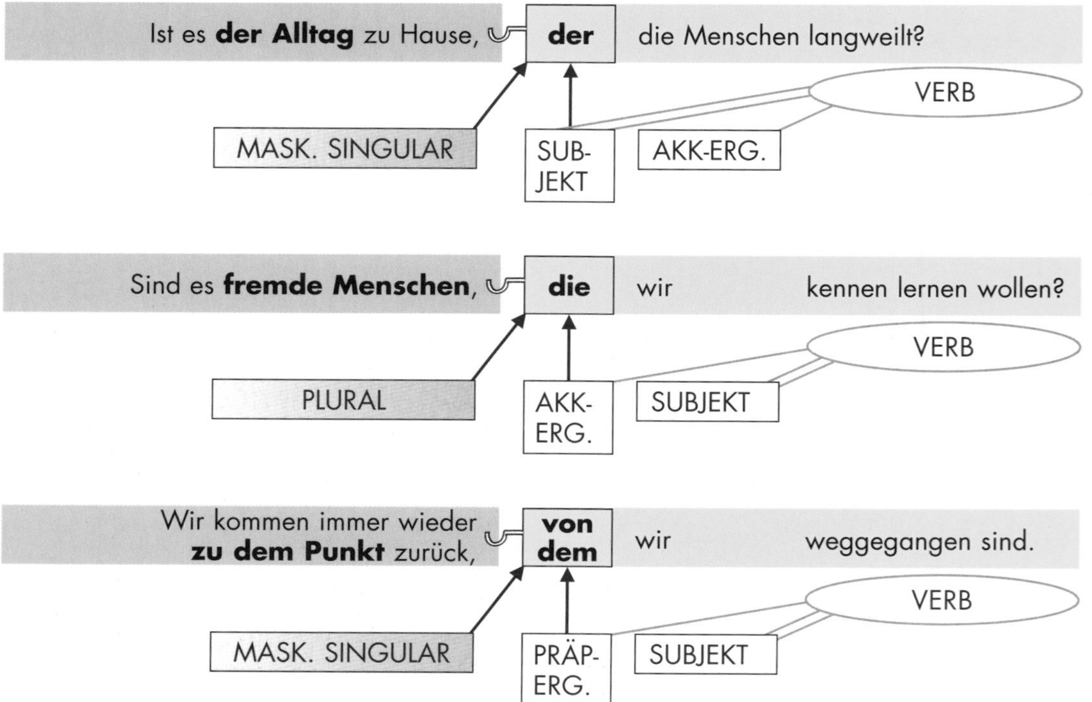

d) Relativsätze mit „wo"

→Ü16 – Ü17

Kennst du **das Land,**	**wo**	die Zitronen	blühen?
	in dem	die Zitronen	blühen?
Norderney, **die Nordseeinsel,**	**wo**	schon Heine Urlaub	gemacht hat.
	auf der	schon Heine Urlaub	gemacht hat.

„Wo/wohin/woher" leiten Relativsätze ein, die sich auf eine **Ortsbezeichnung** oder einen **Ortsnamen** beziehen.

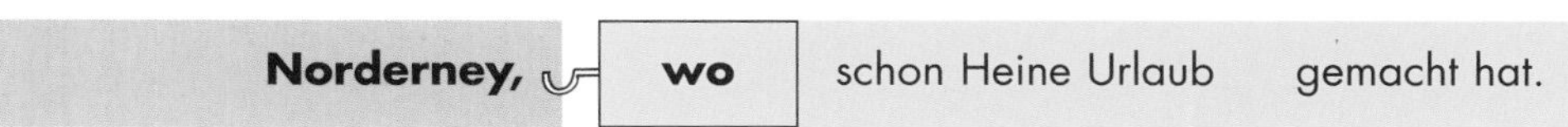

Norderney,	**wo**	schon Heine Urlaub	gemacht hat.

⚠ Ortsnamen ohne Artikel: nur **„wo/wohin/woher"** möglich!

Indirekter Fragesatz

→Ü6 – Ü8, Ü15

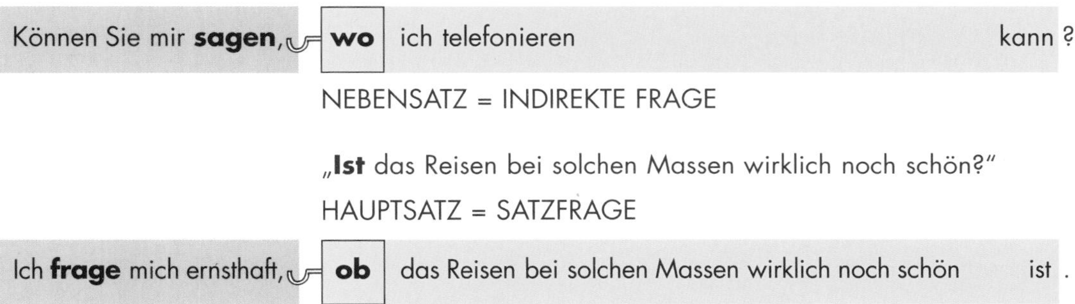

„**Wo** kann ich telefonieren?"

HAUPTSATZ = WORTFRAGE (W-FRAGE)

Können Sie mir **sagen,**	**wo**	ich telefonieren	kann ?

NEBENSATZ = INDIREKTE FRAGE

„**Ist** das Reisen bei solchen Massen wirklich noch schön?"

HAUPTSATZ = SATZFRAGE

Ich **frage** mich ernsthaft,	**ob**	das Reisen bei solchen Massen wirklich noch schön	ist .

„ob" + NEBENSATZ = INDIREKTE FRAGE

Indirekter Fragesatz möglich nach:

fragen, sich fragen, sich informieren;
sagen, erzählen, beschreiben;
wissen, in den Sinn kommen, sich erinnern, verstehen;
bemerken, sehen, hören

INDIREKTER FRAGESATZ

Fragewörter

Personen

NOM	**wer?**	**Wer** ist das?
AKK	**wen?**	**Wen** siehst du?
DAT	**wem?**	Mit **wem** sprichst du?
GEN	**wessen?**	**Wessen** Buch ist das?

Sachen

was?	**Was** ist das?
	Was siehst du?
wo(r)- + Präposition	**Womit** fährst du?
	Worauf wartest du?

Zeit

wann?	**Wann** kommen Sie an?
wie lange?	**Wie lange** bleiben Sie?
wie oft?	**Wie oft** waren Sie schon da?

Qualität, Quantität, Umstände

wie?	**Wie** gut sprechen Sie Deutsch?
	Wie viel kostet das?
	Wie geht es Ihnen?

Lokale Angaben: Position, Richtung

wo?	**Wo** warst du gestern?
woher?	**Woher** kommst du gerade?
wohin?	**Wohin** fahren wir morgen?

Begründung: Grund, Zweck

warum?	**Warum** tust du das?
wozu?	**Wozu** brauchen Sie das?

Heimat

A1

Fotos lesen

Was kennen Sie alles auf den Fotos? Notieren Sie und vergleichen Sie.

→Ü1 – Ü2

A2

Wo liegt die Stadt? Wie groß ist sie? Wie alt ist sie? Was fällt Ihnen auf?

1 Wie man eine Stadt liest

①

② 

③ 

④ 

A3

Eine Stadt kennen lernen und beschreiben

Beantworten Sie einige Fragen aus dem Text.

→Ü3 – Ü6

Was ist das Herz einer Stadt? Die Seele einer Stadt? Warum sagt man, dass eine Stadt schön oder hässlich ist? Was ist schön und was ist hässlich an einer Stadt? Wie lernt man eine Stadt, seine Stadt kennen? *(Georges Perec)*

A2	Das ist wahrscheinlich/vermutlich/vielleicht in ... . Ich vermute, die Stadt hat ungefähr/etwa ... Einwohner.	Das könnte in ... sein. Sie ist etwa ... Jahre alt.
A3	Was würdest du machen, um eine/deine Stadt kennen zu lernen?	– Ich würde zuerst in den/das/die ... gehen. Ich würde vor allem ... machen/besuchen.

Eine Stadt ist wie ein Buch. Ein Buch kann man lesen. Und eine Stadt? Wie kann man eine Stadt lesen?

Ganz einfach: mit den Augen, mit den Ohren, mit der Nase, mit allen Sinnen.

Durch eine Stadt gehen, zu Fuß und allein: Stimmen und Wörter hören, in Gesichter sehen, Tränen und Lachen … .

Sich auf eine Bank setzen, am Bahnhof zum Beispiel: zwei Verliebte, die sich umarmen; zwei Männer, die sich die Hand geben; zwei Kinder, die streiten … .

Oder die alte Steintreppe hinunter zum Fluss steigen, am Ufer sitzen, dem Wasser zuschauen, die Gedanken wandern lassen, nichts tun … .

Oder einkaufen auf dem Markt: neue Gerüche, fremde Gewürze, exotische Früchte, unbekannte Stimmen, ganz anderes Geld als zu Hause … .

Oder, wenn es Abend wird in der Stadt: die Stimmung erleben, wenn die Sonne untergeht, Melancholie, Ruhe. Erleben, wie nach und nach die Lichter angehen in den alten Häusern … .

Eine Stadt lesen?
Die eigene Stadt.
Eine fremde Stadt.
Lesen: In vielen kleinen Leben lesen.

A4 

a) Welche Elemente aus dem Text finden Sie auf den Fotos zu A1 – A5?
b) Machen Sie eine „Mind-map" und vergleichen Sie mit den Antworten aus A3.

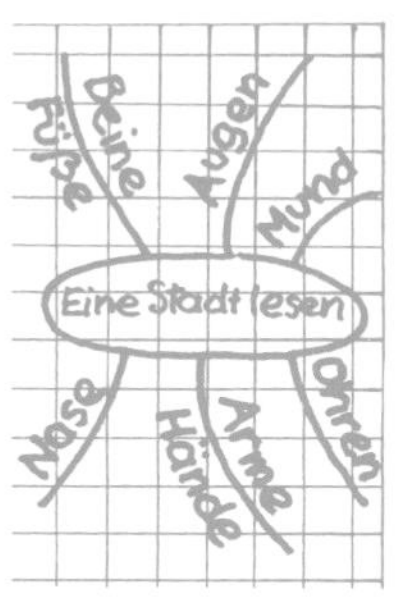

c) Spielen Sie Szenen aus dem Text.
d) Was für ähnliche Situationen haben Sie selbst schon erlebt?

A4 Ich war einmal in … . Ich wollte dort auf den Markt … .
Am Nachmittag setzte ich mich auf/in/vor … .
Spät in der Nacht ging ich … spazieren.
Danach saß ich noch stundenlang … .

A5 

Einen Vortrag verstehen

Ein Stadtplaner erzählt von der Entwicklung der Stadt. Notieren Sie.

→Ü7

A6

Informationen sammeln

a) Sammeln Sie Informationen zu Freiburg/Fribourg.
b) Vergleichen Sie mit Ihrem Wohnort.

2 Freiburg/Fribourg – eine zweisprachige Stadt?

Freiburg/Fribourg ist offiziell eine zweisprachige Stadt: Etwa 30% der Bevölkerung sprechen Deutsch, etwa 60% Französisch. Natürlich gibt es auch viele Ausländer und Ausländerinnen. Auf der Straße hört man Italienisch, Spanisch, Portugiesisch und viele andere Sprachen. In den Geschäften weiß man oft nicht so recht, ob man Deutsch oder Französisch sprechen soll. In den Schulen gibt es deutsche und französische Klassen. An der Universität kann man auch in beiden Sprachen studieren. Bei der Arbeit spricht man mit dem einen Kollegen Deutsch, mit der anderen Kollegin Französisch. Auch die Straßennamen sind meist zweisprachig.
Man lebt an einer Grenze, aber keiner weiß, wo sie genau ist: an dieser Straße oder bei diesem Baum? Oder ist die Grenze in den Menschen?

A7

a) Lesen Sie die Texte ① bis ③: Was ist für Sie der wichtigste Satz?
b) Sind Sie eine andere Person, wenn Sie Ihre Sprache oder Deutsch sprechen? Beschreiben Sie oder spielen Sie.

➜Ü8 – Ü9

①
Ich denke oft an ein Sprichwort, das man manchmal in Deutschland hört: „So viele Sprachen du kannst, so viele Male bist du Mensch." Ich merke es ganz deutlich bei mir: Ich bin jemand anders, wenn ich Französisch spreche oder wenn ich Deutsch spreche.
Karl H.

②
Mir gefallen hier die verschiedenen Menschen und Kulturen. Ich selber komme aus Argentinien. Mein Vater war Indio, meine Mutter Spanierin. Ich habe auch verschiedene Kulturen in mir. Deshalb fühle ich mich wohl hier in Fribourg: Man sieht so viele unterschiedliche Gesichter.
Aber manchmal wünsche ich mir, die Leute wären ein bisschen spontaner.
Marina P.

A8

Argumentieren

a) Möchten Sie in dieser Stadt leben? Warum (nicht)?
b) Wo fühlen Sie sich wohl?

➜Ü10 – Ü13

③
Ich bin in Südfrankreich aufgewachsen. Aber zu Hause haben wir Deutsch gesprochen, und in den Ferien war ich oft im Elsass, dort habe ich mit meiner Großmutter auch Deutsch gesprochen. Heute lebe ich in Freiburg. Ohne die zwei Sprachen und Kulturen würde mir etwas fehlen. Ich könnte nicht in einem Land leben, in dem nur eine Sprache gesprochen wird.
Chantal S.

A9

Mehrsprachigkeit entdecken

a) Sammeln Sie mehrsprachige Schilder oder Texte.
b) Bauen Sie eine „Sprachlandschaft" im Kursraum.

A8		
Könntest du dir vorstellen …?	–	Ja, weil … . / Nein, das wäre mir zu … . Ich würde viel lieber … . / Ich brauche mehr … .
Würdest du gerne …?	–	Warum nicht? / Nein, ich möchte eher … .
Wo würdest du dich wohl fühlen?	–	So richtig wohl fühle ich mich, wenn … .
Womit hättest du da Probleme?	–	Vor allem mit … . / Ich wüsste nicht, wie … .
Wie wäre dein idealer Wohnort?	–	Der müsste so aussehen: … .

3 Was ist Heimat?

Jeder und jede versteht unter dem Wort „Heimat“ etwas anderes. Was ist Heimat wirklich? Fragen Sie einmal einen Politiker oder einen Demonstranten, einen Bauern oder einen Manager, eine Frau oder einen Mann: Sie bekommen sicher ganz verschiedene Antworten. Und welche ist richtig? Natürlich jede, denn es gibt viele „Heimaten“.
Viele erinnern sich an liebe Menschen oder an schöne Momente aus ihrer Kindheit, wenn sie das Wort „Heimat“ hören. Andere denken an Natur und Landschaft. Stimmen, Klänge, Sprachen sind sicher auch für manche ein Teil Heimat. Viele verlieren ihre Heimat oder müssen sie verlassen; andere finden eine zweite Heimat in einer anderen Gegend, mit neuen Menschen. Im Laufe des Lebens kann sich die Vorstellung von „Heimat“ stark verändern. Wir haben Leute in einem Sprachkurs gefragt, was für sie „Heimat“ ist:

A10

Einen Begriff umschreiben

Warum haben nicht alle Menschen die gleiche Vorstellung von „Heimat“? Suchen Sie Gründe.

→Ü14 – Ü16

„HEIMAT“

Früher

① Heimat bedeutete für mich früher Fahne, Pass und Nationalhymne am Nationalfeiertag.

② Ein Stück Heimat war für mich die Folklore, die Musik meines Vaterlandes.

③ Heimat früher – das sind die Luft, die Pflanzen und Tiere bei mir zu Hause, und die Vogelstimmen!

④ Mir kommt vor allem die Kochkunst meiner Mutter wieder in den Sinn – oder Geruch typischer Gerichte.

⑤ Heimat früher? Das waren Plätze, wo ich lange gewohnt habe, z.B. das Haus meiner Eltern.

Heute

Ⓐ Heimat ist heute noch ein Gefühl der Verbundenheit mit meiner Familie.

Ⓑ Heimat finde ich heute überall da, wo ich Freunde habe.

Ⓒ Heimat heißt für mich, dass ich mich wohl fühle in der Sprache, dass ich mich gut ausdrücken kann.

Ⓓ Ich fühle mich im Moment heimatlos, weil ich noch keine Freunde gefunden habe.

Ⓔ Allein in der Natur spazieren gehen und dabei mich selber treffen.

A11 

a) „Heimat“ früher und heute: Welche Texte passen zusammen? Suchen Sie. Vergleichen Sie.
b) Was gehörte für Sie früher zur Heimat? Was hat sich bis heute verändert? Sammeln Sie und ordnen Sie.

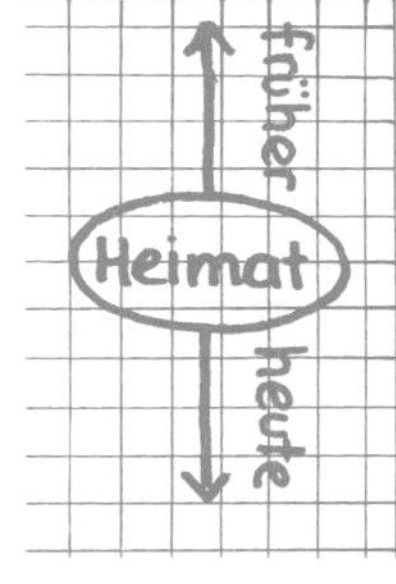

c) Was bedeutet für Sie „Heimat“ heute? Zeichnen Sie oder schreiben Sie. Vergleichen Sie.

→Ü17 – Ü18

A11	Was bedeutet für dich …?	– Für mich gehört zu „Heimat“, dass … .
	Was könnte für Sie … bedeuten?	– Ein Stück Heimat ist für mich zum Beispiel … .
	Was verstehst du unter …?	– Unter „Heimat“ verstehe ich … .
	Wie würden Sie … definieren?	– Heimat ist für mich … .

4 „Wenn ich keine Heimat hätte …“

A12

Vorstellungen ausdrücken

a) Was gehört zu Deutschland, Österreich oder der Schweiz? Was fehlt?
b) Gibt es bei Ihnen ähnliche typische Dinge, Orte, Symbole? Welche sind wichtig in Ihrer Heimat? Sammeln Sie.

A13

a) Welche Aussage gefällt Ihnen am besten?
b) Schreiben Sie eigene Texte und vergleichen Sie.

→Ü19 – Ü21

Ⓐ Wenn ich keine Heimat hätte, … /
Wenn der Mensch keine Heimat hätte, … wäre er vielleicht glücklicher und mit weniger Vorurteilen leben.
Gordana, Kroatien

Ⓑ Wenn ich keine Heimat hätte, würde ich eine für mich machen. Ich würde sie aus demjenigen Ort schaffen, wo ich möglichst wohl leben könnte, wo ich mein Daheimgefühl entwickeln könnte.
Andris, Lettland

Ⓒ Wenn der Mensch keine Heimat hätte, hätte er keine Identität, kein Land wo er sich wohl fühlen würde. Aber es würde vielleicht weniger Kriege geben – weil es kein Land zu verteidigen gäbe.
Parisa, Iran + Catherine, Frankreich

A13 Was wäre, wenn der Mensch keine Heimat hätte? – Dann würde/hätte/wäre … .
Wenn ich keine Heimat hätte, dann müsste/dürfte/könnte ich (nicht) … .
Ohne Heimat wäre/würde/hätte ich … .
Einer, der keine Heimat hat, dürfte/könnte/müsste … .
Ich kenne niemand, der … .

5 Aussprache

am‿Markt [a'markt] mit‿Tränen [mɪ'trɛːnən] Französisch‿sprechen [fran'tsøːzɪ'ʃprɛçən] tief‿fallen [tiː'falən] viel‿Landschaft [fiː'lantʃaft] genug‿Kontakt [gə'nuːkɔn'takt]

Zwei **gleiche** Konsonanten: Der Konsonant wird **nur einmal gesprochen.**

ab‿brechen mit‿der Nase aus‿Siegburg weg‿gehen

Zwei **verschiedene** Konsonanten an der **gleichen Stelle im Mund**:
Nur **der zweite** Konsonant wird **gesprochen,** jedoch ohne Stimmton.

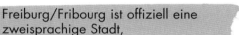

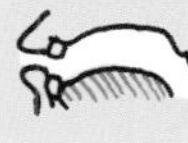
An den Lippen: [p] [b]

An den Zähnen: [t] [d] [s] [z]

Am Gaumen: [k] [g]

bei **i**hm [bai̯ ʔiːm] **u**m **a**cht **U**hr [ʔum ʔaxt ʔuːɐ] das **O**hr [das ʔoːɐ] **a**m **E**nde [ʔam 'ʔɛndə] **ü**ber**a**ll **e**xotisch **e**ssen [ʔyːbɐ'ʔal ʔɛ'ksoːtiʃ ʔɛsn]

Im Deutschen spricht man **Vokale und Diphthonge am Silben- oder Wortanfang härter** als in vielen Sprachen: Es „knackt". **Der Knacklaut** [ʔ] trennt Silben und Wörter hörbar.

uralt ein Indio die alten Eltern an einer Universität am Ufer sitzen
Ausländerinnen und Ausländer im Auto aus Argentinien im Elsass essen

6 Wortschatz

Freiburg/Fribourg ist offiziell eine zweisprachige Stadt,	sind eine Art Symbol für eine Sprachgrenze.
In einer zweisprachigen Stadt zu leben	das heißt ungefähr, dass man auch eine Stadt lesen kann.
Zweisprachige Schilder in den Straßen	ist so etwas wie Heimat in der Sprache.
„Eine Stadt ist wie ein Buch" –	Das Herz einer Stadt ist für mich mehr das Zentrum, wo viel los ist. Die Seele ist mehr die Atmosphäre einer Stadt.
Viele Leute meinen, Dialekt	aber man kann auch sagen, es ist heute eine mehrsprachige Stadt.
Leben an der Sprachgrenze heißt,	dass man oft nicht so recht weiß, welche Sprache man gerade sprechen soll.
Was bedeutet „Heimat"? Was bedeutet „Vaterland"?	ist so ähnlich wie in zwei Städten zu leben.
Was ist das „Herz" einer Stadt, was die „Seele" einer Stadt?	„Heimat" heißt für mich in etwa, dass ich mich irgendwo wohl fühle. „Vaterland" ist fast wie Heimat, aber mehr politisch.

man kann (auch) sagen so ähnlich (wie) (so) eine Art (von) so etwas (wie)
(das heißt) ungefähr man weiß oft nicht (recht/genau) in etwa ich würde sagen
ein bisschen (wie) es ist nicht sicher, ob das könnte heißen mehr weniger

A14 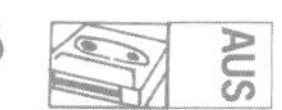

Silben verbinden

a) Zwei gleiche Konsonanten: Hören Sie; sprechen Sie nach.
b) Verschiedene Konsonanten: Hören Sie; sprechen Sie nach.

➜Ü22

A15 

Silben trennen: „Knacklaut"

a) Hören Sie. Sprechen Sie nach.
b) Lesen Sie laut.
c) Hören Sie.

➜Ü23 – Ü26

A16

Aussagen vage formulieren

a) Kombinieren Sie sinnvolle Aussagen.
b) Suchen Sie in diesen Aussagen Ausdrücke aus der Wort-Kiste.
c) Lesen Sie die Aussagen laut ohne diese Ausdrücke: Was ist anders?

A17 

a) Formulieren Sie andere Erklärungen zu drei Sätzen/Satzanfängen.
b) Vergleichen Sie: Was klingt sicher, was nicht?

7 Grammatik

→Ü3 – Ü6, Ü11 – Ü13

Konjunktiv II (1)

a) Verbformen: Indikativ und Konjunktiv II

erzählt, lebe

gesprochen wird

Chantal **erzählt**: „Heute **lebe** ich in Freiburg. Ohne die zwei Sprachen und Kulturen **würde** mir etwas **fehlen**. Ich **könnte** nicht in einem Land **leben**, in dem nur eine Sprache **gesprochen wird**."

würde … fehlen
könnte … leben

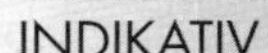

KONJUNKTIV II

b) Konjunktiv II: Bedeutung

Hypothese (irreal):	**Wirklichkeit (real):**
*„Ohne die zwei Sprachen und Kulturen **würde** mir etwas **fehlen**."*	Chantal lebt in Freiburg/Fribourg mit zwei Sprachen und Kulturen.
*„Ich **könnte** nicht in einem Land **leben**, in dem nur eine Sprache gesprochen wird."*	Chantal lebt in der Schweiz, wo viele Sprachen gesprochen werden.

c) Konjunktiv II: Formen

„Wenn der Mensch keine Heimat **hätte**, **wäre** er vielleicht glücklicher und **würde** mit weniger Vorurteilen **leben**."

INFINITIV	PRÄTERITUM	KONJUNKTIV II
haben	(ich) h**a**tte	(ich) h**ä**tte
sein	(ich) w**a**r	(ich) w**ä**re
können	(ich) k**o**nnte	(ich) k**ö**nnte
leben	(ich) l**e**bte	(ich) l**e**bte ⚠

haben, sein, können → Konjunktiv II ≠ Präteritum

leben → Konjunktiv II = Präteritum

(ich) **würde** … **leben**

HILFSVERB **„würd-"** … INFINITIV

SATZKLAMMER

Konjunktiv II-Umschreibung

Regelmäßige Verben sind im Präteritum und Konjunktiv II identisch. Man verwendet deshalb fast immer die Konjunktiv II-Umschreibung mit **„würd-" + INFINITIV**. Beispiel: „leben".

INFINITIV: PRÄTERITUM:	sein war (ich)	haben hatte (ich)	werden wurde (ich)	wissen wusste (ich)	
	KONJUNKTIV II				ENDUNGEN
ich	wär-**e**	hätt-**e**	würd-**e**	wüsst-**e**	**-e**
du	wär-**est**	hätt-**est**	würd-**est**	wüsst-**est**	**-est**
er/es/sie	wär-**e**	hätt-**e**	würd-**e**	wüsst-**e**	**-e**
wir	wär-**en**	hätt-**en**	würd-**en**	wüsst-**en**	**-en**
ihr	wär-**et**	hätt-**et**	würd-**et**	wüsst-**et**	**-et**
sie/Sie	wär-**en**	hätt-**en**	würd-**en**	wüsst-**en**	**-en**

Konjunktiv II unregelmäßige Verben → K25

d) Konjunktiv II: Modalverben

→Ü21

INFINITIV: PRÄTERITUM:	wollen wollte	sollen sollte	müssen musste	dürfen durfte	können konnte	mögen mochte	
	KONJUNKTIV II						ENDUNGEN
ich	wollt-**e**	sollt-**e**	müsst-**e**	dürft-**e**	könnt-**e**	möcht-**e**	**-e**
du	wollt-**est**	sollt-**est**	müsst-**est**	dürft-**est**	könnt-**est**	möcht-**est**	**-est**
er/es/sie	wollt-**e**	sollt-**e**	müsst-**e**	dürft-**e**	könnt-**e**	möcht-**e**	**-e**
wir	wollt-**en**	sollt-**en**	müsst-**en**	dürft-**en**	könnt-**en**	möcht-**en**	**-en**
ihr	wollt-**et**	sollt-**et**	müsst-**et**	dürft-**et**	könnt-**et**	möcht-**et**	**-et**
sie/Sie	wollt-**en**	sollt-**en**	müsst-**en**	dürft-**en**	könnt-**en**	möcht-**en**	**-en**

Bei den **Modalverben** verwendet man die Konjunktiv II-Umschreibung nicht.
⚠ Die Form **„möcht-"** wird als Präsens gebraucht und drückt immer einen Wunsch aus.

Hauptsatz und Nebensatz (7): Konditionalsatz mit irrealer Bedingung

→Ü5 – Ü6, Ü20

Wenn	der Mensch keine Heimat **hätte**,	**(dann) wäre** er vielleicht glücklicher.
Wenn	ich keine Heimat **hätte**,	**(dann) würde** ich eine für mich **machen**.

wenn + IRREALE BEDINGUNG ⟶ **(dann)** + IRREALE FOLGE

⚠ Der **wenn**-Satz mit irrealer Bedingung steht meistens **vor** dem Hauptsatz.

Artikel-Wörter und Substantiv (5): n-Deklination

→Ü18

Was Heimat wirklich ist?

VERB	SUBJEKT		AKK.-ERGÄNZUNG
Fragen	Sie	einmal	einen Politiker oder einen Demonstrant**en**, einen Bauer**n** oder einen Manager. eine Frau oder einen Mann.

	SINGULAR				ENDUNGEN	PLURAL	ENDUNGEN
NOM	der	Mensch	Junge	Student	--	die Mensch**en**	**-(e)n**
AKK	den	Mensch**en**	Jung**en**	Student**en**	**-(e)n**		
DAT	dem	Mensch**en**	Jung**en**	Student**en**	**-(e)n**	den Mensch**en**	**-(e)n**
GEN	des	Mensch**en**	Jung**en**	Student**en**	**-(e)n**	der Mensch**en**	**-(e)n**

der Mensch, der Herr der Bauer, der Bär	der Jung**e**, der Kolleg**e** der Schwed**e**, der Franzos**e**	der Stud**ent**, der Demonstr**ant** der Tour**ist**, der Sold**at**
Einige maskuline Substantive, vor allem Personen und Tiere	Maskuline Substantive auf **-e**	Viele maskuline internationale Wörter: (z.B. auf) **-ent**, **-ant**, **-ist**, **-at**

Medien und Informationen

1 Wie funktioniert das?

A1

Geräte und Funktionen beschreiben

Was gehört alles zu einem tragbaren CD-Player?

Am liebsten joggt sie mit Mozart

Mit dem neuen CD-Player MSX-10 brauchen Sie keine Steckdose mehr: Wegen der ultrasparsamen Batterien können Sie länger laufen. Und der superleichte Kopfhörer garantiert trotzdem natürlichen Klang. Deshalb einfach CD einlegen – und ab in die Natur! Während andere im Büro schwitzen, benutzen Sie Ihre Mini-Fernbedienung – beim Joggen durch Feld und Wald.

A2

Wie funktioniert ein Fax-Gerät? Was machen Sie, wenn Sie damit kopieren wollen? Fragen Sie Ihren Partner / Ihre Partnerin und erklären Sie.

→Ü1 – Ü5

Installation

1. Stecken Sie den Telefon-Anschlussstecker in die Telefon-Anschlussdose.
2. Verbinden Sie den Netzstecker mit der Netzsteckdose.
3. Schalten Sie das Gerät mit dem Netzschalter auf EIN.

Kopieren

1. Dokument mit der Schrift-/Bildseite nach unten in den Einzug legen.
2. Die Taste CLEAR/COPY drücken. Das Gerät erstellt automatisch eine Kopie.

2 Wie leben Sie damit?

A3

Medien nutzen

a) Wie nutzt die Frau Radio und Fernsehen? Wie ist das bei Ihnen? Vergleichen Sie.
b) Könnten Sie ohne Fernseher leben? Diskutieren Sie.

→Ü6 – Ü12

„Ich mache schon am frühen Morgen das Radio an. Ich höre immer zuerst die Nachrichten und danach ‚Info am Morgen'; diese Sendung höre ich gern, weil der Moderator so eine sympathische Stimme hat und weil es da interessante Interviews und klassische Musik gibt.
Ich habe keinen Fernseher mehr, trotzdem lebe ich sehr gut. Obwohl ich schon ab und zu Lust auf einen guten Spielfilm oder eine Reportage über fremde Länder hätte, kann ich gut darauf verzichten."

A4

Was denkt wohl die Frau auf dem Foto? Was glauben Sie?

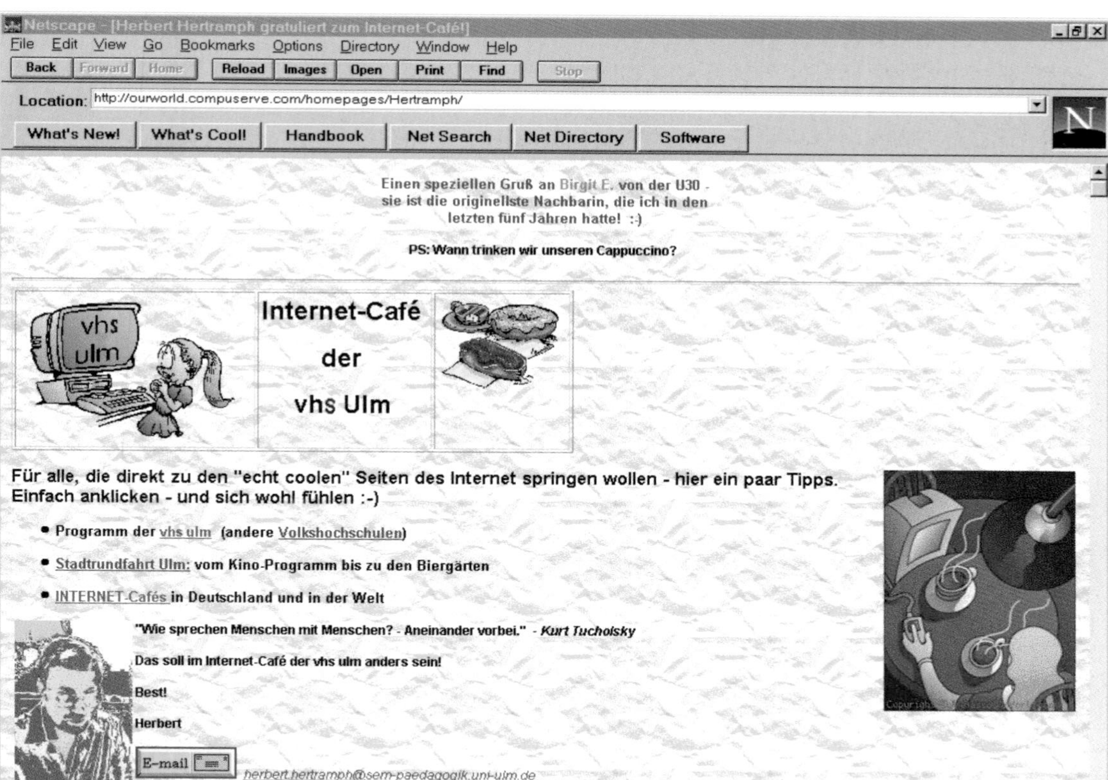

A5

Mit dem Computer kommunizieren

a) Was kann man im Internet-Café alles machen? Sammeln Sie.
b) Möchten Sie mit jemandem einen Cappuccino trinken? Schreiben Sie eine Antwort.
c) Wie können die Menschen im Internet-Café *miteinander* sprechen? Schreiben Sie ein paar Tipps auf.

→Ü13 – Ü16

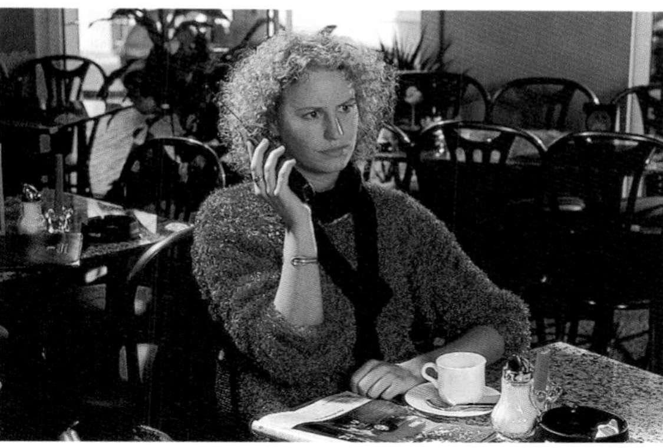

Neulich sitzen wir gemütich im Café, wir trinken Kaffee und unterhalten uns dabei ganz wunderbar – plötzlich macht es „Pip-pip ring-ring".
Und obwohl wir gerade miteinander reden, zieht sie locker ihr Handy aus der Handtasche: „Hallo! … Was? … Wie? … Doch, doch! … Aber sicher!"
…

A6

Eine Geschichte schreiben

Was ist passiert? Wie würden Sie reagieren? Schreiben Sie die Geschichte weiter.

A7

Welche Vor- und Nachteile sehen Sie bei modernen Kommunikationsmedien?

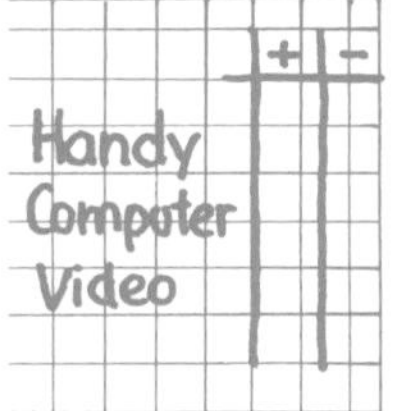

A1 Woraus besteht ein(e) …? – Ein … besteht aus (folgenden Teilen): … .
A2 Wie funktioniert das? – Zuerst muss man … stecken/verbinden/einschalten.
Was muss ich machen, um …? – Dann musst du … legen/drücken.
Obwohl ich das gemacht habe, funktioniert es nicht. Was soll ich tun?

A3 Sie hört/sieht gern Krimis/Hörspiele/Nachrichten/Informationssendungen/Reportagen.
A4 Wann hörst du besonders gern Radio? – Um … / Am Morgen. / Bei der Arbeit.
Wie oft siehst du fern? – Ich sehe (fast) nie / (ganz) selten / ab und zu / (zu) oft / jeden Tag / alle paar Tage / … fern.
Schaust du dir eher Filme oder Sport an? – Eher/Lieber …, obwohl ich … .
Ich habe mir schon oft gedacht: … . Trotzdem … . Wegen den Kindern habe/bin ich … .
Wegen dem Fernseher … die Menschen/Familien nicht mehr miteinander.

A5 Heute faxen die Leute einander Infos oder schicken sich E-Mails per Computer.
Wenn ich Herbert wäre, würde ich … . Versuch doch mal, … zu … .

3 Im Fernsehen: 8. Juni

A8

Medien-Ereignisse analysieren

a) Schauen Sie die Bilder an: Was sind die Themen der vier Sendungen?
b) Lesen Sie die Programme: Aus welchen Sendungen sind die vier Bilder?

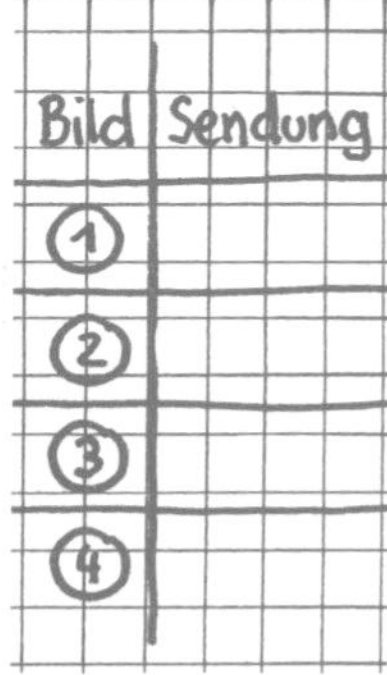

	DRS	ARD	ZDF	ORF 1
18 Uhr	**18.30 Tagesschau** **18.35 Gute-Nacht-Geschichte** **18.45 Samschtig-Jass** Spiel am Telefon mit Jürg Randegger und dem Jass-experten Ernst Marti	**18.05 Fussball** Europameisterschaft Reportagen und Interviews		**18.30 Tohuwabohu** Chaoten-Show mit Jazz-Gitti
19 Uhr	**19.20 Schweizer Zahlenlotto** **19.30 Tagesschau / Meteo** ⌧ **19.55 Wort zum Sonntag** ⌧ Yvonne Waldboth	**19.10 Sportschau** EM-Eröffnungsfeier / Fussball: 2. Bundesliga / Boxen: Michaelczewski vor dem Kampf	**19.00 Heute / Wetter** **19.25 Das Erbe der Guldenburgs** ⌧ Familiensaga: «Das schnelle Geld» Mit Brigitte Horney	**19.00 Nonstop Nonsens** Comedyserie: «Didi als Torwart wider Willen» Mit Dieter Hallervorden **19.30 ZiB / Kultur / Wetter** ⌧
20 Uhr	**20.00 Mitenand** Heute: Behindertensport **20.10 Derfür u derwider** Bühnenstück von Rudolf Stalder Mit Urs Ellenberger, Peter Künzi, Antonia von Allmen	**19.50 Lotto** ∞ **20.00 Tagesschau** ⌧ **20.15 Geld oder Liebe** ∞ Spiele für Singles mit Jürgen von der Lippe. Mitwirkende: Sandra Schwarzhaupt und Bo Diddley	**20.15 Ausgetrickst** ⌧ Krimikomödie von Sigi Rothemund (D 1990) Mit Heidelinde Weis, Günther-Maria Halmer, Michael Hinz Nach einem Flugzeugabsturz kassiert eine Witwe vier Millionen Mark aus der Lebensversicherung ihres toten Gatten, der ihr kurz darauf höchst lebendig wieder über den Weg läuft...	**20.00 Sport** **20.15 Die Patrick-Lindner-Show** ∞ Ein Abend mit guten Freunden, aufgezeichnet in der Oberschwabenhalle in Ravensburg. Mitwirkende: Schürzenjäger, Bonnie Tyler, Andre Rieu und sein Johann-Strauss-Orchester, Bill Ramsey, Brunner und Brunner, Caught In the Act
21 Uhr	**21.35 Tagesschau** **21.50 Sport aktuell** Themen: EM-Eröffnungsfeier / EM-Eröffnungsspiel Schweiz – England / Rad: Giro d'Italia / Tennis: French Open, Final Frauen / Reiten: CSIO, St. Gallen	**Zeichenerklärung** ■□ Schwarzweiss ○● Zweikanalton ∞ Stereoton ⌧ Erleichterung für Hörbehinderte		**21.45 Sport am Samstag** Resultate und Berichte
ab 22 Uhr	**22.40 Im Zeichen der Jungfrau** Thriller von Pat O'Connor (USA 1988). Mit Kevin Kline, Susan Sarandon	**22.15 Tagesthemen** **22.35 Das Wort zum Sonntag** ⌧ **22.40 Boxen**	**22.00 Heute-Journal** **22.15 Das aktuelle Sport-Studio** Resultate, Reportagen, Gäste **23.35 Strasse der Verdammnis**	**23.00 Wedlock** Actionfilm von Lewis Teague (USA 1991) Mit Rutger Hauer, Mimi

A9

a) Hören Sie sechs Ausschnitte aus Fernsehsendungen. Notieren Sie wichtige Informationen und vergleichen Sie.
b) Welcher Ausschnitt passt zu welchem Bild?

→Ü17

A8 In dieser Meldung geht es um … . In dem Beitrag ist die Rede von … .
Da wird berichtet, wie … .
Das Bild könnte aus dem Film / der Sendung … sein. Er/Sie läuft um … im Programm … .

A9 Im Bericht über die Fußball-EM heißt es, … .
In der Tagesschau wird gemeldet, dass … .

4 In der Tageszeitung: 9. Juni

FUSSBALL-EM ERÖFFNET

Polizei mit Fans zufrieden

LONDON, 8. Juni. – Mit einem farbenfrohen Spektakel wurde im Londoner Wembleystadion die 10. Fußball-Europameisterschaft eröffnet. 76 000 Zuschauer im Stadion und rund 400 Millionen Fußballfans am Fernseher sahen die Eröffnungsfeier und das Spiel von Gastgeber England gegen die Schweiz.

Die Engländer, die in der ersten Halbzeit stark spielten, schossen in der 23. Minute durch Shearer das 1:0. Wegen eines Handspiels im Strafraum konnte die Schweiz kurz vor Schluss durch einen Elfmeter ausgleichen.

Die Schweizer verdienten den Punkt wegen ihrer guten Leistung in der zweiten Hälfte.

Am Rande der Eröffnungsfeier nahm die Polizei mehrere randalierende Deutsche sowie 15 Engländer und Schweizer fest. Trotz dieser Störung sprach die Londoner Polizei von einem friedlichen Start der Fußball-EM.

INLAND
Parteitag in Karlsruhe: Die FDP gibt sich ein neues Programm. **S. 3**

AUSLAND
In Istanbul attackierte die Polizei Demonstranten – **S. 5**
Weltweite Proteste gegen chinesische Atomtests **S. 9**

SPORT
Tennis: French Open in Paris
Rad: Giro d'Italia
Fußball-EM in England **S. 37–48**

WETTER
Schwere Gewitter im Norden – Blitz tötet Mann in Hamburg **S. 22 und 28**

Nach seinem Elfmeter-Tor jubelt der Schweizer Türkyılmaz

LOKALES

Frische Brötchen auch am Sonntag

SCHWERIN, 8. Juni. Mecklenburg-Vorpommern hat als erstes deutsches Bundesland das Backverbot am Sonntag aufgehoben. Während in ganz Deutschland weiterhin am Sonntag keine frischen Brötchen auf den Tisch kommen, darf jetzt in touristischen Regionen auch am Sonntag gebacken werden. Das neue Gesetz erlaubt es auch, die Geschäfte am Wochenende zu öffnen.

KONSUM

Appell der Ärzte

KÖLN, 8. Juni. Der 99. Deutsche Ärztetag hat am Samstag in Köln die Kennzeichnung von gentechnischen Lebensmitteln verlangt, da diese ein Risiko für die menschliche Gesundheit sein könnten. Wegen dieser Kennzeichnungspflicht kam es trotz der vorsichtigen Formulierung zu Auseinandersetzungen mit der EU-Kommission.

DAS WETTER HEUTE

Warm und sonnig

Trotz leichter Bewölkung im Süden meist sonnig. In den Bergen Gewitter möglich. Die Höchsttemperaturen liegen zwischen 23 und 30 Grad. Weitere Aussichten: sehr warm.

LOTTO – TOTO
Lotto: 8, 12, 16, 20, 28, 41 (22)
Superzahl: 3
Spiel 77: 4-8-0-3-7-6-5
Super 6: 3-5-2-8-3-0

A10 

Zeitung lesen

a) Welche dieser Meldungen kennen Sie schon aus den Fernsehnachrichten?
b) Über welches Thema bekommen Sie in der Zeitung mehr Informationen? Vergleichen Sie mit Ihren Notizen aus A9.

→Ü18 – Ü24

A11 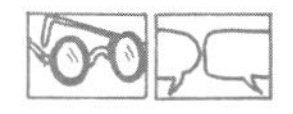

a) Welche Themen in einer Tageszeitung interessieren Sie (nicht)? Fragen Sie und sammeln Sie.

b) Welche Zeitungen und Zeitschriften lesen Sie? In welchen Sprachen? Bringen Sie sie mit in den Kurs und erzählen Sie.

A12

Zahlen sprechen

a) Hören Sie und sprechen Sie nach.

5 Aussprache

vier Mark dreißig
sechzehn achtzig
dreiundzwanzig Mark neunzig
acht fünfundneunzig

b) Hören Sie und sprechen Sie nach.

→Ü25 – Ü28

Je nach dem momentanen Thema des Gesprächs:

	Entweder **die „Einer"** werden **am stärksten betont:**	Oder **die „Zehner"** werden **am stärksten betont:**
23	dreiundzwanzig („2**3**, nicht 2**4**!")	dreiundzwanzig („**2**3, nicht **3**3!")
84	vierundachtzig	vierundachtzig
163	hundertdreiundsechzig	hundertdreiundsechzig
1035	tausendfünfunddreißig	tausendfünfunddreißig

A13

Jahreszahlen sprechen

a) Hören Sie.
b) Hören Sie und sprechen Sie nach.

Erste Radiosendung in Deutschland:	1920 neunzehnhundertzwanzig
Erster Farbfilm (Kodak):	1915 neunzehnhundertfünfzehn
Erste Fernsehsendung in Deutschland:	1929 neunzehnhundertneunundzwanzig

Langsame gehobene Sprache: 4 Akzente	**Schnelle Alltagssprache: 2 Akzente**
neunzehnhundertdreiundfünfzig	neunzehnhundertdreiundfünfzig

c) Lesen Sie laut.

neunzehnhundertachtundneunzig	neunzehnhundertachtundneunzig
sechzehnhundertfünfundachtzig	sechzehnhundertfünfundachtzig

→Ü29 – Ü31

A14

Medien und Werbung

a) Für welche Medien-Produkte passt der Werbeslogan? Notieren Sie.
b) Was bedeuten die Wörter? Schlagen Sie im Wörterbuch nach.

6 Wortschatz

Erleben Sie die Technik der Zukunft schon heute:

Europas .... des Jahres!

neu, aktuell, modern, gut, echt, sparsam, stark, leicht, sicher, einfach, bequem, original, technisch, mobil, flexibel, ultra-, super-

die Zukunft, das Programm, der Erfolg, das Gerät, die Qualität, die Leistung, die Funktion, das Resultat, die Technik, der Gewinn, das Ereignis, das Risiko, der Vorteil, der Tipp, der Versuch, der Mensch

brauchen, nehmen, sich freuen, genießen, vergleichen, entscheiden, erleben, erlauben, beginnen, suchen, finden, nutzen, verzichten, haben, wünschen, wollen

Die Zukunft hat schon begonnen – mit dem neuen Fernseher von ...

A15

a) Schreiben Sie selbst Werbetexte.
b) Wählen Sie zusammen den besten Werbetext aus.

→Ü11

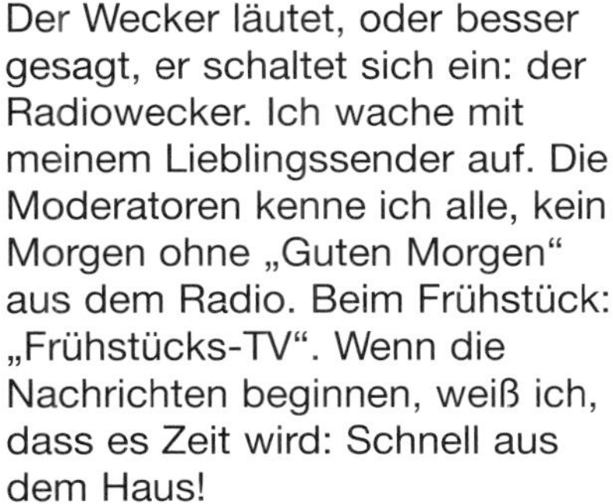

Der Wecker läutet, oder besser gesagt, er schaltet sich ein: der Radiowecker. Ich wache mit meinem Lieblingssender auf. Die Moderatoren kenne ich alle, kein Morgen ohne „Guten Morgen" aus dem Radio. Beim Frühstück: „Frühstücks-TV". Wenn die Nachrichten beginnen, weiß ich, dass es Zeit wird: Schnell aus dem Haus!

Auf dem Weg zur Arbeit zum Kiosk: Ich nehme die Zeitung mit. An der Haltestelle blättere ich sie von hinten durch: Das Fernsehprogramm für den Abend, Sport! Am Schreibtisch zuerst der Blick auf den Kalender: Welche Termine habe ich heute?

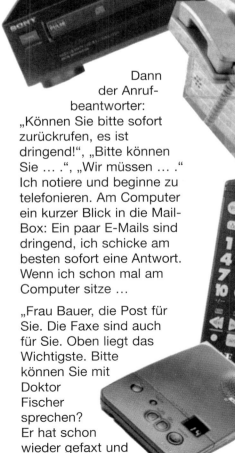

Dann der Anrufbeantworter: „Können Sie bitte sofort zurückrufen, es ist dringend!", „Bitte können Sie … .", „Wir müssen … ." Ich notiere und beginne zu telefonieren. Am Computer ein kurzer Blick in die Mail-Box: Ein paar E-Mails sind dringend, ich schicke am besten sofort eine Antwort. Wenn ich schon mal am Computer sitze …

„Frau Bauer, die Post für Sie. Die Faxe sind auch für Sie. Oben liegt das Wichtigste. Bitte können Sie mit Doktor Fischer sprechen? Er hat schon wieder gefaxt und angerufen … ."

Mittags in der Kantine: Ich beginne in der neuen Wochenzeitschrift zu lesen. Da setzt sich dieser Kollege an meinen Tisch und redet und redet und redet!

Um fünf sitze ich immer noch vor dem Computer. Frau Schneider schaut herein: „Sind Sie immer noch da? Ich geh dann, schönen Abend noch!" Auf dem Weg nach Hause gehe ich noch im Plattenladen vorbei. Zu Hause lege ich die neue CD in den Player. Und um 8 Uhr sollte ich doch bei dieser Einladung sein, aber …

A16

Mit Medien durch den Tag

a) Welche dieser Medien/Geräte benutzen Sie auch täglich? Was tun Sie damit?
b) Notieren Sie Ihren „Medien-Tagesablauf".

7.00 Wecker läutet
7.05 Radio an!

A17

Sprachunterricht mit/ohne Medien?

a) Mit welchen Medien lernen Sie gern? Warum?
b) Stellen Sie sich vor: Es gibt keinen Strom, und alle haben die Bücher vergessen! Machen Sie in Gruppen ein Programm für die Kursstunde.

→Ü9 – Ü10, Ü21 – Ü24

7 Grammatik

Kausale und konzessive Begründungen

„Ich mache schon früh am Morgen das Radio an, **wegen den Nachrichten**. Ich höre immer zuerst die Nachrichten und danach die „Info am Morgen". Diese Sendung höre ich gern, **weil der Moderator so eine sympathische Stimme hat und weil es da interessante Interviews und klassische Musik gibt**. Ich habe keinen Fernseher mehr und vermisse ihn auch nicht, **obwohl ich ab und zu Lust auf einen guten Spielfilm habe**."

a) Kausale Begründungen

1. Nebensätze mit „weil" und „da"

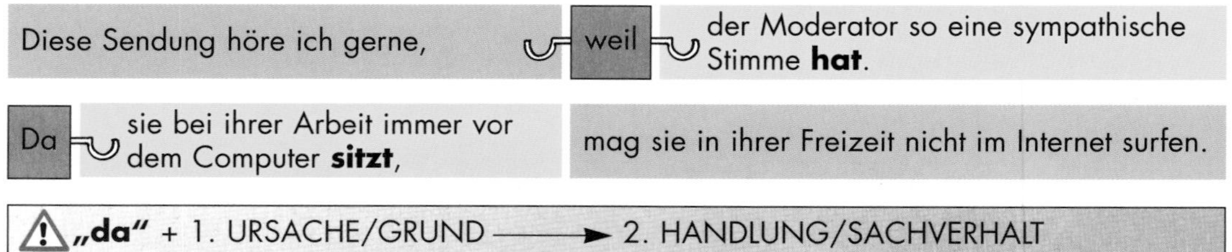

Diese Sendung höre ich gerne,
weil
der Moderator so eine sympathische Stimme **hat**.
Da
sie bei ihrer Arbeit immer vor dem Computer **sitzt**,
mag sie in ihrer Freizeit nicht im Internet surfen.
„da" + 1. URSACHE/GRUND → 2. HANDLUNG/SACHVERHALT

2. Die Präposition „wegen"

Wegen eines Handspiels im Strafraum konnte die Schweiz durch einen Elfmeter ausgleichen.
„Ich mache schon früh am Morgen das Radio an, **wegen den Nachrichten**."

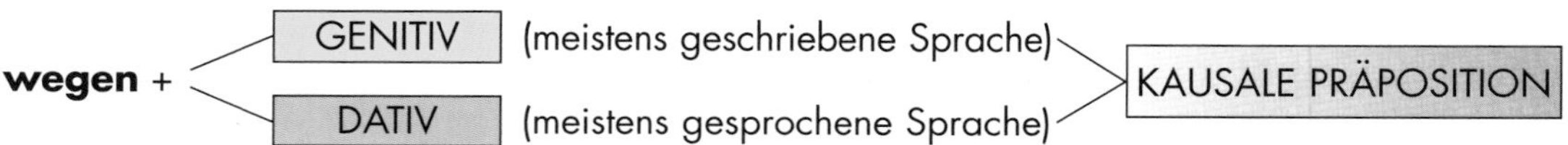

b) Konzessive Begründungen

1. Nebensätze mit „obwohl"

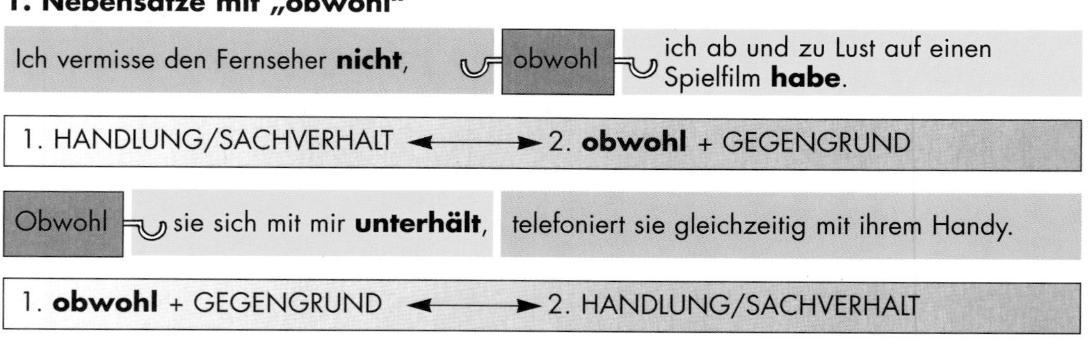

Ich vermisse den Fernseher **nicht**,
obwohl
ich ab und zu Lust auf einen Spielfilm **habe**.
1. HANDLUNG/SACHVERHALT ←→ 2. **obwohl** + GEGENGRUND
Obwohl
sie sich mit mir **unterhält**,
telefoniert sie gleichzeitig mit ihrem Handy.
1. **obwohl** + GEGENGRUND ←→ 2. HANDLUNG/SACHVERHALT

2. Die Präposition „trotz"

Die Londoner Polizei sprach **trotz dieser Störung** von einem friedlichen Start der EM.
„Die Wetteraussichten: **Trotz leichten Wolken** im Süden ist das Wetter meist sonnig."

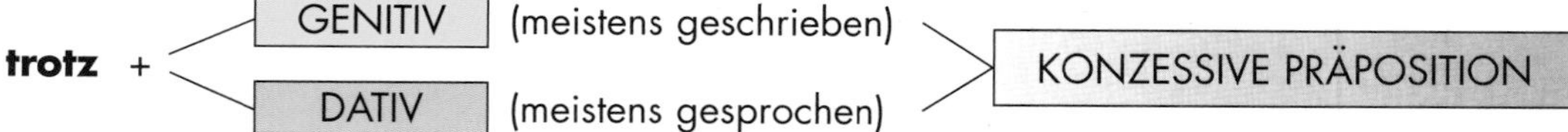

Kausale und konzessive Folgerungen

→Ü23

Der alte Computer war sehr langsam. Er kaufte sich **deshalb** einen superschnellen neuen.

Der neue ist wirklich sehr schnell. **Trotzdem** sitzt er jetzt noch länger vor dem Computer als vorher.

a) Kausale Satzverbindungen mit Adverbien: „deshalb, deswegen, darum"

Der alte Computer war sehr langsam. | Er kaufte sich **deshalb** einen neuen.

1. VORAUSSETZUNG ——→ 2. FOLGERUNG

b) Konzessive Satzverbindung mit Adverbien: „trotzdem"

Der neue Computer ist sehr schnell. | **Trotzdem** sitzt er jetzt noch länger vor dem Computer als vorher.

1. VORAUSSETZUNG ~~~→ 2. UNERWARTETE FOLGERUNG

Begründungen und Folgerungen: Verwendung im Satz

	kausal ——→	**konzessiv** ~~~→
	GRUND/URSACHE	GEGENGRUND
Konjunktion (Hauptsatz + Nebensatz)	weil da (NS vor HS)	obwohl, obgleich
Konnektor (Hauptsatz + Hauptsatz)	denn	
Präposition	wegen (+ GEN oder DAT)	trotz (+ GEN oder DAT)
	FOLGERUNG	UNERWARTETE FOLGERUNG
Verbindungsadverbien (Hauptsatz + Hauptsatz)	deshalb, deswegen, darum	trotzdem

Reziproke Verben

→Ü15 – Ü16

Meine Freundin und ich kennen **uns** schon lange.
oder: Wir kennen **einander** schon lange.
Eltern und Kinder begegnen **sich** nur noch beim Fernsehen.
oder: Sie begegnen **einander** nur noch beim Fernsehen.
Sie sprechen viel zu wenig **miteinander**.

Ich kenne sie.
Sie kennt mich.

⚠ Nach einer Präposition steht **-einander**.

Zwischenstopp „Grundbaustein"

 A1

Informationen in einfachen Texten verstehen

Was ist das Ziel dieses Kapitels?

→Ü1 – Ü3

1 „Grundbaustein" – was ist das?

In diesem Kapitel machen Sie einen Zwischenstopp. Auf dem Weg zum „Zertifikat Deutsch als Fremdsprache" haben Sie nun das Niveau „Grundbaustein" erreicht. Diese Prüfung bestätigt Ihnen, dass Sie auf Deutsch die wichtigsten Alltagssituationen mündlich und schriftlich ohne große Probleme bewältigen können. Bearbeiten Sie also dieses Kapitel und testen Sie, ob Sie das Lernziel „Grundbaustein" erreicht haben.

Sie lernen Milan und Andrea kennen; Milan ist Tscheche, er kommt aus Prag. Andrea ist Schweizerin und wohnt in Bern. Milan nimmt im Moment an einem Kongress für Umweltphysik in Stuttgart teil und möchte am freien Wochenende seine alte Studienkollegin Andrea treffen. Die beiden schreiben sich, sie telefonieren und – warten aufeinander. Wie würden Sie in diesen Situationen auf Deutsch reagieren? Was würden Sie sagen oder schreiben?

 A2

Einen Brief lesen / Notizen machen

Notieren Sie die wichtigsten Informationen für Andrea.

2 Milan und Andrea

100 Betten · Bad/Dusche · WC · TV · reichhaltiges Frühstücksbuffet · Konferenz- und Gesellschaftsräume Lobby-Bar · Sauna · Garten-Terrasse · Garagen

Kronen-Hotel (Garni) · Kronenstraße 48 · D-70174 Stuttgart

10. 1. 97

Liebe Andrea,
seit zwei Tagen bin ich hier in Stuttgart auf diesem Kongress. Es ist sehr interessant, ich kann dir am Wochenende mehr erzählen. Am Freitag ist hier schon um 15^{00} Schluss. Ich wäre dann kurz nach 20^{00} in Bern. Ist da etwas los am Wochenende?

Ich freue mich!
Milan

 A3

Programmangebot lesen / Karte schreiben

Andrea liest das Berner Kulturprogramm und schreibt Milan, was in Bern los ist. Was steht wohl auf ihrer Postkarte? Schreiben Sie.

BERNER AGENDA

Faszination Mensch
Urs Grunder liebt das Spiel mit der Technik. Mit Polaroid und Video schafft er Bilder, die manipuliert sind: Menschenbilder, die fremd auf uns wirken und trotzdem faszinieren.
Urs Grunder: Neue Werke; Galerie C. Brügger, Kramgasse 31, Bern. Bis Ende Januar.

Kulturwerkstatt
Heute beginnt die Kulturwerkstatt in Langnau mit dem Circo Morelli. Bis Mitte Februar wird täglich ein vielfältiges Programm angeboten: Theater, Zirkus, Rock, Jazz, Folklore und Kulinarisches aus aller Welt sind die richtige Mischung für kühle Winternächte.
Langnau b. Bern; täglich um 21.00 bis 15. Februar.

Abendmusik
Nariné Simonian kommt aus Armenien und lebt in Paris. Die doppelte Herkunft kommt in ihren Orgelkonzerten zum Ausdruck. Sie spielt Werke französischer Komponisten und spirituelle armenische Musik von Komitas und Ekmian.
Berner Münster, Donnerstag, 16. Januar, 20.00.

Deutscher HipHop
Im Herbst '92 überraschten sie die Szene mit dem Hit „Ist es die da oder die da?!?" Jetzt sind sie live im „National": die Fantastischen Vier. Eine der wenigen Bands, die aktuelle Probleme junger Menschen auf Deutsch besingen.
Hotel „National", Samstag, 18. Januar, 21.00.

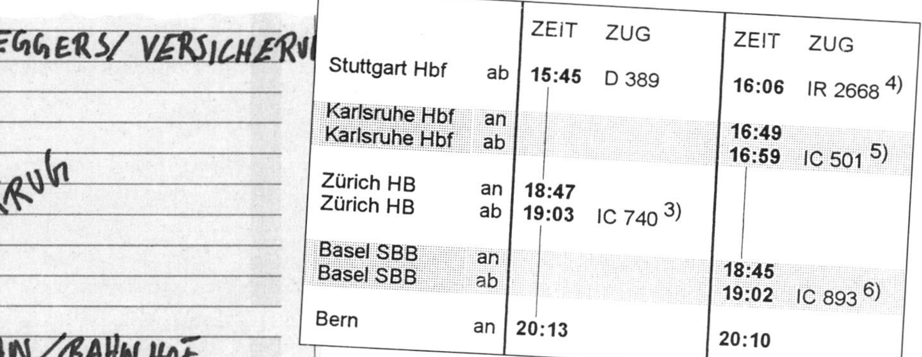

16.00 Fr. EGGERS/ VERSICHERU
17.00
18.00 Dr. KRUG
19.00

Private Termine
20°° MILAN/BAHNHOF

		ZEIT	ZUG	ZEIT	ZUG
Stuttgart Hbf	ab	15:45	D 389	16:06	IR 2668 4)
Karlsruhe Hbf	an			16:49	
Karlsruhe Hbf	ab			16:59	IC 501 5)
Zürich HB	an	18:47			
Zürich HB	ab	19:03	IC 740 3)		
Basel SBB	an			18:45	
Basel SBB	ab			19:02	IC 893 6)
Bern	an	20:13		20:10	

A4

Texte vergleichen / Ein Problem lösen

a) Andrea schaut nach der Sitzung mit Dr. Krug den Fahrplan an. Was für ein Problem entdeckt sie?
b) Wie würden Sie reagieren? Sammeln Sie Vorschläge.

30	(Uhr)	VON
17.01	16:06	STUTTGRT HBF

ZUG 2668 Wagen 28
Großraumwagen Sitzplatz 85
Raucher
1 Gratis

Wetter und Umwelt

Wettervorhersage

Für Süddeutschland: Vormittags in den Flusstälern Nebel, sonst trotz einiger Wolken etwas Sonne. Höchsttemperaturen zwischen –2 und +5 Grad.

Wetter in den Reiseländern

Österreich, Schweiz, französische Alpen: In den Westalpen stark bewölkt und Schneefall. In der Schweiz anfangs Regen, im Laufe des Sonntags vermehrt Sonne. In Österreich am Wochenende neblig. Temperaturen zwischen 3 und 7 Grad.

Gesundheitstipp

Gegen Erkältung und Grippe helfen oft die einfachsten Mittel:

STUTTGARTER NACHRICHTEN

Tennis

Triumphaler Sieg von M. Hingis in Melbourne

Die Tennis-Szene hat einen neuen Star: die Schweizerin Martina Hingis. Die 16-Jährige ist die bisher jüngste Gewinnerin eines Grand-Slam-Turniers: Sie gewann das Damen-Finale der „Australian Open" gegen die Französin Mary Pierce mit 6:2 und 6:2. Dazu brauchte sie gerade 59 Minuten.
Bei diesem Erfolg demonstrierte Hingis, die bereits Nummer 2 der Tennis-Welt ist, ihr besonderes Talent. Nach ihrem Sieg im Doppel zusammen mit der Weißrussin Natalja Zwerewa war das schon ihr zweiter Triumph bei diesem Turnier.
„Ich danke meiner Mutter, die mich immer unterstützt hat", sagte sie. „Ich war zwei Jahre alt und konnte kaum laufen, als sie mir ein Racket in die Hand drückte. Durch sie bin ich jetzt hier!"
Martinas nächstes Ziel: Sie möchte nun die jüngste Nr. 1 im Damen-Tennis werden und Steffi Graf ablösen.
Im Finale der Herren schlug der Amerikaner Pete Sampras (Nr. 1) den Spanier Carlos Moya (Nr. 24 der Weltrangliste) in drei Sätzen 6:2, 6:3 und 6:3.

A5

Auskunft erfragen/ verstehen

Mit welchem Zug fährt Milan?
Wo ist sein reservierter Platz?

A6

Einfache Informationen in der Zeitung verstehen

Milan liest im Zug die Zeitung:
Wie wird das Wetter in Bern am Wochenende?
Wer hat im Tennis gewonnen?

Über die Natur / das Wetter reden

Über Reiseziel / Dauer der Reise / Herkunft reden

Über Beruf und Arbeit befragen / Auskunft geben

Über Freizeit und Hobbys befragen / Auskunft geben

A7

Kontakt herstellen / Sich unterhalten

Unterwegs kommt Milan ins Gespräch mit anderen Reisenden: Worüber wird gesprochen? Sammeln und spielen Sie.

A8

Durchsagen verstehen

Ist die Durchsage für Andrea wichtig? Schauen Sie die Bilder an. Begründen Sie.

A9

Geschichten erzählen

Wie könnte der Abend für Milan und Andrea weitergehen? Betrachten Sie die Bildserien A und B:
a) Erzählen oder spielen Sie.
b) Schreiben Sie eine kurze Geschichte.

→Ü4 – Ü15

A

B

3 Sprachlernbiografie

Kindheit Sandra	
Kindheit	Sandra Französische Lieder im Kindergarten Italienisch: Ferien
Schulzeit	Latein: 8 Jahre!! Französisch – dank Freunden
Ausbildung/Studium	Englisch – auf Reisen
Auslandsaufenthalte	4 Wochen London Ferien in Frankreich
Bemerkungen	mehrmals Spanisch angefangen

Kindheit Darius	
Kindheit	Darius Deutsch: Onkel Piotr Englisch: TV
Schulzeit	Russisch: in der Schule Deutsch: sehr gern Englisch: leicht
Ausbildung/Studium	Wirtschaftsdeutsch Diplom Englisch: ICC-Certificate
Auslandsaufenthalte	Tschechien + Deutschland Österreich (mehrmals)
Bemerkungen	Wunschsprache: Italienisch

A10 

Über Fremdsprachen sprechen

a) Lesen Sie die Notizen und hören Sie. Ergänzen Sie Sandras Notizen.
b) Welche Sprachen mögen die beiden, welche nicht?

A11 

Welche Sprachen haben Sie gelernt? Welche möchten Sie noch lernen?

→Ü16

SPRACHEN WELTWEIT

Sprachtraining: Intensivgruppe

„Mein wirtschaftlicher Weg zum Spracherfolg!"

Effizienz mit 2 – 3 oder 4 – 6 Lernpartnern:

- Tages-, Abend- und Samstagskurse
- Ferienkurse
- Schülernachhilfe
- Externe Diplome
- Fachsprachen

Ihr Erfolg durch unsere Kompetenz als weltweit grösstes Sprachinstitut.

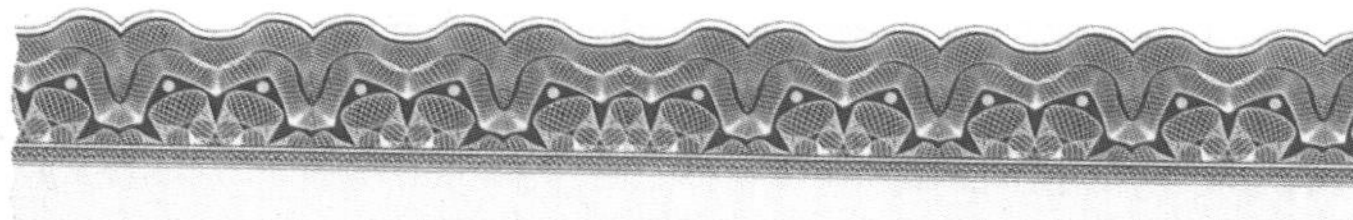

TOEIC® No. AM 402037

CERTIFICATE OF ACHIEVEMENT

This is to certify that

INTERNATIONAL CERTIFICATE CONFERENCE

Grundbaustein zum Zertifikat Deutsch als Fremdsprache

Das Zertifikat

Deutsch als Fremdsprache

A12 

a) Haben Sie schon ein Sprachdiplom? Welches möchten Sie? Warum (nicht)?
b) Haben Sie Lust, weiter Deutsch zu lernen?
Was möchten Sie anders oder besser machen? Diskutieren Sie.

→Ü17 – Ü19

Fremd(e)

A1

Informationen aus Fotos sammeln

Schauen Sie die Fotos zu A1–A5 an: Was machen die Leute? Wo kann das sein?

→Ü1 – Ü2

A2

Definieren und vergleichen

a) „Gast" und „Arbeiter": Notieren Sie Assoziationen.

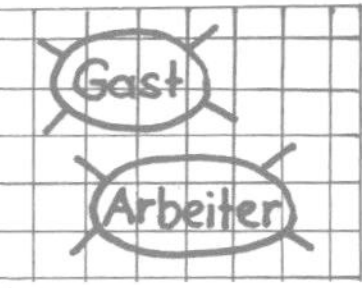

b) Lesen Sie die Definition und das Gedicht: Was ist für Sie ein „Gastarbeiter"?

→Ü3 – Ü7

A3

Warum gibt es in den deutschsprachigen Ländern Gastarbeiter?

1 Gastarbeiter

sein
Gast·ar·bei·ter *der*; Ⓓ j-d, der in ein für ihn fremdes Land geht, um dort e-e bestimmte Zeit zu arbeiten, u. dann oft wieder in seine Heimat zurückkehrt: *die türkischen Gastarbeiter in Deutschland*
Gä·ste·buch *das*; ein Buch, in das die Gäste e-r Fami-

Im ersten Jahr Gastarbeiter,
im zweiten Jahr Gastarbeiter,
im dritten Jahr Gastarbeiter,
mit schwarzem Schnurrbart,
Gastarbeiter,
mit gebücktem Rücken,
Gastarbeiter.
(Kundeyt Şurdum)

Begonnen hatte es in den 60er Jahren. Da die Wirtschaft in Deutschland, Österreich und der Schweiz dringend neue Arbeitskräfte brauchte, wurden in mehreren Ländern Gastarbeiter angeworben. Hunderttausende Italiener, Spanier, Portugiesen, Türken, Jugoslawen und Griechen machten sich auf nach Mitteleuropa. Eigentlich wollten sie nur ein paar Jahre bleiben und dann mit dem gesparten Geld wieder zu ihren Familien zurückkehren.
Es ist dann aber ganz anders gekommen.

A1	Ich habe den Eindruck, dass … . Die Leute auf den Fotos wirken auf mich … .
A2	Beim Wort „Gast" denke ich an … . Wenn ich „Arbeiter(in)" höre, fallen mir … ein. Mit dem Wort „Arbeiter(in)" meint man Menschen, die … . Ein(e) „Gastarbeiter(in)" ist jemand, der/die … .

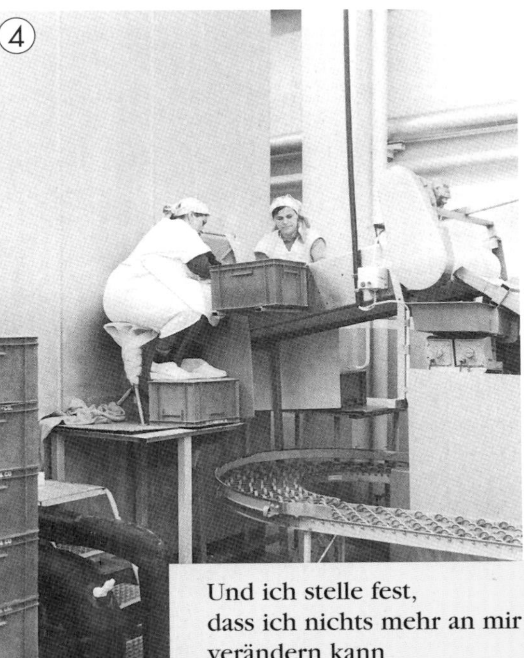

Zuerst waren fast nur Männer gekommen. Sie arbeiteten oft mehrere Jahre ununterbrochen in den sogenannten „Gastländern", während ihre Familien in der alten Heimat blieben. Sobald es den Männern gelungen war, eine Wohnung zu finden, kamen ihre Frauen nach. Viele Frauen arbeiteten in Fabriken. Während der Arbeit hatten sie kaum Kontakt zu deutschsprachigen Kolleginnen und Kollegen. Und dann dauerte es oft noch ein paar Jahre, bis ihre Kinder nachkamen. Sie waren bei Großeltern oder Verwandten geblieben. Hier mussten sie sofort in die Schule. Aber sie konnten kein Deutsch. Meistens lernten sie es sehr schnell, viel schneller als ihre Eltern.
Jetzt leben sie hier, und das Land ihrer Eltern kennen sie nur vom Urlaub.

Und ich stelle fest,
dass ich nichts mehr an mir
verändern kann
alles ist so zweideutig
mein Leben
meine Gedanken
meine Zunge
meine Zukunft.
Ich weiß nicht mehr
wohin ich gehöre.
Weißt du es vielleicht?
(Ilhan Güven)

A5 Vera M. kam nach Österreich, nachdem … .
Solange die Kinder in die Schule gingen, wollte(n) … .
Sie wollten bleiben, bis die Kinder mit der Schule fertig waren / bis … .
Während Duran S. in seine Heimat zurückkehren möchte, sind/möchten die Kinder … .
Andere wollten nicht zurück, bevor sie genug Geld gespart hatten / bevor die Kinder … .

A6 Wer kommt in das Land, um dort zu arbeiten? – Menschen aus … .
Wer geht aus dem Land weg, um Arbeit zu suchen? – Menschen, die … .

A4 

Aussagen zeitlich einordnen

Was war zuerst, was war später? Notieren Sie auf einem Zeit-Pfeil.

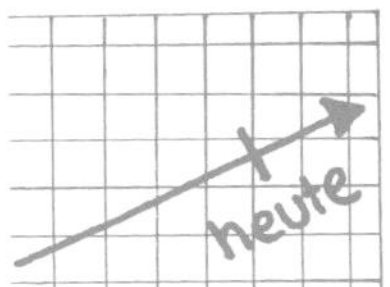

→Ü8 – Ü13

A5 

a) Wie war die Situation für die Gastarbeiter am Anfang, wie ist sie heute? Notieren Sie.
b) Zu welcher Aussage passt das Gedicht am besten?

→Ü14

A6 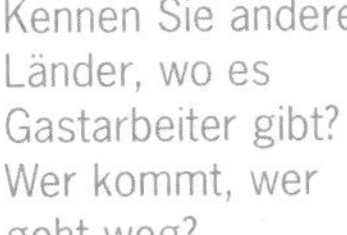

Kennen Sie andere Länder, wo es Gastarbeiter gibt? Wer kommt, wer geht weg?

A7

Inhalte von Begriffen beschreiben

a) Sammeln Sie Informationen über Nataša.

b) Hören Sie und ergänzen Sie Ihre Notizen: Was bezeichnet Nataša als „Glück“?

→Ü15 – Ü17

2 Integration

„Süden und Norden, Osten und Westen, das sind wunderschöne Seiten, die die Welt hat. Wenn man eine Seite ausschließt und glaubt, seine eigene Seite ist die schönere und bessere, dann verliert man so viel!“

Nataša Maroševac weiß, wovon sie spricht. Sie lebte früher in Bosnien, als Kind aus einer gemischten Ehe. Die Eltern gehörten verschiedenen Nationalitäten an: Weil sie nicht die eine gut und die andere schlecht finden konnte, blieb ihr nur die Flucht aus der Heimat.

Heute, nach einigen schwierigen Jahren, hat sie eine Arbeit gefunden, die ihr gefällt. Sie arbeitet bei der Schulbehörde als Beraterin. Sie hilft bei Problemen, die bei der Integration von ausländischen Kindern in der Schule entstehen.

„Integration ist schwierig, nicht nur in der Schule, aber auch dort. Denn oft liegen Missverständnisse und Intoleranz auf beiden Seiten, bei Lehrern und Eltern. Und dann ist es unheimlich schwer, ein Gespräch zwischen den betroffenen Personen herzustellen. Am besten funktioniert Integration, wenn Kinder gemeinsam etwas tun, in der Schule oder in der Freizeit. Da gibt es zum Beispiel die Gruppe „Seven & Two“.

A8

a) Finden Sie „Seven & Two“ ein gutes Beispiel für Integration?

b) Kennen Sie andere Beispiele von Integration?

→Ü18

Gelungene Jugendarbeit

Beim *Festival der Träume* gab es am vergangenen Wochenende eine sehenswerte Aufführung der Tanz-Gruppe „Seven & Two“. Mehr als hundert Zuschauer wollten das gezeigte Programm sehen. Die Gruppe von neun Innsbrucker Jugendlichen verschiedener Herkunft besteht seit einem Jahr. Damals wurde im Jugendzentrum Innsbruck-West ein Tanz-Workshop angeboten. Seither treffen sich „Seven & Two“ zweimal wöchentlich mit ihren Trainern und Betreuern. Auch nach einem Jahr ist die Begeisterung noch groß: „Wir proben schon wieder ein neues Programm!“

Die Streetdance-Gruppe „Seven & Two“ aus Innsbruck zeigt das außergewöhnliche Ergebnis gelungener Jugendarbeit.

A8		
„Integration“ bedeutet/heißt, dass … .	–	Ich verstehe darunter (noch) etwas anderes: … .
„…“ hat mehrere Aspekte/Seiten: … .	–	Aber das ist nicht alles. / Dazu kommt … .
Ein anderes Beispiel für mich ist … .	–	Das finde ich ein/kein gutes Beispiel, weil … .
Ich kenne eine Gruppe, die macht …	–	Davon habe ich auch gehört/gelesen: … .

3 „Fremd im eigenen Land"

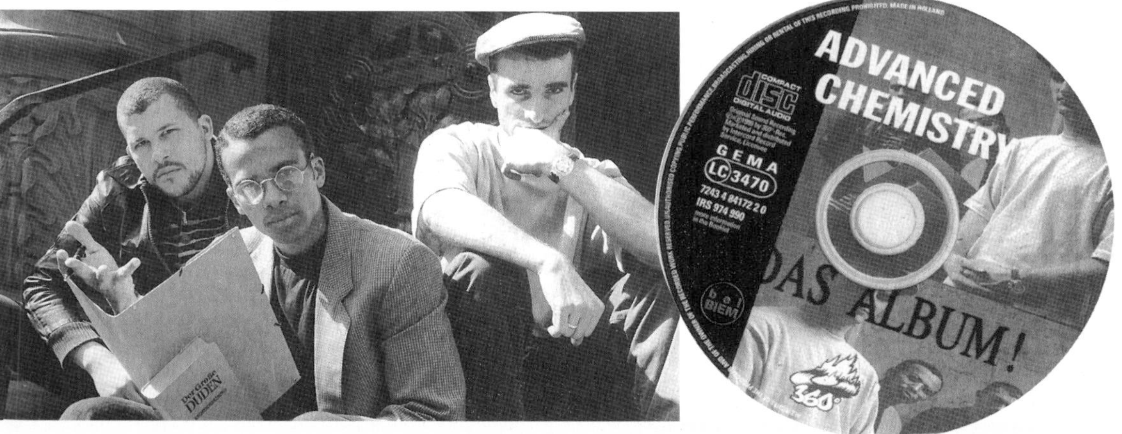

Ich habe einen grünen Pass mit 'nem goldenen Adler drauf;
dies bedingt, dass ich mir oft die Haare rauf.
Jetzt mal ohne Spaß: Ärger hab ich zu Hauf,
obwohl ich langsam Auto fahre und niemals sauf.
All das Gerede von europäischem Zusammenschluss;
fahr ich zur Grenze mit dem Zug oder einem Bus,
frag ich mich, warum ich der Einzige bin, der sich ausweisen muss,
Identität beweisen muss!
Ist es so ungewöhnlich, wenn ein Afro-Deutscher seine Sprache spricht –
und nicht so blass ist im Gesicht?
Das Problem sind die Ideen im System:
Ein echter Deutscher muss so richtig deutsch aussehen ...

Gestatten Sie, mein Name ist Frederick Hahn;
ich wurde hier geboren, doch wahrscheinlich sieht man's mir nicht an,
ich bin kein Ausländer, Aussiedler, Tourist, Immigrant,
sondern deutscher Staatsbürger und komme zufällig aus diesem Land,
wo ist das Problem, jeder soll geh'n, wohin er mag ...

Nicht anerkannt, fremd im eigenen Land, kein Ausländer und doch
ein Fremder.

A9 

Über Songs sprechen

Wann fühlt man sich fremd im eigenen Land?

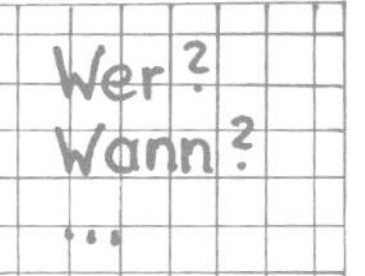

A10 

a) Hören Sie Teil 1 und lesen Sie mit: Wie sieht ein typischer Deutscher aus?
b) Welche Themen gibt es im Song? Sammeln Sie.

➜Ü19 – Ü20

c) Hören Sie Teil 2: Welche Hoffnung wird am Schluss formuliert?

➜Ü21 – Ü24

Interview mit Torch von „Advanced Chemistry"

- ● Was hat euch zusammengebracht, Torch?
- ○ Ursprünglich nicht die Musik. Wir sind Jugendliche mit gemeinsamen Erfahrungen, kennen uns von klein auf.
- ● Was ist dieses Gemeinsame?
- ○ Dass wir alle in mehr als einer Kultur zu Hause sind, Kontakt zu Teilen der Familie im Ausland haben. Dass wir Außenseiter waren. Das hört man auch in unserer Musik und unseren Texten.
- ● Man liest von euch, dass ihr „politisch korrekt" seid, gegen Rassismus und Vorurteile kämpft. Seid ihr mit diesem Image glücklich?
- ○ Nicht ganz. Natürlich, das stimmt für einige Platten, aber nicht für unsere ganze Musik. Da gibt es noch viele andere Themen.
- ● Aber das Thema „Rassismus" bleibt für euch wichtig?
- ○ Na klar, solange es nicht als normal gilt, dass man anders ist, muss man etwas dagegen machen – bei Konzerten, in Radiosendungen usw. Und da gibt es ja dieses Missverständnis, dass kulturelle Unterschiede an der *Rasse* hängen. So ein Blödsinn! Die hängen doch an der sozialen *Klasse!*

A11 

Inhalte von Song und Interview vergleichen

Was ist für Sie die wichtigste Aussage im Interview? Diskutieren Sie.

A12

Akzentgruppen im Text

a) Hören Sie und klopfen Sie die Akzente mit.
b) Sprechen Sie.

→Ü25

4 Aussprache

Frederick| Hahn| ist in Deutschland| geboren.| Er wohnt| in Heidelberg.| Er spricht Deutsch| und hat einen deutschen| Pass.| Aber| er hat Probleme| in seinem Land.| Er sieht nicht| wie ein typischer| Deutscher| aus.| Deshalb| fühlt er sich| manchmal| fremd| im eigenen| Land.

Beim Sprechen gliedert man Sätze in Akzentgruppen. Jede Akzentgruppe hat einen rhythmischen Akzent. Zwischen den Akzentgruppen macht man ganz kurze Pausen.

A13

Akzentgruppen: rhythmischer Akzent

a) Hören Sie.
b) Klatschen Sie den Rhythmus und sprechen Sie.

→Ü26–Ü27, Ü29

Deutsch verstehen	Du kannst das doch!	Guten Morgen!	von Kindheit an
selbstverständlich	zusammen sein	übersetzen	ein guter Rat
Überstunden	Was brauchst du denn?	Ich verstehe dich.	Ökologie
Arbeitsklima	Auf Wiedersehen!	mit Vergnügen	am letzten Tag

In verschiedenen Akzentgruppen kann der Akzent am Anfang, in der Mitte oder am Ende liegen.

A14

Internationale Wörter

Hören und sprechen Sie.

→Ü28

1. Gruppe: (_) _ _ die Musik, die Fabrik, die Politik, die Republik, die Kritik, die Physik

2. Gruppe: (_) _ _ die Klinik, die Technik, die Esoterik, die Klassik, die Grammatik

A15

Wörter suchen / Texte schreiben

a) Bilden Sie weitere Wörter aus den Buchstaben von „Gastarbeiter".
b) Schreiben Sie den Text weiter. Verwenden Sie in jedem Satz mindestens ein Wort aus a).

5 Wortschatz

G	A	S	T	A	R	B	E	I	T	E	R

GAST GEBE
ARBEITER SAGTE
TIER TAG
AST STAR
RAT

G	A	S	T	A	R	B	E	I	T	E	R
A											
S			A			S	T	A	R		
T			S					S			
			T					T			

Der Vater war Gastarbeiter gewesen. Der Sohn wollte aber nicht Arbeiter werden wie sein Vater. „Ich werde ein Star", sagte er sich an einem schönen Tag.
Einmal war er Gast auf einer Party im Garten; dort sah er ein seltsames Tier auf einem Ast. „Ich gebe dir einen guten Rat", sagte das Tier ...

FREMD

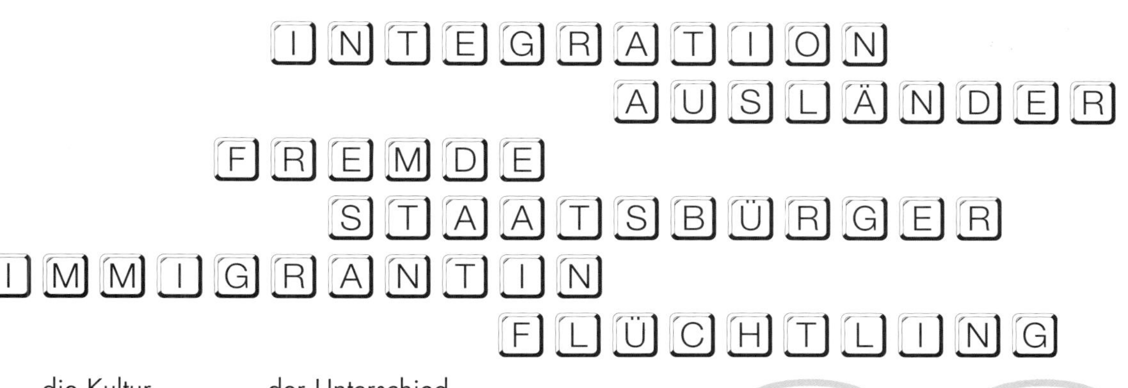

A16

a) Jede Gruppe wählt einen Begriff. Suchen Sie Wörter.
b) Schreiben Sie dann einen Text. Verwenden Sie im ersten Satz Ihren Begriff.

A17

Ausdrücke kombinieren

a) Beschreiben Sie mit Ausdrücken aus der Mitte Ihre Beziehung zu fremden Ländern.
b) Welche Ausdrücke hören Sie? Sammeln Sie.
c) Notieren Sie fünf weitere Ausdrücke. Vergleichen Sie und kontrollieren Sie mit dem Wörterbuch.

die Kultur
der Unterschied
Musik und Tanz
der Markt
exotische Lebensmittel (Pl.)
Getränke (Pl.)
die Sprache
der Kontakt (zu)
der Urlaub
der Staatsbürger
das Industrieland
die Heimat
die Herkunft
die Grenze
die Wirtschaft
das Geld
das Leben
das Problem
das Vorurteil
das Missverständnis

ein Land
in andere Länder
sich für fremde Länder
in einem Land
mit seinem Land
aus einem Land
in andere Länder

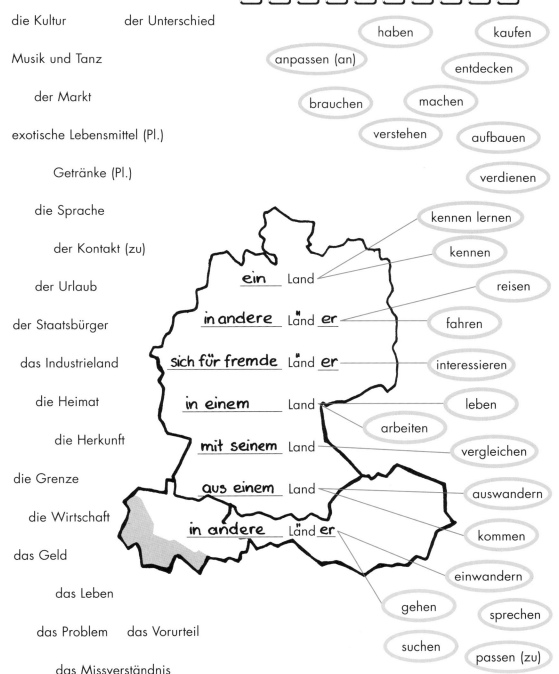

haben
kaufen
anpassen (an)
entdecken
brauchen
machen
verstehen
aufbauen
verdienen 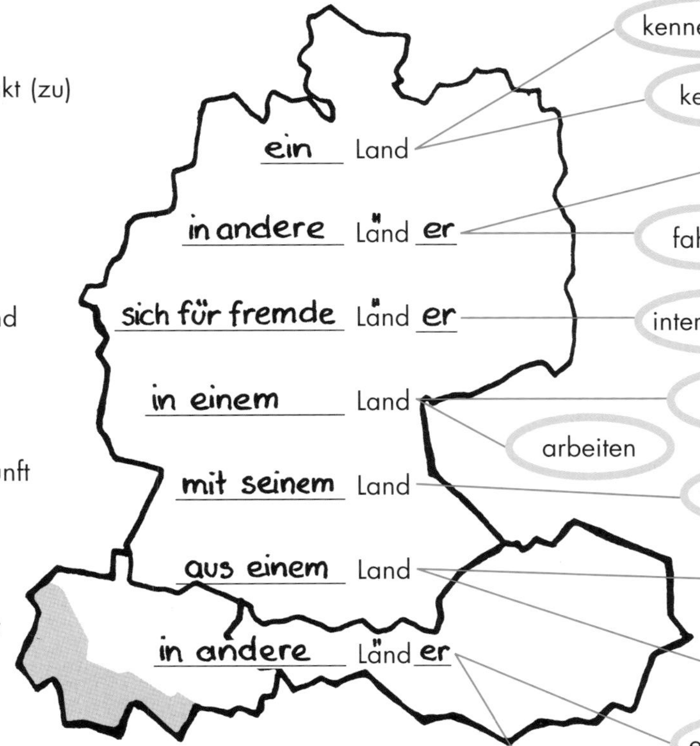
kennen lernen
kennen
reisen
fahren
interessieren
leben
arbeiten
vergleichen
auswandern
kommen
einwandern
gehen
sprechen
suchen
passen (zu)

6 Grammatik

→Ü9

Zeitliche Beziehungen

Zuerst waren fast nur Männer gekommen.	Sie arbeiteten oft mehrere Jahre in den sogenannten Gastländern, während ihre Familien in der alten Heimat lebten.
Sobald die Gastarbeiter eine Wohnung gefunden hatten,	kamen ihre Frauen nach. Die Kinder kamen oft noch später nach.
Sie waren bei Großeltern oder Verwandten geblieben.	
nachdem ihre Eltern in die alte Heimat zurückgekehrt sind.	Heute leben viele Jüngere ohne Familien hier,
Das war/ist zuerst geschehen.	Das geschah dann. / Das geschieht jetzt.

→Ü8 – Ü9, Ü13

Plusquamperfekt: Formen

PERFEKT	ich	bin	gekommen	ich	habe	gefunden
↓		↓			↓	
PLUS-QUAM-PERFEKT	ich du er/es/sie	war warst war	gekommen gekommen gekommen	ich du er/es/sie	hatte hattest hatte	gefunden gefunden gefunden
	wir ihr sie/Sie	waren wart waren	gekommen gekommen gekommen	wir ihr sie/Sie	hatten hattet hatten	gefunden gefunden gefunden

„war-"/„hatte-" + PARTIZIP II

→Ü13

Hauptsatz und Nebensatz (8): nicht-gleichzeitige Temporalsätze

Nachdem	Veras Mann schon einige Jahre in Österreich gearbeitet hatte,		kam sie auch hierher.
Sobald	die Gastarbeiter eine Wohnung gefunden hatten,		holten sie ihre Familien nach.
Viele Gastarbeiter wollten nicht zurückgehen,		**bevor**	sie genügend Geld gespart hatten.

→Ü9, Ü13

Gleichzeitige Temporalsätze: →K18

Temporale Konjunktionen: Zeitverhältnis

Nicht-Gleichzeitigkeit	Gleichzeitigkeit
nachdem, als sobald bevor (= ehe)	als wenn während

Hauptsatz und Nebensatz (9): Zeitdauer, Anfang, Ende

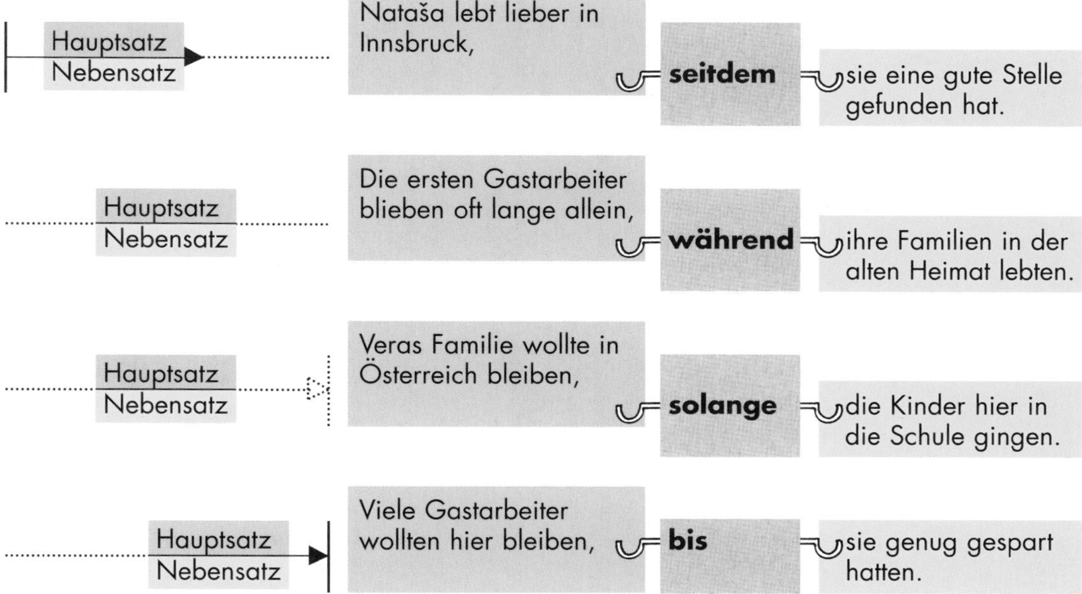

Hauptsatz
Nebensatz
Nataša lebt lieber in Innsbruck,
seitdem
sie eine gute Stelle gefunden hat.
Hauptsatz
Nebensatz
Die ersten Gastarbeiter blieben oft lange allein,
während
ihre Familien in der alten Heimat lebten.
Hauptsatz
Nebensatz
Veras Familie wollte in Österreich bleiben,
solange
die Kinder hier in die Schule gingen.
Hauptsatz
Nebensatz
Viele Gastarbeiter wollten hier bleiben,
bis
sie genug gespart hatten.

Die Konjunktion **„während"** kann auch einen logischen Kontrast betonen:

Während *der Vater* Heimweh nach seiner alten Heimat hat, sind *die Kinder* hier daheim.

Präposition „während"

Während der Arbeit sprachen sie kaum.
„Während den Proben streiten wir nie", sagt Susi von „Seven & Two", „aber manchmal danach."
Präposition +
GENITIV (eher geschrieben)
DATIV (eher gesprochen)

Partizip II als Adjektiv

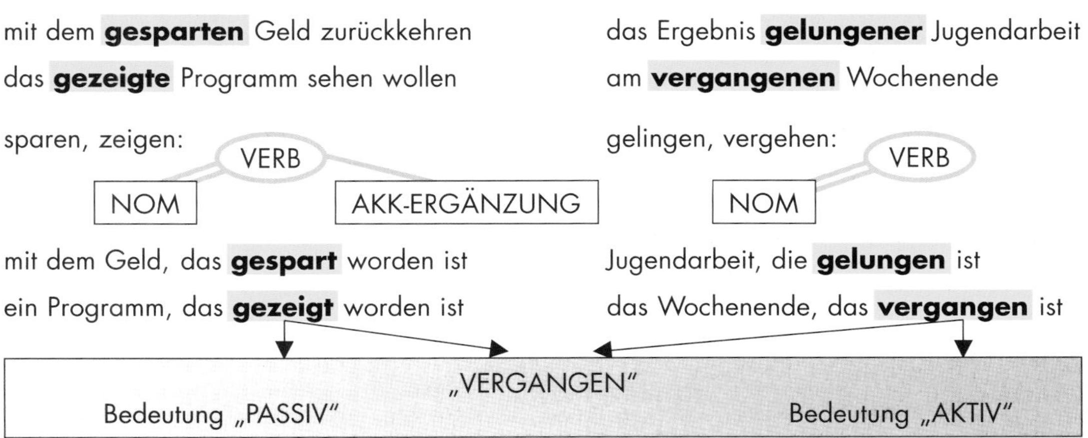

Familie, Freunde, Feste

1 Familie Weber: drei Generationen

 **A1**

„Familie" definieren

a) Was ist für Sie eine „Familie"?

b) Wer gehört für Horst Weber zur Familie? Erzählen Sie.

→Ü1 – Ü2

Horst Weber (67):
„Für uns gehören zu einer Ehe, zu einer Familie vor allem Kinder. Das ist eine Selbstverständlichkeit. Die Kinder haben immer eine zentrale Rolle gespielt. Jetzt sind sie erwachsen, und wir freuen uns, wenn „die Großen" zu uns kommen und uns an ihrem Leben teilnehmen lassen. Aber natürlich haben wir auch Kontakt zu unseren nahen Verwandten – zu Schwester und Bruder und deren Ehepartnern – und zu den entfernteren Angehörigen: Tanten, Onkeln usw. Und zur Familie gehören auch unsere Freunde und Bekannten …"

Meine Familie

Mein Papa bringt mich immer zur Schule. Ich spiele am liebsten mit Stephan und Felix meinen Brüdern. Samstags gucken wir immer zusamen Fußball und mit mama mache ich die hausaufgaben. Abends lesen Mama und Papa uns immer eine Geschichte vor. Wenn mein Opa komt schpilen wir zusamen mit dem Kanichen.

Philipp Weber (11)

 **A2**

Familienaufgaben diskutieren

a) Was halten Sie von der „Arbeitsteilung" der Großeltern Weber?
b) Wer macht was in den Familien von Philipp und Frank Weber?

→Ü3

Frank Weber (31):
„Ich habe zusammen mit meiner Frau an einem Geburtsvorbereitungskurs teilgenommen und war auch bei der Geburt unserer Tochter dabei. Abends und am Wochenende freue ich mich, unsere Kleine zu baden, zu wickeln und zu füttern. Meine Frau kümmert sich nachts um sie, wenn sie schreit und Hunger hat; dafür stehe ich morgens auf und mache das Frühstück. Wenn unsere Tochter einmal größer ist, will meine Frau wieder arbeiten. Dann teilen wir uns die ganze Hausarbeit."

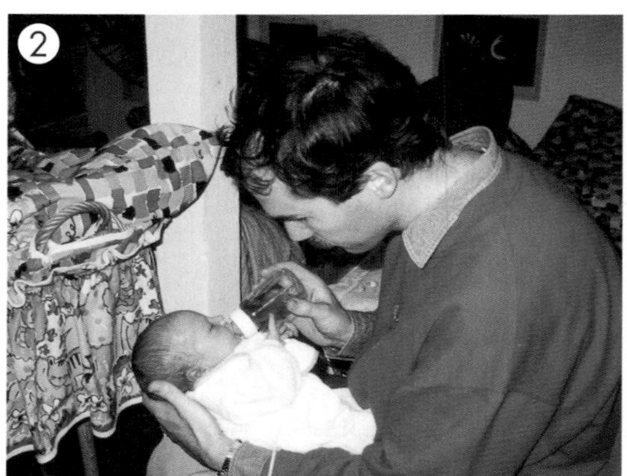

 **A3**

a) Wie ist das in Ihrer Familie? Berichten Sie.
b) Was könnte anders sein? Diskutieren Sie.

→Ü4 – Ü6

A2	Er/Sie ist für … zuständig. Der Mann / Die Kinder machen … .
A3	Die Kleinen/Großen helfen bei … . Meine Frau kümmert sich um … . Wir brauchen Oma/Opa für … . Tante … / Onkel … sorgt für … . Mein Mann / Meine Frau könnte auch einmal … machen. Unsere Kinder könnten ordentlicher/… sein. Wenn meine Eltern in der Nähe wären, würde ich … . Ich hätte (so) gerne mehr Zeit für unsere Verwandten/Bekannten/Freunde …!

2 Lebensformen – früher und heute

„Familie bedeutet Leben! Bei uns ist immer etwas los! Die Kinder halten uns in Bewegung.“

Familie Kunze, Eltern mit vier Kindern

„Wir beide sind sehr aktiv und können uns ein Leben ohne Beruf gar nicht vorstellen!“

Thomas (32) und Judith (28), berufstätiges Paar

„Mein Sohn und ich verstehen uns prima.“

Ulli Steiner (40), allein erziehende Mutter

A4 

Lebensformen vergleichen

a) Sammeln Sie Vor- und Nachteile zu den drei „Familien-Modellen“.
b) Vergleichen und diskutieren Sie.

→Ü7 – Ü8

Die Familie im Wandel

In fast 100 Jahren haben sich die Lebensformen in Deutschland stark verändert. Am Anfang dieses Jahrhunderts lebte fast jeder in einer Großfamilie; ca. die Hälfte der Haushalte bestand aus fünf oder mehr Personen. Heute leben zwei Drittel allein oder zu zweit. Noch nie wurden so viele Ehen geschieden, und die Zahl der allein erziehenden Frauen und Männer nimmt ständig zu.

Schrumpf-Familien

Von je 1 000 Haushalten in Deutschland waren/sind so groß

	Im Jahr 1900	Heute
1 Person	71	347
2 Personen	147	317
3 Personen	170	161
4 Personen	168	127
5 Personen und mehr	444	48

© Globus Quelle: Statistisches Bundesamt 3477

Männer- und Frauenrollen

Früher ging praktisch jeder Mann arbeiten, während die Frau sich um Kinder und Haushalt kümmerte. Der Vater war die höchste Autorität und traf die wichtigen Entscheidungen. Ein Mann, der die Wohnung sauber machte? Eine Frau, die Karriere machte? Das war die große Ausnahme!
Heute ist es für fast alle Frauen selbstverständlich, einen Beruf auszuüben, wenn sich jemand um die Kinder kümmert. Und für viele Männer ist klar, dass sie bei der Hausarbeit helfen müssen. Und Kinder? Die kommen heutzutage oft später, und es sind deutlich weniger als früher.
Die Männer- und Frauenrollen haben sich stark verändert. Was früher „selbstverständlich“ war, wird heute zwischen beiden Partnern ausgehandelt.

A5 

Eine Statistik lesen

a) Was hat sich von 1900 bis heute in Deutschland verändert? Machen Sie Notizen.
b) Welche Ursachen vermuten Sie?

→Ü9 – Ü11

A6 

Über Rollenverhalten sprechen

a) Was war früher / Was ist heute bei Männern und Frauen üblich? Sammeln Sie.
b) Wie war/ist das bei Ihnen? Erzählen Sie.

→Ü12 – Ü15

A4 Welche Vorteile hat das Leben mit …?
Welche Nachteile gibt es ohne …?

Kannst du dir ein Leben ohne Kinder / in einer Großfamilie mit … vorstellen?

– Ich denke, es ist besser, … .
– Es gibt dann (keinen) Streit über … .
Der/Ein Nachteil ist, dass man … .
– Nicht so gut. Aber man kann/muss/braucht dann (nicht) … .
Man hat allerdings das Problem … .
Warum nicht? Das hätte den Vorteil … .

A6 Früher war es üblich, dass der Familienvater / die Hausfrau … .
Heute sind beide Eltern für … verantwortlich/zuständig.
Für viele ist es jetzt selbstverständlich, dass niemand nur … muss/darf/kann.

A7

Vor- und Nachteile suchen

a) Notieren Sie Vor- und Nachteile.

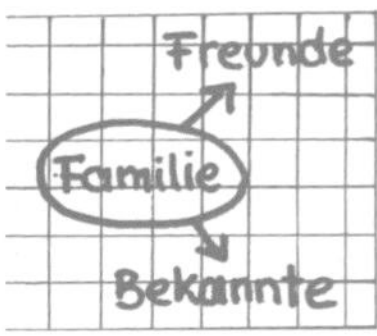

b) Vergleichen Sie mit Ihrem Partner / Ihrer Partnerin.

→Ü16

3 Freunde – die bessere Familie?

„Sie trösten dich wie eine Mutter, aber sie schimpfen nie"

Sie beschützen dich wie ein Vater, aber du musst nicht ewig dankbar sein. Sie sind vertraut wie dein Bruder oder deine Schwester, aber sie konkurrieren nicht mit dir: *Freunde*. Sie sind heute nötiger denn je, denn auf die Familie kann man sich nicht mehr allein verlassen. Bei Freunden kann man Nähe haben, ohne eingeengt zu werden.

Freundschaften kann man kündigen, Eltern nicht. Heute können sich viele Leute Freunde fürs Leben eher vorstellen als eine lebenslange Ehe. Mike, 28, meint: „Im Zweifel ist mir niemand wichtiger als ein guter Freund. Eine Partnerin geht vielleicht nach ein paar Jahren weg – Freunde bleiben fürs ganze Leben."

A8

Beziehungen beschreiben

a) Wie ist die Beziehung zwischen den Personen? Ordnen Sie zu.

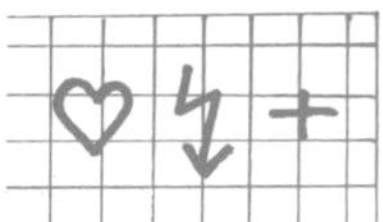

b) Wem schreiben Sie aus dem Urlaub?

c) Schreiben Sie den Brief ③ fertig.

→Ü17

①

Liebste Sylvia!
Weißt du eigentlich, wie sehr ich dich vermisse? Die Zeit ist grau und eintönig ohne dich …
Ich denke immer an unser wunderbares Wochenende und zähle die Tage, bis du zurück bist.

②

Lieber Kurt,

die Zeit fliegt nur so dahin! Wir sind jetzt in Vancouver und genießen die fantastische Landschaft. Wir haben jede Menge Dias gemacht, und wenn wir zurück sind, gibt es viel zu erzählen. Stell schon mal das Bier kalt! Bis bald!

Gisela und Ulli

③

Liebe Evelyn,
nach deinem Anruf war ich richtig sauer! Wir wollten doch zusammen nach Griechenland fahren – und jetzt fährst du mit Daniel weg!!! Was ist los mit dir? Ich glaube, wir sollten uns bald

A9

a) Was sind für Renate Freunde?

b) Und für Sie?

Was wäre ein Leben ohne Freunde? Wen könnte ich anrufen, wenn es mir einmal schlecht ginge?
Wer käme zu mir, wenn ich krank bin?
Wer würde meine Blumen gießen, wenn ich in Urlaub bin? Mit wem könnte ich Fahrrad fahren? Und mit wem ginge ich ins Kino? Mit wem träfe ich mich abends auf ein Bier?
(Renate, 27)

A10

Ein Leben ohne Freunde? Machen Sie Interviews.

→Ü18

A9	Was ist für dich ein guter Freund / eine gute Freundin?	– Ein guter Freund muss … . / Eine gute Freundin kann … .
	Wie lange kennst du deinen besten Freund / deine beste Freundin?	– Wir kennen uns (schon) seit … Jahren / schon ewig.
	Was macht ihr zusammen?	– Wir gehen / treffen uns / machen / … .
	Wie ist dein Freund / deine Freundin?	– Er/Sie ist sehr … . Er/Sie … gern. Er/Sie kann sehr gut / nicht … .

A10 Ein Leben ohne Freunde wäre … . Ich würde/könnte dann (nicht) … .
Ohne Freunde wüsste ich gar nicht, wie … . Ich müsste dann oft/immer … .
Ich brauche keine Freunde. Ohne all diese Freunde hätte ich endlich …!

4 Weihnachten – ein Familienfest?

① 

② 

Herr Jätzold (D):
„Für mich gehört zu Weihnachten, dass die Familie mit allen Kindern zusammenkommt, dass man gemeinsam feiert. Und dann gehört dazu ein gemütliches Kaffeetrinken, der Weihnachtsbaum, die „Bescherung" mit all den Geschenken – und der Gottesdienst in der Kirche."

Frau Bertschi (CH):
„Tannenzweige und Kerzen gehören für mich zu Weihnachten, Nüsse und selbst gebastelte Sterne. Ich dekoriere unsere Wohnung ganz weihnachtlich und backe mit den Kindern Zimtsterne. An den Feiertagen sitzen wir alle oft zusammen und dann essen wir viel und gut."

Christian Lechleitner (A):
„Ich finde Weihnachten toll! Ich muss nicht zur Schule und bekomme ganz viele Geschenke. Ich kann dann den ganzen Tag spielen, und es gibt eine Menge Süßigkeiten. Auch im Fernsehen kommt immer was Spannendes."

„Oh du fröhliche!"

Weihnachten – das Fest der Familie! Ein beliebtes Thema ist jedes Jahr, wie kommerziell, unfeierlich, laut und nervig die Weihnachtszeit geworden ist. Trotzdem machen alle fleißig mit. Dann kommen die Feiertage, und nach den Wochen des Einkaufens und Vorbereitens ist endlich Ruhe! Was erwarten wir von diesen Tagen nicht alles: Freude am Zusammensein mit der Familie und über die Geschenke, ruhige Tage mit Ausschlafen, Zeit für unsere Kinder und Hobbys – Enttäuschungen sind damit schon vorprogrammiert.
Und was machen die, die Weihnachten allein sind? Theater und Museen sind geschlossen, die Straßen wie ausgestorben. Für viele ist es schwer, sich an diesen Tagen nicht einsam zu fühlen. Andere wieder genießen die totale Ruhe.

③ 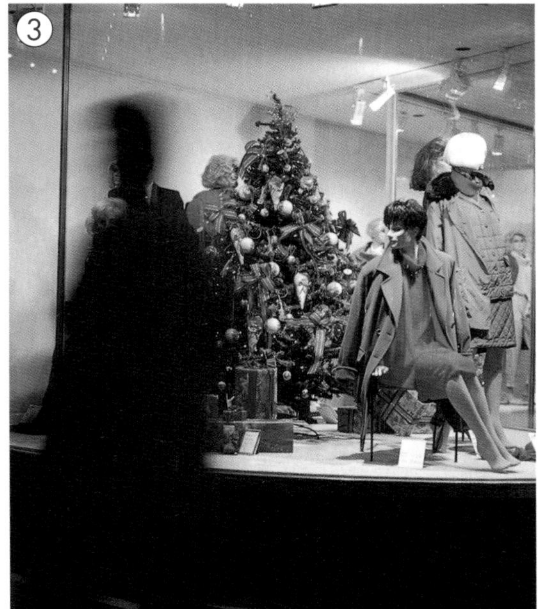

A12	Manche Leute finden schrecklich, dass … .	Andere freuen sich über/an …, weil … .
A14	Bei uns ist … der wichtigste Feiertag. Meistens/Oft kommen … . Bei uns ist es üblich/Brauch, … .	– Ist dann die ganze Familie zusammen? – Wird dann die Wohnung / das Haus dekoriert? – Und was esst/trinkt/macht ihr an …?

A11

Über Familienfeste sprechen

Was gehört in den deutschsprachigen Ländern zu Weihnachten? Machen Sie Notizen.

➔Ü19 – Ü20

A12 

Was finden die Leute positiv, was negativ? Hören Sie und ergänzen Sie Ihre Notizen.

➔Ü21

A13 

Vergleichen Sie den Zeitungsartikel mit dem Foto und den Äußerungen in A12.

➔Ü22 – Ü27

A14 

Was ist bei Ihnen das wichtigste Fest? Was gehört dazu? Erzählen oder schreiben Sie.

5 Frohe Ostern!

A15

Feste und Traditionen beschreiben

Sammeln Sie Wörter und Bilder zum Thema „Ostern".

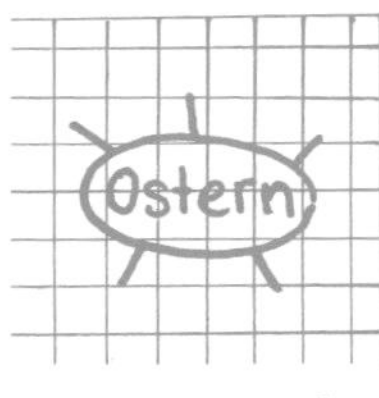

→Ü28

„Als Kinder haben wir an Ostern immer Eier ausgeblasen und anschließend bemalt. Und wir haben aus Eierschalen kleine Vasen gemacht, die wir am Ostersonntag mit Schlüsselblumen oder Vergissmeinnicht gefüllt haben. Und natürlich haben wir Ostereier gesucht! Überall waren sie versteckt: eins unter der Couch, das andere im Bücherregal, das dritte hinter dem Vorhang. Ich mochte am liebsten die aus Marzipan."
(Marianne, 43)

Ostern

Ostern ist das älteste Fest der Christenheit und das Fest der Auferstehung von Jesus Christus. Die Osterzeit dauert 40 Tage. Sie beginnt in der Nacht vom „Karsamstag" zum „Ostersonntag" – dem ersten Sonntag nach dem Frühjahrsvollmond (nach Frühlingsanfang).

A16

Lesen Sie das Interview und ergänzen Sie Ihre Notizen aus A15.

→Ü29

Der Volkskundler Martin Heule über Ursprung und Brauchtum des Osterfestes:

● Herr Heule, was ist der Ursprung des Osterfestes?
○ Ostern hat seinen Ursprung im jüdischen „Pessach"-Fest. Das war ein Frühlingsfest, bei dem Lämmer geopfert wurden.

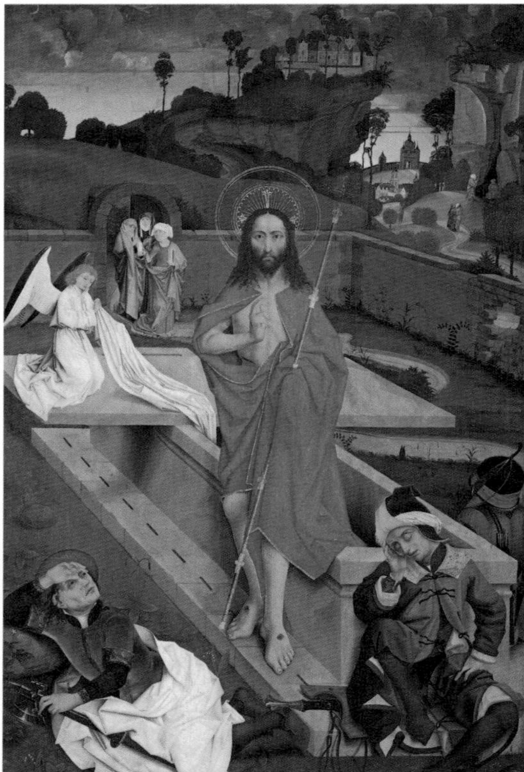

◀ *„Auferstehung"*, Ölbild auf Holz von Hans Pleydenwurff, 1465, Altar der Trinitatiskirche in Hof/Bayern.

● Und welche Bedeutung hat das Pessach-Fest heute bei den Juden?
○ Pessach wird zur Erinnerung an den Auszug der Juden aus Ägypten gefeiert.
● Und was feiern die Christen?
○ Sie feiern die Auferstehung Christi als Befreiung vom Tod. Das Lamm ist ein Symbol für Christus, der für die Sünden der Welt geopfert wird.

● Was haben Hase, Brot und Eier mit Ostern zu tun?
○ Der Hase ist ein altes Symbol für Fruchtbarkeit. Früher hat man Osterbrot verschenkt: den Jungen in Form von Hasen, den Mädchen in Form einer Henne. Im Brot war oft ein Ei. Deshalb glaubten die Kinder, dass der Osterhase Eier legt.
● Hat Ostern heute seine religiöse Bedeutung verloren?
○ Viele denken an Ostern kaum mehr an die Auferstehung Christi. Sie ruhen sich an diesen Tagen einfach aus, und sie essen und trinken miteinander.

 **A17**

Welche Feste und Traditionen gibt es im Frühling? Fragen Sie im Kurs.

→Ü30

6 Aussprache

Liebe Irene,| lieber Detlef,|
zu Weihnachten| senden wir euch| unsere besten Grüße.| Wir hoffen,| dass euch|
unser kleines Geschenk| gefällt.| Wir haben uns| lange| nicht gesehen| und würden uns|
sehr freuen,| wenn wir uns| demnächst mal| wieder| treffen könnten.| Kommt uns doch|
zu Neujahr| besuchen!| Wir laden euch| ganz| herzlich| dazu ein.|
Bis dahin| liebe Grüße,| Clara| und Henry

Satzakzente betonen die wichtigste Information im Satz
und werden stärker gesprochen als die anderen rhythmischen Akzente.

A18 

Rhythmischer Akzent / Satzakzent

a) Sprechen Sie.
b) Hören Sie zur Kontrolle.

→Ü31 – Ü32

Früher hatte der Vater die größte Autorität → Früher hatte der Vater die größte Autorität.
Er traf die wichtigsten Entscheidungen. → Er traf die wichtigsten Entscheidungen.
Die Familie hat sich stark verändert. → Die Familie hat sich stark verändert.

1. „Verstärker" sind Wörter/Ausdrücke im Satz, die die Aussage intensiver machen. Beispiel: Meine Mutter ist alt. → Meine Mutter ist **schon sehr** alt.
2. Verstärker können sein: Adjektive (besonders Komparativ/Superlativ): Sie ist das **jüngste** Kind. – Adverbien: Er ist **schrecklich** krank. – Partikeln: Feiert **nur** nicht zu lange!
3. Wenn der Sprecher einen Verstärker mit Satzakzent spricht, ist ihm die Intensität der Aussage wichtiger als die Information.

A19 

„Verstärker" im Satz sprechen

a) Hören Sie.
b) Sprechen Sie.

→Ü33 – Ü34

7 Wortschatz

		herzliche Glückwünsche!
Zum großen Tag	viel Glück	senden dir …
Viel Glück und Freude	für die gemeinsame Zukunft	wünschen euch von Herzen …
Zu eurer Hochzeit	gratuliere ich	die besten Wünsche von …
Zum Geburtstag	und schöne Tage	von …
Frohe Weihnachten und	fürs Neue Jahr	weiterhin alles Gute!
Schöne Ostern und	zum … . Geburtstag	ganz herzlich!
Zu den Feiertagen und	sende ich Ihnen	die besten Grüße und Wünsche!
Alles Gute und	viel Glück im neuen Jahr	alles Gute und viel Glück
Herzliche Gratulation	alles Gute	wünscht dir …
Herzliche Glückwünsche	wünschen wir	

A20 

Glückwünsche formulieren

a) Welche Feste und Feiertage finden Sie?
b) Notieren Sie zu jedem Anlass ein oder zwei Glückwünsche.

A21 

a) Über welche Kartengrüße freut sich Evelyn?
b) Notieren Sie die Kartengrüße wörtlich.

8 Grammatik

→Ü23 – Ü24

Adjektive als Substantive: Deklination

„Unser Sohn Frank ist längst **erwachsen**. Es ist aber besonders schön, wenn die Kinder auch als **Erwachsene** gern auf Besuch kommen."
„Zu Weihnachten gehört, dass **Verwandte** und **Bekannte** uns besuchen; und wir kochen dann immer etwas besonders **Gutes**."

Herr Paulke erzählt
(von Hans Manz)

So wohnte ich früher:
Im Stockwerk unter mir: Unbekannte.
Im Stockwerk über mir: Unbekannte. (…)
Dazwischen ich:
Ein den Unbekannten Unbekannter.

ein erwachsen**er** Mensch = ein **Erwachsener** der/die **Erwachsene** — Substantive mit Adjektiv-Endungen

mit **seinem** klein**en** Kind = mit seinem **Kleinen** — Adjektive als Substantive

	SINGULAR			PLURAL
	MASKULIN	NEUTRUM	FEMININ	
NOM	ein Unbekannt-er der Unbekannt-e	ein Klein-es	eine Bekannt-e	Erwachsen-e
AKK	einen Unbekannt-en den Unbekannt-en	das Klein-e	die Bekannt-e	die Erwachsen-en
DAT	einem Unbekannt-en dem Unbekannt-en	einem Klein-en dem Klein-en	einer Bekannt-en der Bekannt-en	Erwachsen-en den Erwachsen-en
GEN	eines Unbekannt-en des Unbekannt-en	eines Klein-en des Klein-en	einer Bekannt-en der Bekannt-en	Erwachsen-er* der Erwachsen-en

* Meistens Genitiv-Umschreibung mit **„von"**: das Leben **von** Erwachsenen

→Ü8, Ü25 – Ü27

Artikel-Wörter und Pronomen: „jed-, beid-, all-"

„Wir finden, Kindererziehung geht **beide Partner** an", sagt Frank Weber. „**Jede**r hat seine Verantwortung, **beide** müssen beitragen. Das ist noch nicht bei **allen** so, aber wir versuchen, über **alle Probleme** offen zu reden."

Artikel-Wörter →K6

jed-	MASKULIN der	NEUTRUM das	FEMININ die
NOM	jed-**er**	jed-**es**	jed-**e**
AKK	jed-**en**	jed-**es**	jed-**e**
DAT	jed-**em**	jed-**em**	jed-**er**
GEN	jed-**es**	jed-**es**	jed-**er***

beid- (= PLURAL)	
NOM, AKK	beid-**e**
DAT	beid-**en**
GEN	beid-**er***

all- (= PLURAL)	
NOM, AKK	all-**e**
DAT	all-**en**
GEN	all-**er***

* Meistens Genitiv-Umschreibung mit **„von"**: „**von** jedem, **von** jeder; **von** beiden; **von** allen"

Bestimmter und unbestimmter Artikel als Pronomen

● Hast du schöne Geschenke bekommen, Christian?
○ Naja, **eins** war toll, ein Computerspiel. Aber da waren noch **welche**, die waren nicht so super. Bücher und solche Sachen. Mit **denen** kann man nicht so toll spielen.

Einer ist keiner
(von Volker Ludwig)

Einer ist keiner,
zwei sind mehr als einer!
Sind wir aber erst zu dritt,
machen auch die andern mit!

	SINGULAR			PLURAL
NOM	der	das	die	die
AKK	den	das	die	die
DAT	dem	dem	der	**denen**
GEN	**dessen**	**dessen**	**deren**	**deren**

	SINGULAR			PLURAL
NOM	**einer**	**ein(e)s**	eine	welche
AKK	einen	**ein(e)s**	eine	welche
DAT	einem	einem	einer	welchen
GEN	eines	eines	einer	welcher

„keiner, kein(e)s, keine“ haben im Singular die gleichen Formen wie **„einer, ein(e)s, eine“**; Plural: **„keine“**.

„jemand/niemand“

„Hallo, ist hier jemand?“ – Pause.
„Hallo, ist denn hier niemand!?“
„Doch, hier ist schon jemand,
aber ich bin doch kein Niemand!“

NOM	jemand	niemand
AKK	jemand(en)*	niemand(en)*
DAT	jemand(em)*	niemand(em)*
GEN	jemandes	niemandes

* Oft ohne Endung, v.a. beim Sprechen.

Konjunktiv II: unregelmäßige Verben

→Ü15

„Was **wäre** ein Leben ohne Freunde? Wen **könnte** ich anrufen, wenn es mir schlecht geht? Wer **käme** zu mir, wenn ich krank bin? Wer **würde** meine Blumen **gießen**, wenn ich krank bin? Mit wem **ginge** ich ins Kino, mit wem **träfe** ich mich abends beim Bier? Was **täte** ich ohne sie?“

INFINITIV: PRÄTERITUM:	kommen kam (ich)	treffen traf (ich)	tun tat (ich)	gehen ging (ich)	
KONJUNKTIV II	↓	↓	↓	↓	ENDUNGEN
ich	käm-e	träf-e	tät-e	ging-e	**-e**
du	käm-est	träf-est	tät-est	ging-est	**-est**
er/es/sie	käm-e	träf-e	tät-e	ging-e	**-e**
wir	käm-en	träf-en	tät-en	ging-en	**-en**
ihr	käm-et	träf-et	tät-et	ging-et	**-et**
sie/Sie	käm-en	träf-en	tät-en	ging-en	**-en**

Die Konjunktiv II-Umschreibung mit **„würd-“ + INFINITIV** ist bei den unregelmäßigen Verben immer möglich.

Schule und Ausbildung

A1

1 Schulerfahrungen

Über Schulerfahrungen sprechen

Schauen Sie die Bilder an.
a) Was finden Sie zu:

Schulfächer
Noten
Lehrer/innen
Schüler/innen
Unterricht

b) Was kennen Sie? Was ist anders?

→Ü1 – Ü3

STUNDENPLAN

ZEIT	MONTAG	DIENSTAG	MITTWOCH	DONNERSTAG	FREITAG
8.00 – 8.45	Geographie	Physik	Sozialkunde	Sport	Sozialkunde
8.45 – 9.30	Deutsch	Mathematik	Physik	Sport	Biologie
9.30 – 10.15	Deutsch	Informatik	Chemie	Biologie	Informatik
10.35 – 11.20	Englisch	Geschichte	Deutsch	Chemie	Kunst
11.20 – 12.05	Mathematik	Kunst	Englisch	Englisch	Englisch
12.05 – 12.50	Geschichte	Kunst	Geographie	Deutsch	Chemie

A2

a) Welche Schulerfahrungen hat Ihr Partner / Ihre Partnerin gemacht? Fragen und notieren Sie.
b) Vergleichen Sie.

→Ü4

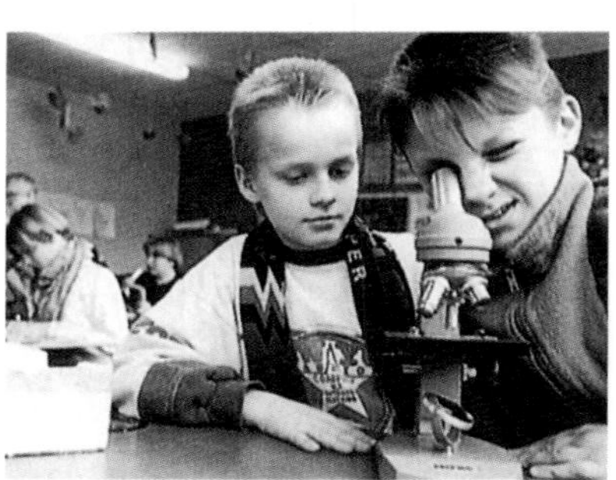

2. Halbjahr: Sehr fleißig und … dig und sicher im … schaftlich.

Benotung	1. Halbj.	2. Halbj.
Religionslehre	1	1
Deutsche Sprache	2	2
Schrift	2	1
Singen	2	2
Heimat- Erdkunde	1	1
Geschichte	–	–
Naturkunde	–	–

A3

Vergleichen Sie Heinrich Langens Schulerinnerungen mit Ihren. Erzählen Sie.

→Ü5

„Ich habe keine guten Erinnerungen an die Schule. Wenn der Lehrer zum Beispiel etwas gefragt hat, haben wir aufstehen müssen. Wir haben in Englisch Texte Shakespeares übersetzen oder Gedichte abschreiben und auswendig lernen müssen. Und wir haben während der Stunde nicht aufs Klo gehen dürfen! Es war wirklich schrecklich. Manchmal habe ich vor Aufregung gar nicht sprechen können. Wir haben richtig Angst gehabt vor unseren Lehrern."

(Heinrich Langen, 55)

A2	Was ist/war dein Lieblingsfach?	– Ich habe/hatte … besonders gern.
A3	Hast/Hattest du eine/n Lieblingslehrer/in?	– Ja, das war … / Nein, aber es gab eine(n) Lehrer(in), der/die … .
	Woran denkst/erinnerst du dich (nicht) gern?	– An die Klassenarbeiten/… .
	Wie sah das Klassenzimmer / die Schule aus?	– Das/Die sah so aus: … .
	Wie viele Schüler(innen) seid/wart ihr?	– Wir sind/waren … in der Klasse.

2 „Für das Leben lernen wir …"

„Natürlich gibt es gute Lehrer, die mit uns über eine Sache diskutieren, uns nach unserer Meinung fragen. Das finde ich sehr wichtig. Wenn Lehrer allerdings zu cool sind, und die Schüler alles machen können, ist das nicht so gut."

(Esther J., Klasse 9)

„Wenn Sie mich fragen, hat die Schule völlig versagt: Die jungen Leute lernen nicht, was sie wirklich brauchen. Jeder kämpft gegen jeden, um gute Noten zu bekommen, und muss sich den Kopf mit unnötigem Kram vollstopfen. Was heute verlangt wird, sind Kooperation, Flexibilität und Kreativität."

(Jochen Hamburger, 38, Unternehmer)

„Mein Sohn geht jetzt in die 9. Klasse. Wenn ich den Unterricht mit früher vergleiche, haben sich die Zeiten total geändert. Wenn wir damals etwas fragen wollten, mussten wir zuerst den Finger heben. Wir haben immer sehr viele Hausaufgaben aufbekommen und oft Prüfungen geschrieben. Die Lehrer und Lehrerinnen waren sehr streng und haben immer gesagt: „Nicht für die Schule, für das Leben lernen wir!"
Heute ist alles viel lockerer: Die Lehrer versuchen, auf die Schüler und ihre Probleme einzugehen. Sie diskutieren sogar mit ihnen darüber, was und wie sie lernen wollen.
Ich weiß nicht so recht, ob das gut ist!"

(Irma Weil, 41, Bankkauffrau)

A4 

Lehrer und Unterricht beschreiben

a) Sammeln Sie Meinungen über die Lehrer(innen) und ihren Unterricht heute.
b) Wem stimmen Sie (nicht) zu? Begründen Sie.

→Ü6 – Ü8

„Mein Beruf macht mir Spaß"

„Mein Beruf macht mir immer noch Spaß", sagt Nora J., 53, Gymnasiallehrerin für Deutsch und Englisch. Seit fast zwanzig Jahren unterrichtet sie an der gleichen Gesamtschule.
„Mir ist wichtig, dass die Schüler Spaß am Lernen haben. Ich sorge dafür, dass die Schüler Fragen stellen und ihre Meinung vertreten können. Und Fremdsprachenunterricht ist von großer Bedeutung, denn unsere Welt wird immer internationaler. Ich finde es auch wichtig, dass die Schüler lernen, selbständig zu arbeiten. Vieles ändert sich jetzt so schnell, dass lebenslanges Lernen bald zum Alltag gehören wird."

A5 

Über Lernen diskutieren

a) Notieren Sie die Unterrichtsziele von Nora J.
b) Was denkt Günther S.? Hören und vergleichen Sie.

→Ü9

A4 **A5** **A6**	Meinst du, dass Lehrer(innen) im Unterricht mit den Schülern diskutieren sollten? Denkst du, dass Schüler(innen) viele Hausaufgaben/… machen sollten? Sind Prüfungen für dich wichtig/nützlich? Findest du Rechtschreibung und … wichtig? Sollten Lehrer lieber … oder lieber … sein?	– Ja/Nein, sie sollten meiner Meinung nach / sie müssten … . – Ja/Nein, nach meiner Erfahrung sollten … / sollte man … . – Ich wäre froh, wenn mehr/weniger … . – Ich finde … nicht so wichtig wie … / wichtiger als … . – Ich wünschte mir, die Lehrer würden vor allem … .

A6 

a) Was haben Sie in der Schule gelernt / nicht gelernt?
b) Was ist heute für Sie noch wichtig? Was nicht?

→Ü10 – Ü11

A7

Eine Ausbildung beschreiben

a) Was sagt Recep über seine Ausbildung? Machen Sie Notizen:

b) Hören und ergänzen Sie:

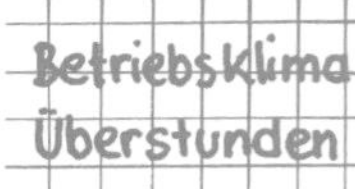

3 Der Weg in den Beruf

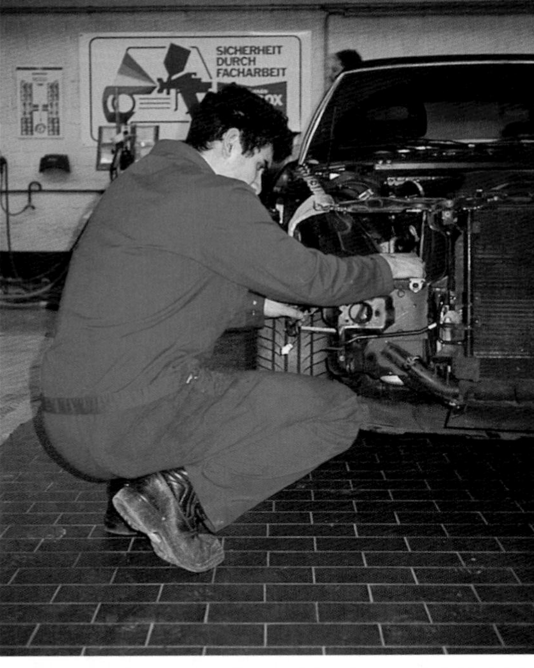

Recep macht eine Berufsausbildung als Fahrzeugbauer. Er arbeitet in einer Autowerkstatt mit insgesamt 14 Mitarbeitern, hilft bei Reparaturen und übernimmt Arbeiten z. T. auch selbständig. Er ist jetzt im 3. Lehrjahr und bekommt „gutes Geld", wie er sagt. Neben der praktischen Ausbildung im Betrieb muss er die Berufsschule besuchen. Zwei Jahre lang hat er dort Informatik gelernt, außerdem Deutsch, Mathematik und spezielle Fächer für seinen Beruf gehabt. Die Zwischenprüfung hat er bereits bestanden. Am Ende der dreijährigen Ausbildung muss er eine theoretische und praktische Abschlussprüfung ablegen: Dann ist er „Geselle". Später möchte er gerne weiterlernen, um Flugzeugtechniker zu werden, denn: „Zuerst wollte ich Flugzeug-Pilot werden, das war mein Traum seit meiner Kindheit."

A8

Was kommt Ihnen an diesen Texten vertraut vor, was fremd? Sammeln und vergleichen Sie.

→Ü12 – Ü15

LEHR-ZEITEN

Der Lehrherr war jung. Sein Gesicht war mir vom Frühstück an ein Dorn im Auge, immer sprach daraus: So! Jetzt beginnt für dich der Ernst des Lebens! (...) Ich pfiff Lieder und Schlager vor mich hin, um mich mit einer fast glücklichen Stimmung zu betrügen. Mir gelangen auch einige kleinere Arbeiten, für die Bruckmann mich lobte. Das war mir zwar peinlich, aber insgeheim sagte ich mir, dass ich es schaffen würde. Auch in der Werkstatt fand ich mich schon ganz gut zurecht. (...) Auf. Frühstücken. Mit dem Fahrrad in die Berufsschule. Hinauf in die Direktion, anmelden und hinunter in die Werkstatt. Ich trat als Letzter ein. Ein Mensch, groß, kräftig, dunkelbraun, mit funkelnden Augen, brüllte mich an, dass ich einen Augenblick glaubte, ich hätte es mit einem großen Hund zu tun.

Aus: ***Schattseite*** *(Roman von Franz Innerhofer)*

Alarmierende Zahlen: 40 000 Jugendliche 1996 ohne Lehrstelle

40 000 junge Menschen verlassen in diesen Wochen die nordrhein-westfälischen Schulen ohne eine Lehrstelle. Viele Betriebe sagen: „Die Ausbildung von Lehrlingen ist zu teuer." Ein Schreinerlehrling bekommt z. B. 700 bis 1100 Mark im Monat. „In der Region Düsseldorf wären noch 500 Plätze für Lehrlinge frei", sagen dagegen Vertreter von Industrie und Handel. „Viele Betriebe suchen dringend junge Menschen für Berufe wie Bauarbeiter und Koch. Aber die meisten wollen lieber kaufmännische Berufe." Er warnt die Jugendlichen vor dem zu langen Besuch von weiterführenden Schulen. „Die Betriebe honorieren Praxis und Erfahrung weit mehr als Schulzeugnisse. Sie verlangen einen möglichst frühen Beginn des Arbeitslebens."

A9

a) Machen Sie Notizen zu Ihrer Ausbildung.
b) Fragen Sie Ihre Partnerin / Ihren Partner.

→Ü16

A7 Recep arbeitet in ... . Er hilft bei ... / übernimmt ... . Er muss die ... Schule besuchen, ... Zuerst musste er ... lernen, außerdem die Fächer ... . Im Moment gefällt ihm, dass ... . Später möchte er aber ... .

A9

Was für eine Ausbildung hast du gemacht / möchtest du machen?	– Eine Ausbildung als ... . / Ich möchte gern ... .
Wie lange hat sie gedauert / dauert sie?	– ... Jahre. / Nicht mehr lang.
Welche Arbeiten hast du gemacht?	– Ich habe oft/meistens ... .
Was hat dir (nicht) gefallen?	– Mir hat gut/nicht gefallen, dass ... .
Wie hast du dich gefühlt?	– Ich war stolz/wütend/..., weil/wenn ... .

4 Hochschulstudium – und dann?

Lebenslauf

Name:	Dörthe Oberdieck
Anschrift:	Kempener Feld 57 40217 Düsseldorf
Telefon:	02 11/4 37 09 84
Geburtsdatum:	16.04.1967
Geburtsort:	Düsseldorf

<u>Schulische Ausbildung</u>

1973–1977	Wilhelm-Busch-Grundschule Ratingen
1977–1987	Goethe-Gymnasium Düsseldorf Abschluss: Abitur

<u>Berufliche Ausbildung</u>

1987–1989	Baumschule Schubert, Düsseldorf Abschluss: Baumschulgehilfenprüfung

<u>Hochschulstudium</u>

1989	Technische Fachhochschule Berlin (Fachrichtung Gartenbau)
1990–1996	Heinrich-Heine-Universität Düsseldorf (Biologie/Geografie)

①

②

A10 

Einen Lebenslauf beschreiben

a) Beschreiben Sie Dörthes Ausbildungsweg.
b) Vergleichen Sie mit Ihrem Ausbildungsweg.

➜Ü17 – Ü20

A11 

a) Was war Dörthe nach der Schule wichtig?
b) Wie sieht sie ihre Zukunft? Notieren und diskutieren Sie.

③

Job-Probleme für Akademiker

In den letzten Jahren gab es mehr als doppelt so viele Studenten an deutschen Hochschulen wie vor 20 Jahren. Die Situation für Berufsanfänger mit Hochschulabschluss hat sich stark verändert: Immer weniger ausgebildete Akademiker finden direkt nach dem Studium eine passende Dauerstelle. Eine zunehmende Zahl junger Akademiker bekommt zunächst nur einen Vertrag für kurze Zeit. Viele Unternehmen schulen (und testen) sogar Uni-Absolventen in vorbereitenden Kursen oder Praktika und können sich dabei die besten Leute aussuchen. Die Kursleiter sehen das so: „Wir wollen die Berufschancen der Akademiker verbessern; denn die meisten Firmen stellen lieber solche Berufsanfänger ein, die sich in der Praxis schon bewährt haben."

A12  

Berufschancen einschätzen

a) Notieren Sie Informationen zur Situation der Hochschulabsolventen in Deutschland.
b) Wie ist die Studien- und Arbeitssituation in Ihrem Land?

➜Ü21 – Ü23

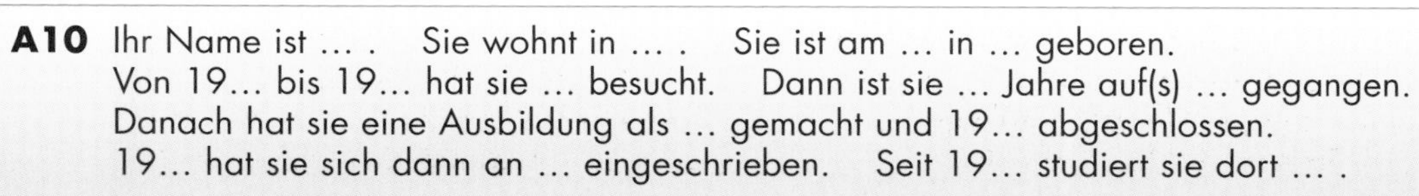

A10 Ihr Name ist … . Sie wohnt in … . Sie ist am … in … geboren.
Von 19… bis 19… hat sie … besucht. Dann ist sie … Jahre auf(s) … gegangen.
Danach hat sie eine Ausbildung als … gemacht und 19… abgeschlossen.
19… hat sie sich dann an … eingeschrieben. Seit 19… studiert sie dort … .

A13

Eine Gesprächssituation beschreiben

Beschreiben Sie die beiden Situationen:

A14

Bewerbungsgespräche auswerten

a) Wie ist die Atmosphäre der beiden Gespräche?
b) Notieren Sie:

Fragen der Firma:
bisherige Tätigkeiten:
zukünftige Aufgaben:

c) Welches Gespräch gefällt Ihnen besser? Vergleichen und begründen Sie.

→Ü24

A15

Ein Bewerbungsgespräch führen

Spielen Sie die Gespräche zu Ende.

5 Das Bewerbungsgespräch

- ● Tag, Frau Klein. Setzen Sie sich doch, bitte!
- ○ Tag! Danke.
- ● Möchten Sie einen Kaffee?
- ○ Ja, gern.
- ● Also, Sie bewerben sich für die Stelle „Bürokauffrau". Was haben Sie denn bis jetzt so beruflich gemacht?
- ○ Ich hab zwei Jahre bei MAB in Köln gearbeitet. Ja, was hab ich da gemacht? Telefonate, Briefe, Rechnungen usw. Und jetzt bei der Krankenkasse: Anfragen von Mitgliedern den ganzen Tag!
- ● Und warum wollen Sie jetzt wechseln?
- ○ Na, weil ich von Kranken und Krankheiten einfach nichts mehr hören kann. Außerdem verdient man da nicht gerade viel … Und da hab ich mir gedacht, ich ruf mal bei Ihnen an.
- ● Tja, wir suchen eben jemand für unseren Kunden-Service. Das heißt: Anfragen, Angebote, Reklamationen usw., usw. Äh, können Sie eigentlich mit einem PC umgehen?

- ■ Frau Klein? Guten Tag, freut mich! Bitte nehmen Sie Platz.
- ○ Guten Tag, danke sehr!
- ■ Ja, kommen wir gleich zu Ihrer Bewerbung: Sie haben eine Ausbildung als Bürokauffrau abgeschlossen und anschließend bei der Firma MAB in Köln gearbeitet. Welche Tätigkeiten waren das?
- ○ Ich war für telefonische und schriftliche Anfragen und für Rechnungen zuständig.
- ■ Einen Moment, bitte. – Frau Seliger? Bitte versuchen Sie doch noch einmal, Herrn Schmidt abzusagen! – Entschuldigung, wo waren wir gerade? Ach ja, bei der Firma MAB … . Zeigen Sie mir doch bitte Ihr Arbeitszeugnis. Ja … . Und jetzt sind Sie also bei dieser, äh … Krankenkasse tätig. Warum bewerben Sie sich denn gerade bei uns?
- ○ Weil Ihre Firma mich sehr interessiert: Sie sind auch im Ausland engagiert. Und meine momentane Tätigkeit ist nicht sehr interessant. Außerdem ist die Bezahlung nicht besonders gut. – Was wären denn meine Aufgaben in Ihrer Firma?

Klar!
Und wie sieht's mit … aus?
Na ja. / Ganz gut. Wie ist das mit der Arbeitszeit?
Wir beginnen um … und hören um … auf.
Wie viel bezahlen Sie denn so?
Was verdienen Sie denn jetzt etwa?
… im Monat.
Also, bei uns … .
…

Wir brauchen eine(n) Mitarbeiter(in) für …
Welche Anforderungen?
Wie gut sind Ihre …-Kenntnisse und …?
Ich kann/habe … . Mich würde noch die Geschäftszeit interessieren.
Unsere Bürozeiten sind von … bis … .
Und wie hoch wäre das Gehalt?
Wir könnten Ihnen … im Jahr anbieten.
…

6 Aussprache

Recep möchte gern Flu**g**zeu**g**techniker werden. De**s**hal**b** sucht er einen guten Jo**b** in einem großen Betrie**b**. Er ist sehr akti**v** und kann sel**b**ständi**g** arbeiten. Er will Erfol**g** haben und viel Gel**d** verdienen. Später möchte er sich ein Hau**s** bauen.

Die Buchstaben **„b, d, g, v, s"** werden am Silbenende stimmlos gesprochen: [p], [t], [k], [f], [s].

Die Buchstaben **„b, d, g, v, s"** bleiben aber stimmhaft, wenn eine Endung folgt:

bei der Steigerung der Adjektive:	akti**v** [f] – akti**v**er [v];	lie**b** [p] – lie**b**er [b]
beim Imperativ der Verben:	schwei**g**! [k] – schwei**g**en Sie! [g]	lie**s**! [s] – le**s**en wir! [z]
beim Plural der Substantive:	Gla**s** [s] – Glä**s**er [z]	Ra**d** [t] – Rä**d**er [d]

Die Lehrerin ist lie**b**, aber der Lehrer ist mir lie**b**er.
Ich bin ziemlich nervö**s**, aber mein Kollege ist noch viel nervö**s**er.
Die Ausbildung kostet viel Gel**d**! Aber an der Schule fehlen die Gel**d**er.
Nicht jede Bewerbung ist ein Erfol**g**. Aber nur Erfol**g**e zählen im Beruf.
Das Bewerbungsgespräch heute war nicht sehr positi**v**! Gestern war's positi**v**er.

Beispiel: Beru**fs** / au**s** / **b**ildung

Beru**fssch**ule	We**rkst**att	Zwische**npr**üfung	Arbei**tg**eber
Beru**fsch**ance	Schu**ls**ystem	A**bschlusspr**üfung	Geha**ltsv**orstellung
Beru**fs**anfänger	Hau**ptsch**ule	Arbei**tsv**ermittlung	se**lbst**ändig

In Konsonantenhäufungen werden alle Konsonanten gesprochen und keine Zwischenvokale benutzt.

A16 

Auslaut: stimmhaft oder stimmlos?

Hören Sie und sprechen Sie nach.

→Ü25

A17 

a) Hören Sie.
b) Sprechen Sie.
c) Suchen Sie Beispiele.

→Ü26 – Ü27

A18 

Konsonantenhäufung

a) Trennen Sie die Komposita. Sprechen Sie getrennt/zusammen.
b) Hören Sie.

→Ü28 – Ü29

7 Wortschatz

A19 

Wortfelder: „Schule, Lehre, Hochschule"

a) Wann hat Thomas was gemacht? Lesen Sie mit.
b) Was sagt er über seine Lehrer? Sammeln Sie.

A20 

Zeichnen Sie das Schema groß auf ein Blatt. Notieren Sie wichtige Ausdrücke.

8 Grammatik

→Ü13 – Ü15

Partizip I

Alarmierende Zahl: 40 000 ohne Lehrstelle!

Unternehmen schulen junge Akademiker in vorbereitenden Kursen

Weiterführende Schule – und dann?

Frustrierende Jobs für Absolventen

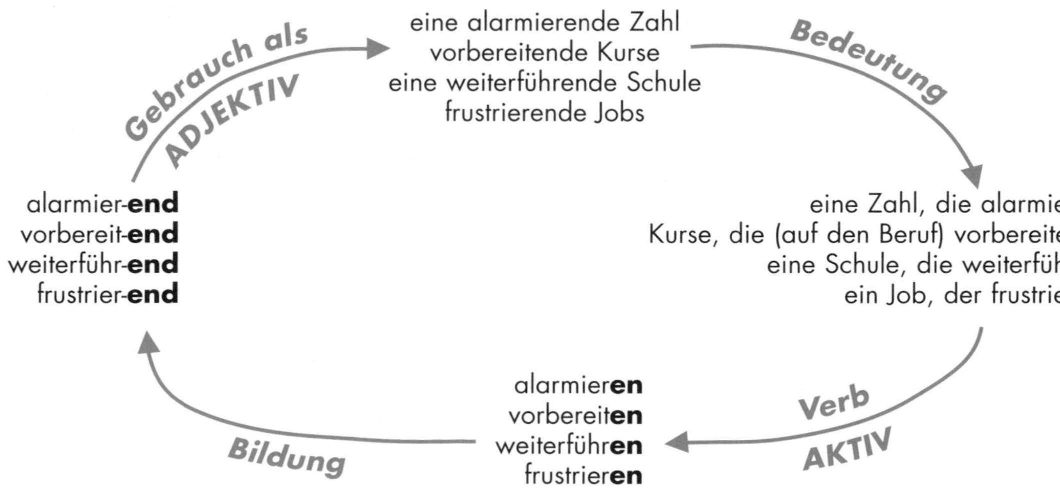

⚠ Das Partizip I wird meistens mit Substantiv (= attributiv) verwendet.
Nur wenige Partizipien I können auch mit **„sein“** (= prädikativ) gebraucht werden:

Nicht möglich: Die Kurse sind vorbereitend.
Die Schule ist weiterführend.

Möglich: Die Zahl ist alarmierend.
Die Jobs sind frustrierend.

Nominale Gruppen im Satz

Eine zunehmende **Zahl** junger Akademiker **bekommt** einen **Vertrag** für kurze Zeit.

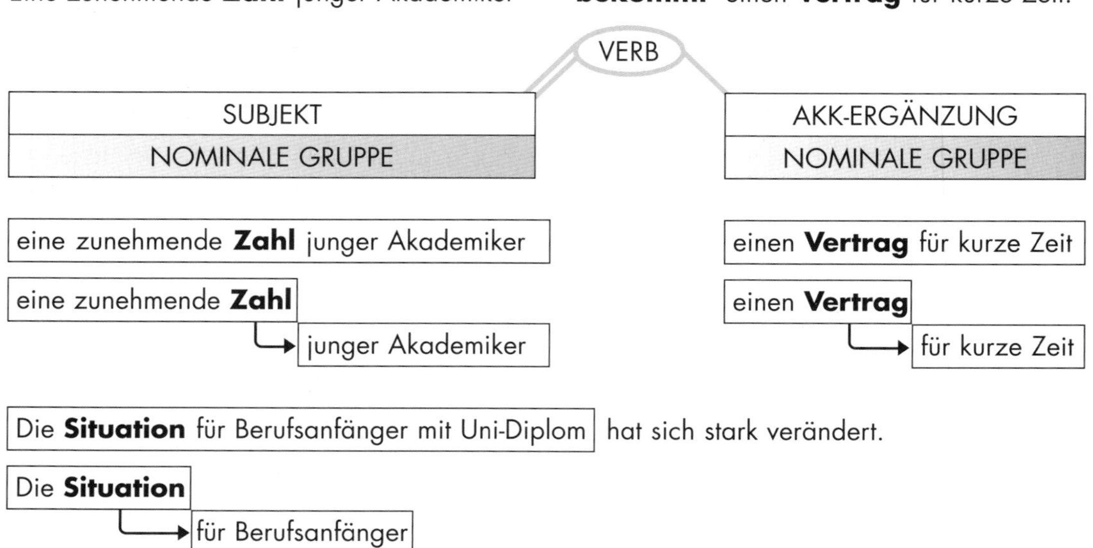

Linksattribute und Rechtsattribute

→Ü21 – Ü22

62

	die	**Situation**		
Adjektiv *Partizip II* *Partizip I*	berufliche veränderte sich verändernde		der jungen Leute am Arbeitsmarkt , die immer mehr Probleme macht,	*Genitiv-Attribut* *Präpositional-Attribut* *Relativsatz*
links vom Kern: ***Linksattribute*** ◄—		**Kern der nominalen Gruppe**	—►	rechts vom Kern: ***Rechtsattribute***

die **Situation**	der jungen Leute	mit Uni-Abschluss	, die eine Stelle suchen, …
KERN	1. *Genitiv-Attribut*	2. *Präpositional-Attribut*	3. *Relativ-Satz*

Partizip II der Modalverben

→Ü7 – Ü8

„Ich habe keine guten Erinnerungen an die Schule. Wenn der Lehrer zum Beispiel etwas gefragt hat, **haben** wir **aufstehen müssen**. Wir haben in Englisch viele Texte übersetzt, wir **haben** nie **sprechen können**. Und wenn wir etwas nicht **gekonnt haben**, gab es Strafen. Kein Wunder, dass niemand in die Schule **gehen wollte**!"

a) Modalverb + Infinitiv

Ich	**hatte**	immer Lehrerin	werden	**wollen**.
Wir	**haben**	in der Schule immer	aufstehen	**müssen**.
Wir	**haben**	nicht aufs WC	gehen	**dürfen**.
Wir	**haben**	in Englisch nie	sprechen	**können**.

INFINITIV + PARTIZIP II des MODALVERBS:
„INFINITIV"

⚠ Statt Perfekt/Plusquamperfekt der Modalverben wird meistens das Präteritum verwendet:

Ich **wollte** immer Lehrerin werden.
Wir **mussten** in der Schule immer aufstehen.
Wir **durften** nicht aufs WC gehen.
Wir **konnten** in Englisch nie sprechen.

b) „können" als Vollverb

Wenn wir etwas nicht | **gekonnt** haben | , gab es Strafen.

regel-
mäßiges
PARTIZIP II + **„haben"**

Beruf: Malerin

A1

Ein Bild beschreiben

Welche der Abbildungen gefällt Ihnen am besten? Notieren Sie und begründen Sie:

→Ü1 – Ü3

A2

a) Welche Art von Malerei mögen Sie? Warum?
b) Haben Sie ein Lieblingsbild? Können Sie es beschreiben?
c) Haben Sie Kunst zu Hause?

→Ü4

A3

Zitate vergleichen

Welche Texte passen zusammen?

→Ü5

1 „Jede Form ist vielseitig"

Paula Modersohn

Jean Tinguely

Kunst kommt von Können!

Zukunft) anders machen
Kunst *die*; -, *Kün·ste*; **1** (eine der) Tätigkeiten des Menschen, durch die er Werke schafft od. Dinge tut, die e-n bestimmten ästhetischen Wert haben, u. für die er e-e besondere Begabung braucht (*z. B.* Malerei, Musik u. Literatur) ⟨K. u. Kultur; die K. fördern; die bildende K.⟩ ‖ K-: ***Kunst-, -gegenstand, -handwerk, -lied, -male***

„Wenn du in allerlei Gemäuer hineinschaust, das mit vielfachen Flecken beschmutzt ist (...), so wirst du dort Ähnlichkeiten mit Landschaften, Bergen, Flüssen, Felsen, Bäumen finden ... ."
(Leonardo da Vinci)

Jede Form ist vielseitig.
(Wassily Kandinsky)

Kunst ist ein Lebensmittel.

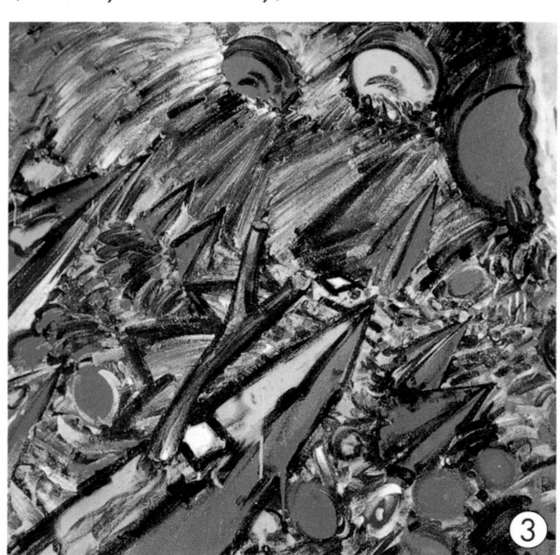

Christian Ludwig Attersee

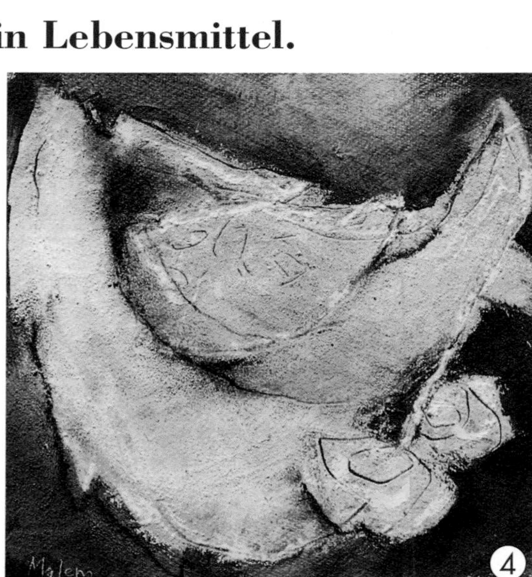

Susanne Leutenegger

A1	Das Bild von ... gefällt mir am besten wegen/trotz seiner/seines ... . Es ist nämlich besonders ... . Die Form erinnert mich an ... . Das sieht aus wie ... . Das Gemälde wirkt auf mich ruhig/beunruhigend/dramatisch/... .
A2	Ich mag am liebsten klassische/moderne/abstrakte/... Malerei/Plastik/Kunst. Das Bild zeigt ein Porträt / eine Landschaft / eine abstrakte Komposition.

2 „Malen ist wie Auf-die-Welt-bringen"

Susanne Leutenegger ist in Wil in der Ostschweiz geboren. Mit 16 kam sie wegen der Schule nach Fribourg und hat dort ihre Matura gemacht. Sie hat in England als Lehrerin gearbeitet, in Italien Italienisch gelernt – sie war immer auf der Suche. Eigentlich wollte sie immer Kunst machen.

1982 ist sie mit ihrem Mann nach Irland gegangen und hat am College of Art in Cork 4 Jahre lang Kunst studiert. Danach lebten sie in Oldenburg in Norddeutschland, wo Susanne als Künstlerin arbeitete und „zum Ausgleich" Zeichenkurse gab. 1991 wurde ihre Tochter Luisa geboren, die ihre Arbeit stark beeinflusst hat, wie sie selber sagt: „Zeitlich, dass ich nicht mehr so viel Zeit habe; aber alles ist sehr viel intensiver geworden, und irgendwie organischer, menschlicher und weicher."

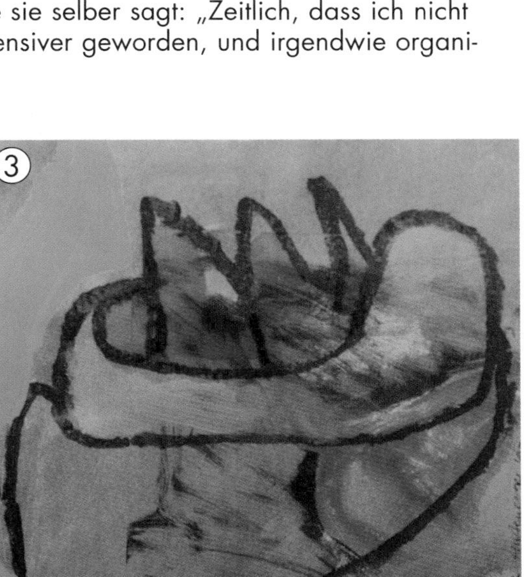

A4

Einen Arbeitsplatz beschreiben

a) Beschreiben Sie Susannes Atelier.
b) Was braucht sie für ihren Beruf?

Raum	Material

→Ü6

A5

Einen Arbeitsprozess strukturieren

a) Wie entstehen Susannes Bilder?
b) Machen Sie Notizen zu ihrer Maltechnik:

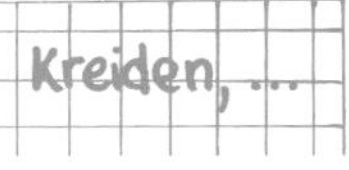

→Ü7 – Ü10

A6

Ein Bild beschreiben

a) Susanne beschreibt eines ihrer Bilder: welches?
b) Beschreiben Sie das andere Bild von Susanne.

→Ü11 – Ü14

A7

Einen Ablauf beschreiben

Was gehört zur Vorbereitung einer Ausstellung? Sammeln Sie:
a) Was macht die Künstlerin?

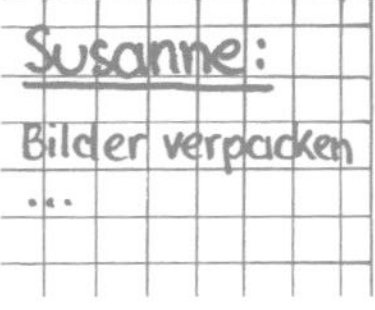

b) Was macht die Galerie?

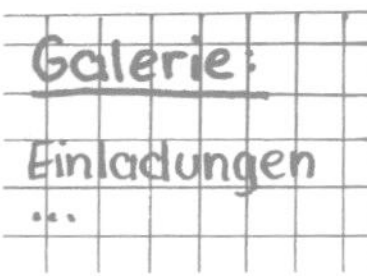

→Ü15 – Ü18

3 Vorbereitung einer Ausstellung

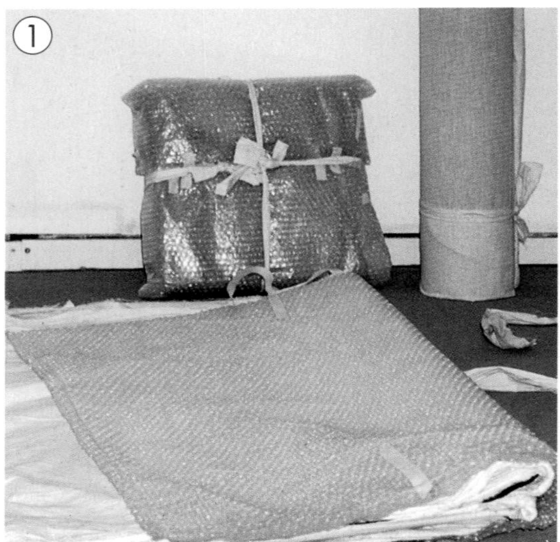

Galerie: streichen
Presse: Info – schreiben
\ schicken
Einladung:
• Druck 280,–
• Versand 196,–
• Getränke 70,–

Susanne Leutenegger in Passau

Für die Schweizer Künstlerin Susanne Leutenegger ist Malen die Suche nach sich selbst. Früher malte die Künstlerin Architektur im Verhältnis zur Natur. Seit einigen Jahren ist sie fasziniert von runden Formen. Bilder dieser neuesten Phase sind in der Produzentengalerie unter dem Titel „Kapseln und Schalen" zu sehen. In ihren Bildern kann man Figuren erkennen, aber Susanne Leutenegger ist keine gegenständliche Malerin; sie geht den Weg zurück zum Einfachen, zur Reduktion. Dabei wählt sie dunkel-warme Farben, denen sie ein leuchtendes Blau und Orange entgegensetzt. Die Ausstellung ist Donnerstag 17 bis 20 Uhr, Samstag und Sonntag von 11 bis 14 Uhr geöffnet.

A8

Eine Verabredung planen

Sie haben den Zeitungsbericht gelesen. Laden Sie eine Freundin zur Eröffnung der Ausstellung ein.

→Ü19 – Ü20

PRODUZENTENGALERIE
PASSAU

Einladung zur Ausstellung

SUSANNE LEUTENEGGER

Kapseln und Schalen

Bilder

vom 6. März – 28. März
Eröffnung am 6. März um 19.30 Uhr

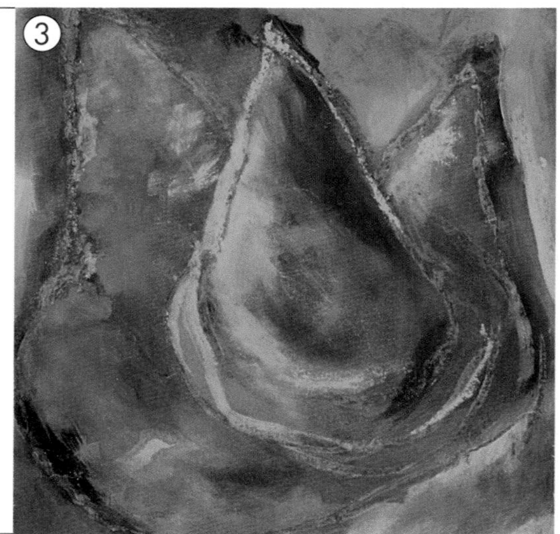

A8	Hast du Lust, eine Ausstellung anzuschauen?	– Wo ist die? / Wo findet die statt?
	In der / Im … .	– Wann ist sie geöffnet?
	Von … bis … .	– Was für Bilder/… werden (denn) ausgestellt?
	Kommst du mit zur Eröffnung?	– Ja, gern! / Nein, ich kann leider nicht.

4 Die Eröffnung

①
- ● Das soll Kunst sein?
- ○ Ja, sogar sehr gute!
- ● Na ja, ich weiß nicht, mir gefällt das nicht so recht.

②
- ● Das Bild ist phantastisch!
- ○ Ja, ganz toll!
- ● Mir gefällt das tiefe Blau besonders …
- ○ … und dieses intensiv leuchtende Orange!

③
- ○ Das kann mein Sohn auch!
- ● So? Wie alt ist Ihr Sohn?
- ○ Der wird im Sommer vier.
- ● Ein kleines Genie!

④
- ○ Wie finden Sie die Ausstellung?
- ● Dazu kann ich nichts sagen, von Kunst verstehe ich nämlich nichts.
- ○ Kunst müssen Sie einfach anschauen, nicht verstehen!
- ● Ach, meinen Sie wirklich?

⑤
- ○ Das sieht aus wie ein Fisch!
- ● Oder wie eine Schale.
- ○ Ganz abstrakt gemalt, obwohl die Motive aus der Natur sind.
- ● Ja, beim Betrachten fallen mir sofort zahllose Assoziationen ein.

⑥
- ● Impressionismus, Expressionismus usw., das ist doch nicht mehr aktuell!
- ○ Aber immer noch schön!
- ● Kunst muss nicht immer nur schön sein! Sie muss aktuell sein, ein Ausdruck ihrer Zeit.

A9  

Dialoge analysieren

Sortieren Sie die Dialoge:

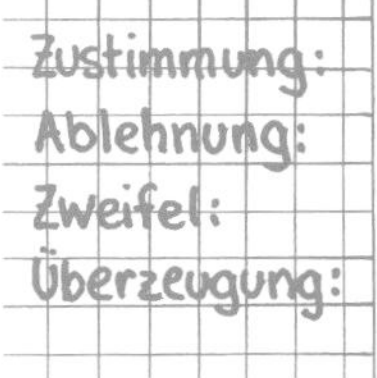

→Ü21 – Ü23

A10 

Eine Ausstellung inszenieren

a) Malen oder zeichnen Sie ein Bild.
Spielen Sie: „Eröffnung einer Ausstellung"
b) Schreiben Sie einen Zeitungsbericht zu Ihrer Ausstellung.

A9	*Zustimmung:*	Ja, toll! Sehr richtig! Das stimmt! Das finde ich auch! (Ich bin) Ganz Ihrer Meinung! Einverstanden! Das ist eine gute Idee!
	Widerspruch:	Scheußlich! Das gefällt mir nicht! Ganz im Gegenteil! So ein Unsinn! Nein, auf keinen Fall!
	Zweifel:	Ach wirklich? Na ja, ich weiß nicht. Ich weiß nicht, ob … . Kann man denn …?
	Überzeugung:	Ich bin ganz sicher, dass … . Es ist doch klar, dass … . Das müssen Sie unbedingt (auch) … .

A11

Langsam/Schnell sprechen

a) Hören Sie.
b) Sprechen Sie.

→Ü24

5 Aussprache

Susanne | kam | mit sechzehn | nach Fribourg, || wo sie | ihre Matura | gemacht hat. ||

Beim langsamen Sprechen spricht man viele deutliche rhythmische Akzente und macht viele kurze und lange Pausen.

Susanne kam mit sechzehn | nach Fribourg, || wo sie ihre Matura gemacht hat. ||

Beim schnellen Sprechen fasst man mehrere Akzentgruppen in Sinngruppen zusammen und macht nur wenige kurze Pausen.

A12

Rückfragen: Sätze

a) Hören Sie auf den Akzent.
b) Sprechen Sie.

Heute gehe ich in die Kunstausstellung! ●	○ Wohin gehst du?
Ich mag diese Farben. ■	□ Welche Farben meinst du?
Ich will ein Bild für meine Eltern kaufen. ▲	△ Für wen willst du das Bild kaufen?
Meine Eltern mögen keine abstrakte Malerei. ▶	▷ Was mögen sie nicht?

In Rückfragesätzen wird das Fragewort stark betont, und die Melodie steigt.

A13

Rückfragen: Fragewörter

a) Hören Sie auf die Melodie.
b) Sprechen Sie.

→Ü25

Dieses Bild gefällt mir sehr gut. ●	○ Welches?
Das da. Aber ich kaufe es nicht! ●	○ Warum?
Ich kann nicht. Es kostet zu viel. ●	○ Wie viel?
8000 Mark! Und ich habe schon ein Bild dieses Malers. ●	○ Seit wann?

Die Melodie steigt im stark betonten Fragewort.

A14

„Standbilder bauen" und beschreiben

a) Welche Situation zeigt das Foto? Beschreiben Sie.
b) Jede Gruppe wählt eine Situation:
1. Sammeln Sie Ideen für das „Standbild".
2. Ein Mitglied der Gruppe „baut" das Bild ohne Worte, eine(r) führt Regie.
3. Die Mitglieder der anderen Gruppen beschreiben, raten und fragen den Regisseur / die Regisseurin.

6 Wortschatz

Sie sind Gäste bei der Eröffnung einer Ausstellung. Für die Bilder an der Wand gibt es sowohl Zustimmung wie Ablehnung.

Sie nehmen an einer Führung durch ein Museum teil. Der Führer redet viel, und Sie finden es schrecklich langweilig.

Auf der Straße malt ein Mann ein Bild auf den Boden. Die Leute gehen schnell vorbei und treten auf das Bild.

In Ihrer Stadt soll ein Denkmal errichtet werden. Was für eine Idee haben Sie? Bauen Sie ein Denkmal.

Sie sehen, dass jemand ein Gemälde stehlen will. Sie wollen das verhindern.

Erzählen Sie etwas über ...

A15 

Wortschatzspiel: „Kunst“

Spielen Sie in Gruppen.
Würfeln und ziehen Sie der Reihe nach.
Erzählen Sie der Gruppe etwas über ... .
Wer ist zuerst am Ziel?

START

... ein Bild oder Foto, das Sie in Ihrem Zimmer haben.

... den Maler / die Malerin, den/die Sie im Atelier besuchen möchten.

... Graffiti, die Sie auf dem Weg zum Kurs sehen.

... das Bild aus Kapitel 27, das Ihnen am besten gefällt.

Sie bleiben zu lange im Museum und werden über Nacht eingesperrt: ***Eine Runde aussetzen!***

... eine Ausstellung, die Sie sehr beeindruckt hat.

... das Denkmal – Nr. ③: Finden Sie, das ist Kunst?

... die Farben, die Sie in der Natur am liebsten haben.

... ein Kunstwerk, das in Ihrem Land sehr berühmt ist.

Sie haben eine berühmte Künstlerin kennen gelernt. Sie schenkt Ihnen ein Bild: ***Drei Felder vor!***

... ein Motiv, das Sie schon fotografiert/gezeichnet/gemalt haben.

... die Plastik und den Brunnen – Nr. ②.

①

②

③

④

... die Zeichnung zu „4 Die Eröffnung“ in Kapitel 27.

... die Stimmung in den Bildern von Susanne L.

Sie kommen an einem hässlichen Denkmal vorbei: ***Schnell zwei Felder vor!***

... eine Maltechnik, die Sie können möchten.

... Das schönste Graffito in der Stadt wurde entfernt, schade! ***Zwei Felder zurück!***

... ein Museum, in das Sie gern gehen möchten.

... das Bild – Nr. ①: Welche Assoziationen haben Sie?

... eine Begabung, die Sie gerne haben möchten.

... die Dinge, die Sie als Kind gern gezeichnet haben.

... das Graffito mit dem Fahrrad – Nr. ④.

... ein Gebäude in Ihrer Stadt, das Sie für ein Kunstwerk halten.

Sie kommen zu spät zur Eröffnung der Ausstellung: ***Ein Feld zurück!***

... das Material, mit dem Sie gern arbeiten möchten.

... Dinge, die Sie sammeln oder sammeln möchten.

ZIEL

7 Grammatik

Verb und Ergänzungen im Satz (3)

SUBJEKT	VERB	ERGÄNZUNG
Susanne Leutenegger ist		**in Wil** **geboren**.
WER?	ist geboren	WO? lokale (Situativ-)Ergänzung
Mit 16 **ging sie** wegen der Schule		**nach Fribourg**
WER?	geht	WOHIN? lokale (Direktiv-)Ergänzung
Dort **hat sie** zwei Jahre später		**ihre Matura** **gemacht**.
WER?	macht	WAS? Akkusativergänzung
Sie hat in England		.... **unterrichtet**.
WER?	unterrichtet	(WAS?) fakultative Ergänzung (kann fehlen)
und (sie) (hat) in Italien		**Italienisch** **gelernt**.
(WER?)	lernt	WAS? Akkusativergänzung

⚠ Nach Konnektor: Gleiches Subjekt und Hilfsverb werden oft weggelassen.

→Ü12 – Ü14

Angaben

SATZKERN	SATZKERN + ANGABEN
Susanne L. ist in Wil geboren.	Susanne L. ist in Wil geboren. KEINE ANGABEN
Sie ging nach Fribourg.	**Mit 16** (WANN?) ging sie **wegen der Schule** (WARUM?) nach Fribourg.
Sie hat ihre Matura gemacht.	**Dort** (WO?) hat sie **zwei Jahre später** (WANN?) ihre Matura gemacht.
Sie ist nach Irland gegangen.	**1982** (WANN?) ist sie **mit ihrem Mann** (MIT WEM?) nach Irland gegangen.
und hat Kunst studiert.	und hat **in Cork** (WO?) **vier Jahre** (WIE LANGE?) **intensiv** (WIE?) Kunst studiert.
Sie arbeitete als Künstlerin.	**Als sie zurückgekehrt war,** (WANN?) arbeitete sie als Künstlerin **in Oldenburg**. (WO?)

Satzbau (1): Vorfeld und Mittelfeld

→Ü20

(Konnektor)	Vorfeld	VERB	Mittelfeld	(VERB)
		SATZKLAMMER		
0	1	2		
	Susanne L.	ist	in Wil	geboren.
	Mit 16	ging	sie wegen der Schule nach Fribourg.	
	Dort	hat	sie zwei Jahre später ihre Matura	gemacht.
	Sie	hat	in England	unterrichtet.
und	(...)	(...)	in Italien Italienisch	gelernt.
	1982	ist	sie mit ihrem Mann nach Irland	gegangen.
und	(...)	hat	in Cork vier Jahre intensiv Kunst	studiert.
	Als sie zurückgekehrt war,	arbeitete	sie als Künstlerin in Oldenburg.	

„das Bekannte" (meistens) **„die neue Information"** (meistens)

(Konnektor)	Vorfeld	VERB	Mittelfeld				(VERB)
		SATZKLAMMER					
0	1	2					
	Subjekt/ Ergänzung/ Angaben	finite Form (mit Endung)	(Subjekt)	DAT-Erg. oder AKK-Erg.	ANGABEN	AKK-Erg. oder PRÄP-Erg.	(Präfix)/ (Infinitiv)/ (Partizip II)

Wortbildung (1): Substantive aus Verben

→Ü16 – Ü18

a) Tätigkeiten: Substantive vom Infinitiv

Zuerst war **das Malen** nur Susannes Traum.	malen	das Mal**en**
Beim Betrachten der Bilder fällt mir viel ein.	betrachten	beim (= bei dem) Betracht**en**
Die Malerin nimmt Kreiden **zum Zeichnen**.	zeichnen	zum (= zu dem) Zeichn**en**

VERB → **„das"** + INFINITIV

b) Personen: Substantive auf **„-er/-erin"**

Die Malerin macht selbst Kreiden.	malen	der Mal**er**, die Mal**erin**
Die Besucher fragen die Malerin.	besuchen	der Besuch**er**, die Besuch**erin**
Ein Redner eröffnet die Ausstellung.	reden	der Redn**er**, die Redn**erin**

VERB → VERBSTAMM + **„-er, -erin"**

c) Substantive auf **„-ung"**

Die Galerie macht **eine Ausstellung**.	ausstellen	die Ausstell**ung**
Es werden **Einladungen** verschickt.	einladen	die Einlad**ung**
Es gibt eine feierliche **Eröffnung**.	eröffnen	die Eröffn**ung**

VERB → VERBSTAMM + **„ung"**

Beruf und Arbeit

A1

Berufe beschreiben

a) Welche Berufe sind das? Hören und raten Sie.
b) Machen Sie Notizen zu Aufgaben und Tätigkeiten.

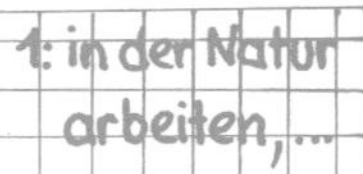

b) Wer verdient viel/wenig? Warum? Und bei Ihnen?

→Ü1 – Ü3

A2

Ihr Partner / Ihre Partnerin spielt seinen/ihren Beruf oder Berufswunsch ohne Worte. Fragen/Raten Sie.

→Ü4

1 Beruf: Berufung oder Job?

① ② ③ ④ ⑤ ⑥ ⑦ ⑧

Durchschnittlicher Verdienst / Monat (DM) in Deutschland (1996)

Arzt/Ärztin (Klinik)	10000,–
Krankenschwester/ Krankenpfleger	2300,–
Bauer/Bäuerin	1500,–
Bäcker(in)	3200,–
Polizist(in)	2700,–
Politiker(in)	11300,–
Musiker(in)	4200,–
Profisportler(in)	40000,–

A3

Persönliche Eigenschaften beschreiben

a) Was sind Ihre persönlichen Eigenschaften? Was ist Ihnen wichtig? Machen Sie den Test und notieren Sie:

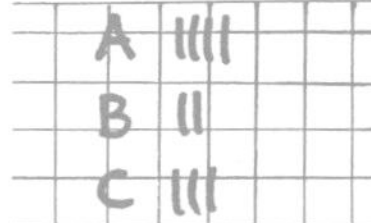

b) Welchen Buchstaben haben Sie am häufigsten? Machen Sie im Arbeitsbuch (Ü5) weiter.

→Ü5 – Ü7

Test: „Welcher Beruf passt zu mir?"

Keine Frage: Wir erlernen einen Beruf und arbeiten, um Geld zu verdienen. Wenn die Arbeit zu uns passt, fühlen wir uns zufrieden. Ist sie für uns jedoch nur ein „notwendiges Übel" zum Geldverdienen, kann so ein Arbeitstag im Betrieb ganz schön lang werden. Wie ist das bei Ihnen: Wissen Sie, was zu Ihnen passt und was Sie in Ihrem Beruf glücklich macht? Hier ein Test, der Ihnen bei der Antwort helfen kann:

1. Was ist typisch für Sie?

C Ich habe einen „gesunden Menschenverstand".
B Ich vertraue gern meiner Intuition.
D Ich bin sehr anpassungsfähig.
D Ich bin gern diplomatisch.
C Ich habe viel Selbstdisziplin.
A Ich bin oft nachdenklich.
B Ich mache viel mit Gefühl.
A Ich finde Engagement wichtig.
B Ich habe viel Phantasie.
D Ich bin gern mit anderen Leuten zusammen.
A Ich bin gern hilfsbereit.
C Ich finde gute Umgangsformen wichtig.

2. Was ist Ihnen bei Ihrer Arbeit besonders wichtig?

B Ich möchte immer wieder neue Dinge planen.
A Ich möchte eine sinnvolle Arbeit machen.
C Ich möchte gerne schöne Dinge um mich haben.
B Ich brauche viel Abwechslung.
C Ich möchte viel Geld verdienen, damit ich mir viel leisten kann.
D Ich brauche Kontakt mit vielen Menschen.
A Ich möchte mein Wissen und Können an andere weitergeben.
D Ich möchte mit Menschen zusammenarbeiten, die ähnliche Interessen und Ziele haben.

2 Stellenangebote und Stellengesuche

Hallo, Studentinnen und Studenten! ①
Wir brauchen Sie in unserem Team.
Wenn Sie über gute
PC- und Fremdsprachenkenntnisse
sowie Büroerfahrung
verfügen, bieten wir Ihnen abwechslungsreiche und gut bezahlte Bürojobs in den Semesterferien.
Rufen Sie uns bitte an,
wir freuen uns auf Sie.

Balzacstr. 31
Tel. 871162
04105 Leipzig

KH ② Wir sind das größte Krankenhaus im Stuttgarter Raum mit 939 Betten, 21 Fachabteilungen und Instituten und suchen zum 1. Januar des kommenden Jahres

die leitende Ärztin oder den leitenden Arzt

für die Klinik Hals-Nasen-Ohrenkrankheiten

Die Klinik mit derzeit 21 Ärzten hat 85 Betten. Sie führt eine umfangreiche Ambulanz mit

③ Suchen für sofort oder später
Bürokauffrau/mann
Bürokraft oder Lehrling
Voraussetzung: selbstständig und engagiert!
Fa. Mailhammer (Lagerhaus, Sägewerk)
Innlände 16 · 83022 Rosenheim

Wir sind eine der wichtigsten Adressen der internationalen Mode mit Sitz in Duisburg und suchen ab sofort bzw. zum nächstmöglichen Termin eine/n
④ **Telefonistin/Telefonisten**
in Halbtagsstellung im Wechseldienst.
Grundkenntnisse der englischen Sprache setzen wir voraus, italienische oder französische Sprachkenntnisse wären von Vorteil. Bitte senden Sie Ihre schriftliche Bewerbung mit Lichtbild an
OBERKASSEL 1 – fashion trade GmbH –
Kaiser-Friedrich-Ring 1 · 47059 Duisburg

Krankenschwester
Krankenpfleger
Welche/r nette, engagierte Krankenschwester oder Krankenpfleger im medizinisch-chirurgischen Bereich möchte in ein bestehendes Team in Düsseldorf eintreten? Beginn der Tätigkeit möglichst ab 1. Oktober oder später. Ihre Bewerbungsunterlagen senden Sie bitte an die Unternehmensberatung
CURA GmbH ⑤

⑥ **Bürokraft**
– Teilzeit –
langjährige Berufserfahrung, gerne selbstständig arbeitend, PC-Kenntnisse, 43, ruhig, belastbar, zeitlich flexibel, sucht zum 1.4. neue Aufgabe im Raum Dessau
AN 4 166 175 ✉ · 06847 Dessau

Allround-Talent ⑦
sportlich, kreativ, witzig
mit Lust am Reisen sucht abwechslungsreiche Tätigkeit in Film-, Werbe- oder Touristikbranche.
AF 5 126 789 ✉ · 10117 Berlin

⑧ **Landwirt/in**
für sofort gesucht
Familie Kroner
Am Wimhof, 94315 Straubing

Wir suchen eine/n selbstst. arbeitende/n
⑨ **Bäcker/in**
für unser junges Team, 3½-Zi.-Whg. oder sep. Einzelzimmer im Hause.
Maßholder GmbH
Hauptstr. 20 **99094 Erfurt**
☏ **0 17 26 56 60 21** (tägl. v. 17–19 Uhr)

⑩ **Dipl.-Übersetzer**
(Engl., Span.), 35 J., in ungekündigter Stellung bei einer Fluggesellschaft, flexibel, zuverlässig, selbstständig arbeitend, PC-Kenntn., sucht abwechslungsreiche und verantwortungsvolle Tätigkeit.
AE 4 165 685 ✉ · 60314 Frankfurt

Zum 15. 3. suchen wir eine zuverlässige und kinderliebe
⑪ **Haushaltshilfe**
für 4-Pers.-Haushalt in Meerbusch-Osterath, 2x wöchentlich, je 4 Std., DM 15,–/Std. + Fahrtkostenzuschuss.
Fam. Schulze, Bovert 7,
40670 Meerbusch
☏ 02159/61256

A2 Ist die Arbeit in einem Büro / einer Werkstatt / in der freien Natur / ...?
Arbeitet man dabei meistens allein / im Team / mit Kunden ...?
Hat man da viel mit Technik/Materialien/Natur/Menschen/Büchern/... zu tun?
Braucht man für den Beruf einen Traktor / ein Telefon / Instrumente / ...?

A4 

Stellenanzeigen auswerten

a) Welche Anzeigen sind „Stellenangebote", welche sind „Stellengesuche"? Sortieren Sie.
b) Welche Anzeigen passen zu den Berufen von A1? Vergleichen Sie.

A5 

a) Wählen Sie zwei Stellenangebote: Welche Eigenschaften soll der Bewerber / die Bewerberin haben? Notieren Sie.
b) Wären die Stellen etwas für Sie? Vergleichen Sie mit Ihrem Test:

➜Ü8 – Ü9

A6 

Stellengesuche schreiben

Was für eine Stelle suchen Sie?
a) Notieren Sie wichtige Wörter und Ausdrücke aus den Stellengesuchen.
b) Schreiben Sie Ihr persönliches Stellengesuch.

➜Ü10 – Ü11

A7

Einen Arbeitsplatz beschreiben

Beschreiben Sie Petras Arbeitsplatz:

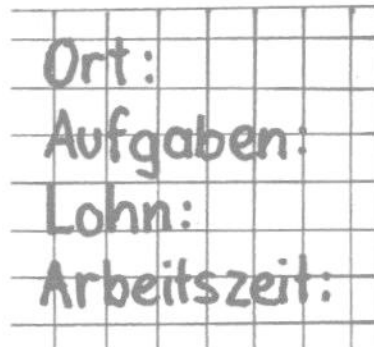

→Ü12

A8

a) Sammeln Sie Vor- und Nachteile von Petras Arbeitsplatz.
b) Wären Sie gern Zugbegleiter(in), Pilot(in) oder Steward(ess)? Warum (nicht)?

→Ü13 – Ü18

3 Berufsalltag

Arbeitsplatz auf Schienen

Petra Beckers Arbeitsplatz ist heute der InterCity-Express „Spree Kurier". Es ist sechs Uhr früh. „Guten Morgen, die Fahrkarten, bitte!"
Petra ist Zugbegleiterin. Sie ist daran gewöhnt, zu den unterschiedlichsten Zeiten zu arbeiten. Einige Zeit später balanciert sie ein Tablett mit Kaffee über den Gang, denn in der ersten Klasse gehört Servieren zu ihren Pflichten. Doch damit kann sie gut leben. Für sie ist wichtig, dass sie den gleichen Lohn wie ihre männlichen Kollegen bekommt: durchschnittlich 4000 Mark brutto im Monat – Wochenend- und Nachtzuschläge inklusive.

	Zeit▶	1	2	3	4	5	6	7	8	9	10	11	12	13	14	15	16	17	18	19	20	21	22	23	24
33. Woche	MO											IC 1345													
	DI																ICE 217								
	MI																ICE 217								
	DO																								
	FR			IR 1250																					
	SA												ICE 478												
	SO																								
34. Woche	MO																								
	DI																								
	MI																		IR 245						
	DO									IC 1210															

„Hier bekomme ich das, was ich immer gewollt habe: Kontakt mit Menschen", meint Petra. Zugbegleiter arbeiten sieben Tage in der Woche, rund um die Uhr. Ihr Lebensrhythmus wird vom elftägigen Dienstplan bestimmt. Vier Tage davon sind frei, und oft muss das Team weit vom Heimatbahnhof entfernt übernachten. Petra sagt: „Auch daran habe ich mich gewöhnt. Aber mein Freund findet das gar nicht toll! Wir können nur an bestimmten Abenden ins Kino gehen oder uns mit Freunden verabreden. Und die Wochenenden, die wir zusammen verbringen können, sind sehr selten! Andererseits genieße ich die freien Tage, an denen andere arbeiten müssen. Ich kann dann in Ruhe einkaufen oder den Haushalt machen und mir die Tage so einteilen, wie ich möchte."

A9

Interviews: Fragen Sie Ihren Partner / Ihre Partnerin nach seinem/ihrem Berufsalltag und Arbeitsplatz.

A8	Welche Vorteile hat Petras Arbeit? Worin siehst du Nachteile? Wärst du gern ...? Würdest du gern als ... arbeiten?	– Ich sehe Vorteile darin, dass ... . – Ein Nachteil ist (für mich), dass ... . – Ich fände es interessant/anstrengend/ ..., ... – Ja, obwohl ... . / Nein, weil ... .
A9	Wo ist/war dein Arbeitsplatz? Was machst du / hast du gemacht? Wie ist/war deine Arbeitszeit?	– Er ist/war in einem kleinen Büro/... . – Ich telefoniere viel / habe ... . – Sie ist/dauerte von ... bis ... Uhr.

4 Die Arbeitswelt von morgen

Bald wird es nicht mehr normal sein, das ganze Arbeitsleben im gleichen Beruf zu arbeiten. Als Arbeitnehmer werden wir im Laufe unseres Berufslebens immer wieder neu und weiter lernen müssen. Und es wird mehr Menschen geben, die trotz guter Ausbildung arbeitslos sind. Kleine Jobs und selbstständige Arbeit werden zunehmen. Dass Leute jahrelang als Angestellte oder Arbeiter an einem Arbeitsplatz bleiben, wird selten werden. Viele Firmen werden weiterhin Mitarbeiter entlassen, und der Abstand zwischen Arbeitslosen und Arbeitenden wird noch größer werden.
Wie wird die Arbeitswelt der Zukunft aussehen? Computer und Internet sind schon heute in vielen Firmen ganz normal. Diese Entwicklung wird wohl noch weitergehen. Aber vielleicht wird auch die Umwelt ein wichtiges Thema bleiben und neue Arbeitsplätze schaffen. Und weil es immer wichtiger werden wird, schnell und flexibel zu sein, werden private Service-Firmen als Arbeitgeber eine große Rolle spielen.

A10 

Prognosen machen

Vergleichen Sie Ihre Arbeitswelt mit der von morgen. Machen Sie Prognosen.

→Ü19 – Ü21

Beispiel 1: Die „Rot Runners"

Die Idee kam aus Amerika. Drei junge Düsseldorfer übernahmen sie und boten Kurierdienste per Fahrrad an, denn das ist billiger, schneller und umweltfreundlicher als per Auto. Als Werbemittel benutzten sie Prospekte und Kugelschreiber, die an Firmen verteilt wurden. Einige Jahre ist das jetzt her. Die Kunden brauchten einfach Zeit, bis sie den neuen Service akzeptierten. Inzwischen flitzen rund 70 Kuriere für die „Rot Runners" mit Rennrad und Funkgerät von Kunde zu Kunde. Das Büro ist rund um die Uhr aktiv, und man arbeitet sogar mit einer Taxizentrale zusammen. Mitgründer Holger Lorenz, heute Mitte dreißig, sagt ganz offen: „Das hätten wir uns damals nicht träumen lassen!"

Beispiel 2: Die „Trouble Shooters"

Ein Unglück kommt selten allein: Auto kaputt, Kind krank und 50 Gäste auf dem Weg zur Geburtstagsfeier? *Kein Problem!* Waschmaschine funktioniert nicht, wichtiger Geschäftstermin und Kindergarten geschlossen? *Trouble Shooters!* Das war die Idee von Barbara Böhme:
Ein Service für Privatpersonen, der absolut alle Aufträge erledigt – und das sofort!
Zuerst gab es viele Anfragen, aber nur wenige Aufträge. Barbara Böhme bietet jetzt auch Firmen ihren Service an.
Sie organisiert, was sonst nicht geht: z. B. Farbkopien am Sonntag oder 150 Fernseher für eine Filmproduktion …

A11 

Geschäftskonzepte beschreiben

Beschreiben Sie das Konzept der „Rot Runners".

Konzept

Idee
Zielgruppe
Werbemittel
Mitarbeiter

A12 

a) Planen Sie die Werbung für die Trouble Shooters. Benutzen Sie dazu die Notizen von A11.
b) Sie haben ein Problem: Rufen Sie bei den Trouble Shooters an. Spielen Sie.

A10 Bei uns heute ist … . Dagegen wird in der Arbeitswelt von morgen … .
Ich werde nach dem Sprachkurs / nach der Schule wohl … und dann … .
In fünf Jahren werden wir sicher … . Wenn ich … alt bin, wird/werden … .

A13

Emotionaler Akzent

a) Hören Sie.
b) Sprechen Sie die Dialoge so emotional wie möglich.

→Ü22–Ü23

5 Aussprache

- ● Die **Fahrkarten**, bitte! ○ **Moment** mal!
- ● Den **Zuschlag**! ○ **Bitte** schön!
- ● Na **also!** ○ **Wie** bitte?

- ■ Komm, wir gehen ins **Kino**. □ Hab keine **Zeit**!
- ■ **Warum** denn nicht? □ Ich muss **arbeiten**.
- ■ Schon **wieder**? □ Du **weißt** das doch!
- ■ Das ist aber **ärgerlich!** □ Tja, tut mir **leid**.

Beim emotionalen Sprechen wird die Akzentsilbe höher, stärker und länger gesprochen: .

A14

Wortakzent: Adverb + Verb

a) Hören Sie.
b) Sprechen Sie nach.

→Ü24

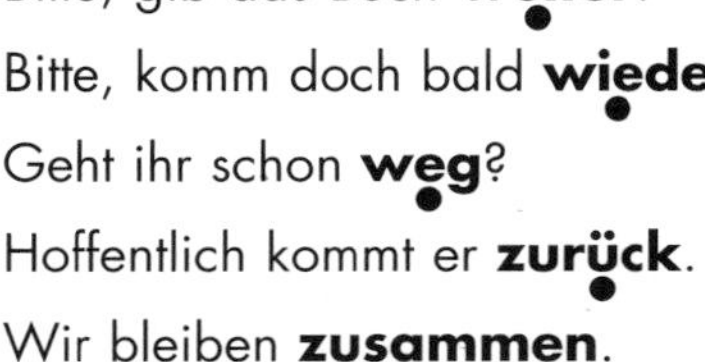

Bitte, gib das Buch **weiter**!	Kannst du es bitte **weiter**geben?
Bitte, komm doch bald **wieder**!	Magst du nicht **wieder**kommen?
Geht ihr schon **weg**?	Wollt Ihr etwa schon **weg**gehen?
Hoffentlich kommt er **zurück**.	Wird er **zurück**kommen?
Wir bleiben **zusammen**.	Wollen wir **zusammen**bleiben?

Adverbien in zusammengesetzten Verben werden meistens betont.
Im Satz haben sie oft den Hauptakzent.

A15

Prognosen machen

a) Welche Fähigkeiten und Kenntnisse brauchen Leute für die Arbeitswelt im Jahr 2020? Formulieren Sie in jeder Gruppe zehn Aussagen.
b) Was ist das Wichtigste für die Zukunft? Machen Sie eine Statistik.

6 Wortschatz

die Firma
das Unternehmen
der Unternehmer / die -in
das Management
der/die Vorgesetzte
der Arbeitgeber / die -in
der Arbeitnehmer / die -in
der/die Angestellte
der Beamte / die Beamtin
der Mitarbeiter / die -in
der Kollege / die Kollegin
das Team
die Gruppe
der Bewerber / die -in
der/die Arbeitslose

→ anpassungsfähig · verantwortungsvoll · einsatzfreudig · engagiert · flexibel · teamorientiert · persönlich · hilfsbereit · selbständig · kreativ · zuverlässig · nachdenklich · lernfähig

↕

→ Organisationstalent haben · Kontakt herstellen · PC- und Internet-Kenntnisse haben · den Führerschein haben · gute Umgangsformen haben · sich den Herausforderungen stellen · gute Sprachkenntnisse haben · Selbstdisziplin haben

↕

→ Anforderungen stellen · schnell entscheiden · Aufgaben verteilen · sich mit verschiedenen Dingen beschäftigen · Vertrauen haben zu · etwas fordern von · Dienstleistungen anbieten · Konzepte entwickeln für · Entscheidungen umsetzen

1. Die Mitarbeiter werden sehr selbständig entscheiden. 𝍸 III

Nach der Ausbildung **fing** ich **mit** der Jobsuche **an**, ohne Erfolg. Also **wartete** ich **auf** einen Platz für ein Praktikum. Und als ich **mit** dem Praktikum **aufhörte, begann** ich wieder **damit**, eine Arbeit zu suchen.

Verben + Präposition:

1. anfangen mit ... (DAT)

A16

Verben mit Präpositional-Ergänzung

a) Notieren Sie die Verben mit der Präposition.
b) Machen Sie aus nominalen Gruppen Sätze mit Verb + Angaben/Ergänzungen.
c) Wählen Sie fünf Verben und schreiben Sie einen Lückentext.

Nominale Gruppen	Verben + Präposition(en)		
die Unterhaltung über das Wetter	sich unterhalten	(mit)	über (+ AKK)
eine lange Antwort auf eine kurze Frage	antworten		auf (+ AKK)
die Erzählung über ihre Reise / von ihrer Reise	erzählen		über (+ AKK) / von (+DAT)
der Bericht über das / von dem Ereignis	berichten		über (+ AKK) / von (+DAT)
das Interesse ⚠ an aktueller Kunst	sich interessieren ⚠		für (+ AKK)
eine schnelle Reaktion auf meine Bitte	reagieren		auf (+ AKK)
die Diskussionen über den Kurs	diskutieren	(mit)	über (+ AKK)
ein Gespräch über den Urlaub	sprechen	(mit)	über (+ AKK) / von (+DAT)

Ich unterhalte mich mit meinem Nachbarn am liebsten über das Wetter.

A17

a) Lesen Sie mit. Welche Verben (und Substantive) mit Präposition hören Sie?
b) Wählen Sie mit Ihrem Partner / Ihrer Partnerin 5–7 Verben. Jede(r) schreibt eine Geschichte. Vergleichen Sie.

sich freuen über (+ AKK)
sich freuen auf (+ AKK)
sich amüsieren über (+ AKK)
lachen über (+ AKK)
reden über (+ AKK)
danken für (+ AKK)

sich erinnern an (+ AKK)
denken an (+ AKK)
sich konzentrieren auf (+ AKK)
hoffen auf (+ AKK)
träumen von (+ DAT)

sich fürchten vor (+ DAT)
sich Sorgen machen um (+ AKK)
(sich) schützen vor (+ DAT)
achten auf (+ AKK)
aufpassen auf (+ AKK)
sorgen für (+ AKK)
sich halten für (+ AKK)

bestehen aus (+ DAT)
gehören zu (+ DAT)
passen zu (+ DAT)
sich gewöhnen an (+ AKK)
sich anmelden für (+ AKK)
zu (+ DAT)
teilnehmen an (+ DAT)

7 Grammatik

→Ü13–Ü14, Ü18

Verben mit Präpositional-Ergänzungen

a) Präpositional-Ergänzung mit Substantiv

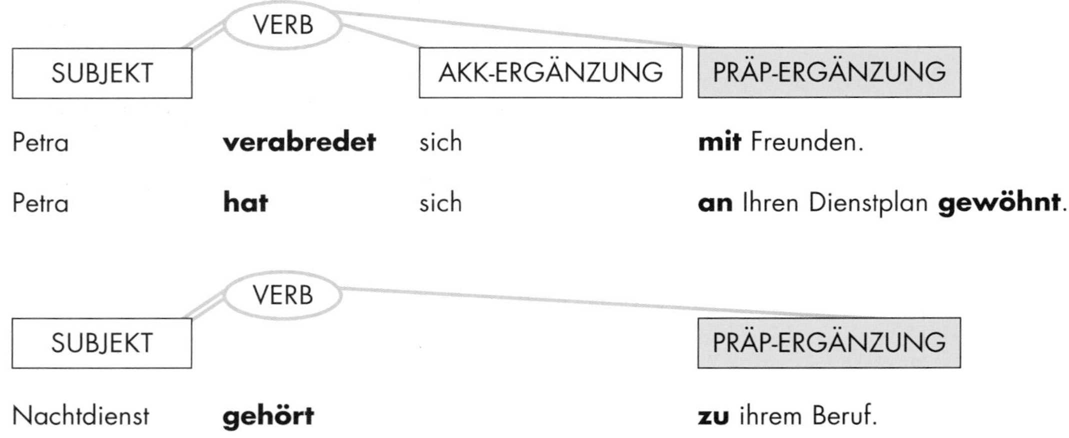

→Ü17

b) Präpositional-Ergänzung mit Pronomen

Petra sieht ihre Freunde selten. Sie kann sich nicht oft **mit ihnen verabreden**.

„Das ist eben so in meinem Beruf, das **gehört** auch **dazu**", sagt sie.

Sie muss oft auswärts übernachten. Auch **daran** hat sie sich **gewöhnt**.

Mit wem verabredet sie sich? – **Mit ihnen**.

Woran hat sie sich gewöhnt? – **Daran**.
Wozu gehört das? – **Dazu**.

Fragewort:	**Pronomen:**
wo(r)- + Präposition	**da(r)** + Präposition

PERSONALPRONOMEN: Lebewesen (Menschen, Tiere)	PRONOMINALADVERB: Sachen oder Aussagen

→Ü16

c) Nebensätze als Präpositional-Ergänzungen

Man gewöhnt sich **daran** ,	zu den unterschiedlichsten Zeiten **zu arbeiten**.
Wir werden uns **daran** gewöhnen,	**dass** wir im Lauf unseres Berufslebens immer wieder neu und **weiter lernen müssen**.
Man redet viel **darüber** ,	**wie** sich die Arbeitswelt **entwickeln wird**.
Manche Leute streiten **darüber** ,	**ob** die Entwicklung der Arbeitswelt **gut ist** oder nicht.

⚠ Im Hauptsatz oft **Pronominaladverb** als Signal!

Präsens ➔K 18
➔Ü20–Ü21

Futur I (1): „Prognose"

Wie wird die Arbeitswelt der Zukunft aussehen? Computer und Internet bestimmen schon heute den Alltag vieler Firmen. Diese Entwicklungen werden beschleunigt werden. Auch die Umwelt wird ein zentrales Thema bleiben. Und wir werden uns daran gewöhnen müssen, dass wir im Lauf des Berufslebens immer wieder neu und weiter lernen müssen.

		Infinitiv Präsens	Infinitiv Passiv	Modalverb + Infinitiv
ich du er/es/sie	werd -e w**irst** w**ird**	aussehen		
wir ihr sie/Sie	werd -en werd -et werd -en		beschleunigt werden	(uns) gewöhnen müssen

FUTUR I: **„werden"** + INFINITIV

⚠ Man verwendet Präsens, wenn die Bedeutung „Zukunft" klar ist:
Nächsten Monat macht sie Urlaub.

Wortbildung (2): Adverb + Verb

ADVERB + INFINITIV

weiter-	+	geben lernen	Ich möchte mein Wissen und Können an andere **weitergeben**. Es wird immer wichtiger, im Berufsleben **weiterzulernen**. *weitergehen, weiterfahren, weitermachen, weiterführen, weiterleben*
wieder-	+	geben erkennen	**Geben** Sie die Aussagen aus dem Text **wieder**. Ich habe dich beinahe nicht **wieder erkannt**! *wiederkommen, wieder sehen*
weg-	+	gehen sein	Wer **geht** aus seinem Land **weg**, um Arbeit zu suchen? Als ich zahlen wollte, **war** der Geldbeutel **weg**. *wegwerfen, wegfahren, wegkommen*
los	+	sein gehen	Bei uns **ist** immer etwas **los**! Wann **gehen** Sie von zu Hause **los**?
zurück-	+	gehen denken	Nach einigen Jahren wollte Vera M. wieder **zurückgehen**. Wenn ich an meine Schulzeit **zurückdenke**, dann ... *zurück sein, zurückkommen, zurückbringen, zurückschicken*
zusammen-	+	arbeiten kommen	Die „Rot Runners" **arbeiten** mit einer Taxi-Zentrale **zusammen**. Zu Weihnachten gehört für viele, dass die Familie **zusammenkommt**. *zusammen sein, zusammenleben, zusammensitzen, zusammengehören, zusammenpassen*

A1

Eindrücke sammeln

a) Was fällt Ihnen zu Wien ein? Notieren Sie.

b) Sie hören Wiener Impressionen. Was erkennen Sie?

→Ü1 – Ü3

1 „Wien, Wien, nur du allein ...“

① Kaiserin-„Sissi“-Denkmal

② Secession (Jugendstil)

③ Volksgarten

A2

Lesen Sie die Tourismus-Werbung und suchen Sie Sehenswürdigkeiten auf dem Stadtplan.

→Ü4 – Ü5

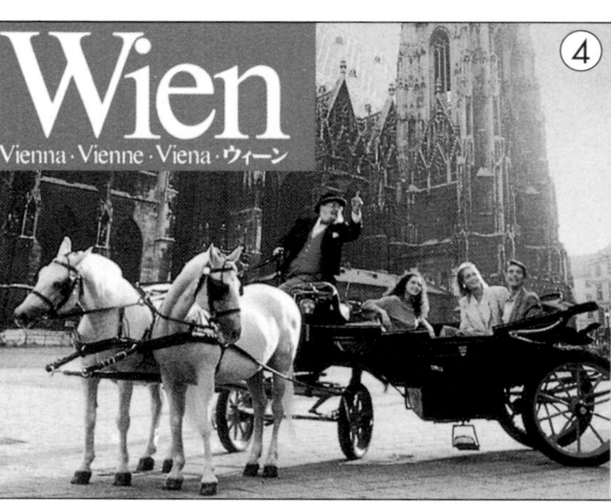

④ Wien ist die charmanteste Hauptstadt der Welt. Romantische Winkel und Gassen wechseln mit Prunkstraßen und Palästen und geben dieser Stadt die ihr eigene Atmosphäre. Schloss Schönbrunn, die Hofburg und der Heldenplatz, die Staatsoper, der Stephansdom und die ganze Ringstraße sind nur einige ihrer faszinierenden Sehenswürdigkeiten. Ob im Konzert oder im Theater, im „Beisel“ oder im Kaffeehaus – überall findet der Besucher die sprichwörtliche wienerische Geselligkeit und Gemütlichkeit, die diese Stadt so anziehend macht.

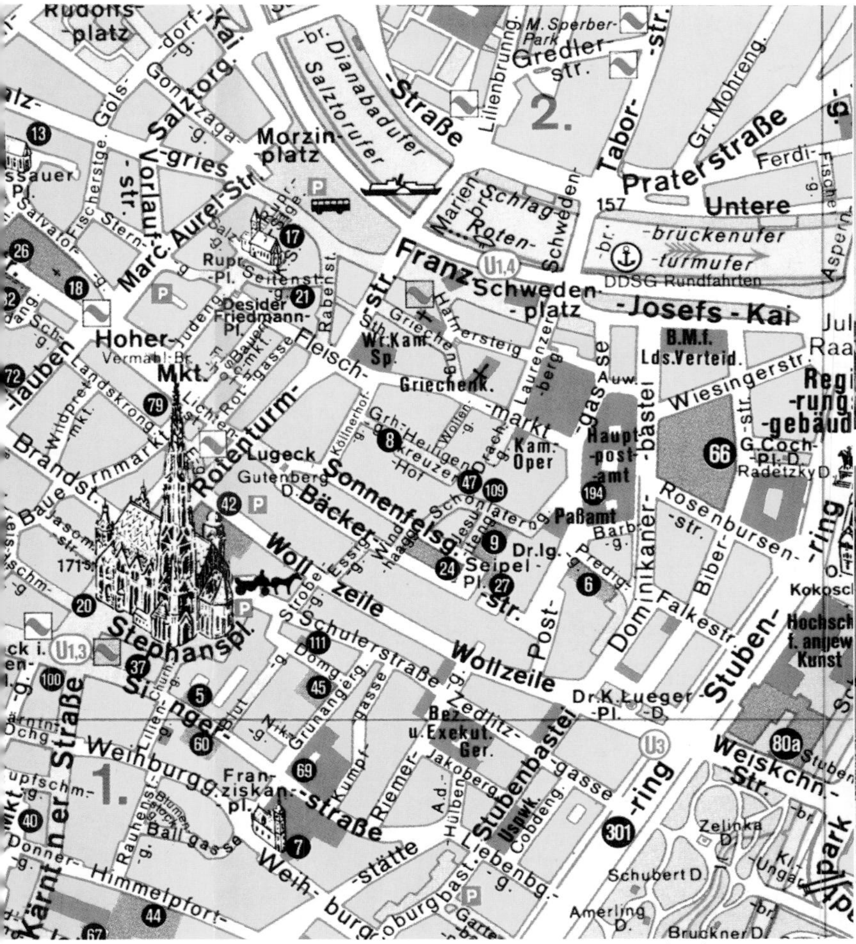

Prater mit Riesenrad

Haas-Haus am Stephansplatz

A3

Ansagen verstehen

Machen Sie eine Fahrt mit der Straßenbahn: Beginnen Sie bei der Oper. Notieren Sie die Stationen.

→Ü6 – Ü7

Lieber Markus,

ich schick dir für deinen Besuch nächsten Monat ein paar Prospekte und das Stadtprogramm. Aber du weißt ja, Prospekte! Und du willst von mir wissen, wie Wien wirklich ist?

Da hört man immer wieder, Wien sei so charmant, überall finde man Gemütlichkeit und Geselligkeit, das mache die Stadt so anziehend: Wenn damit Wärme und Herzlichkeit gemeint ist, stimmt das sicher nicht. Es stimmt vielleicht, wenn damit eine gewisse Gleichgültigkeit, ein langsameres Tempo, wenig Hektik gemeint ist.

Und wenn es heißt, es gebe tolle Sehenswürdigkeiten – aber sicher! Die gehören für mich zum Alltagsbild, zur Kulisse, und ich möchte sie nicht missen. Genauso wenig wie die kulturellen Aktivitäten – da ist „mein Wien" ganz lebendig.

Etwas wundert mich aber: dass der sprichwörtliche „Wiener Schmäh" in keinem Prospekt erwähnt wird. Wenn ich an Wien eines liebe, dann diesen Schmäh, der auch Programm und Lebenseinstellung ist: Nichts ist so ernst im Leben, dass man nicht auch darüber „Schmäh führen" = blödeln könnte, und das am besten im Kaffeehaus, im Beisel, beim Heurigen. Apropos Kaffeehaus: Ich freu mich schon, dir „mein" neues zu zeigen.

Servus! Grete

A4

Aussagen anderer kommentieren

a) Was schreibt Grete über Wien und die Wiener?
b) Mit welchen Ausdrücken bezieht sie sich auf den Prospekttext zu A2? Notieren Sie.

→Ü8 – Ü10

A5

Projekt: „Eine Stadt hören"

Sammeln Sie Geräusche für ein „Hörbild" von Ihrer Stadt.

 A6

Atmosphäre beschreiben

Was ist den Schriftstellern wichtig am Kaffeehaus? Sammeln Sie.

→Ü11

2 Das Kaffeehaus – zwischen Mythos und Wirklichkeit

„Wie andere in den Park oder in den Wald, lief ich immer ins Kaffeehaus, um mich abzulenken und zu beruhigen, mein ganzes Leben."
(Thomas Bernhard)

„Das Café war ein Ort, um das Denkhandwerk zu erlernen."
(Milan Dubrovic)

„Im Kaffeehaus sitzen Leute, die allein sein wollen, aber dazu Gesellschaft brauchen."
(Alfred Polgar)

„Ins Kaffeehaus geht man nicht zum Vergnügen. In fünf Prozent der Aufsuchungen hat man was Sachliches zu bereden, fünfundneunzig Prozent der Besuche sind gekennzeichnet vom Wunsch, einander nicht besuchen zu müssen, ferner, zu lesen, sich zu beklagen, nicht allein zu sein usw."
(Elfriede Gerstl)

 A7

a) Hätten Sie Lust auf einen Besuch in diesem Café? Was möchten Sie dort tun?
b) Beschreiben Sie die Atmosphäre und ergänzen Sie aus dem „Kaffeehaus-Führer".

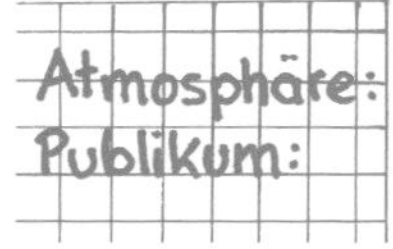

→Ü12 – Ü13

 A8

a) Warum ist „das Hummel" Gerhards Stammcafé? Vergleichen Sie mit Ihren Notizen aus A7.
b) Welche Arten von Kaffee erklärt er?

→Ü14 – Ü16

Café Hummel

Öffnungszeiten: 7.00 Uhr bis 2.00 Uhr

Atmosphäre: Schon am frühen Vormittag ist das Kaffeehaus gut besucht. Es hat eine angenehme und unaufdringliche Atmosphäre. Sogar die Begrüßungen des Herrn Hummel gehen niemand auf die Nerven. Die Einrichtung ist einfach; es gibt nichts, was das Auge des Besuchers ablenkt. Hier kann man vollkommen ungestört Zeitung lesen, Kaffee trinken oder einfach plaudern. Das Hummel ist stolz darauf, 365 Tage im Jahr geöffnet zu haben; es ist eine der lebendigsten Institutionen des 8. Bezirks. Auch für Schachspieler, Kartenspieler und (im Extrazimmer) für Gäste, die fernsehen wollen, ist gesorgt.

Publikum: Im Hummel sind die Gäste bunt gemischt: Schüler, Studenten, Berufstätige und Pensionisten. Von früh bis spät ist sehr viel los, das Tagespublikum unterscheidet sich stark vom Nachtpublikum. Nur von der vornehmen Gesellschaft wird das Café weniger besucht.

Zeitungen: österreichische Tageszeitungen, FAZ, Süddeutsche, Neue Zürcher, Le Monde, Herald Tribune, Corriere della Sera.

MOCCA groß	S 35,–
MOCCA klein	S 21,–
MELANGE	S 27,–
Verlangen Sie hell, gold, braun, dunkel usw.	
PORTION Kaffee	S 42,–
EINSPÄNNER	S 38,–
FRANZISKANER	S 39,–
KAFFEE MARIA THERESIA	S 58,–
CAFE SUPERB	S 75,–
SALON EINSPÄNNER	S 50,–
PHARISÄER	S 45,–
IRISH COFFEE	S 70,–

A7 Die Atmosphäre scheint angenehm/gemütlich/freundlich/unaufdringlich/... zu sein.
Ich finde, das sieht (zu/sehr) ruhig aus. Mir kommt das eher langweilig/... vor.
Ich weiß nicht genau, aber da scheint etwas / wenig / nicht viel / nichts los zu sein.
Man müsste wissen, ob es hier ... gibt / wie ... es ist / wie ... schmeckt.

3 Ein Platz und seine Geschichte

Der Heldenplatz – ein weiter Platz mit zwei grandiosen Reitermonumenten aus dem 19. Jahrhundert vor der majestätischen →Hofburg, die bis 1918 die Residenz der österreichischen Kaiser war. Hier kann man noch immer einiges von Glanz und Größe der österreichischen Monarchie erkennen und spüren.
In der Hofburg befindet sich heute der Amtssitz des Bundespräsidenten.

Österreich ist deutsch!

Ein großer Tag – der Führer und Kanzler des Nationalsozialistischen Deutschen Reiches, Adolf Hitler, verkündete auf dem Wiener Heldenplatz den Anschluß Österreichs. „Ich melde den Eintritt Österreichs in das Deutsche Reich", rief der Führer, und unbeschreiblicher Jubel füllte den Platz.

Ein Platz, ein Konzert und eine Botschaft

Wien – Fünfzigtausend Menschen kamen am Mittwoch zum „Konzert für Österreich" auf den Wiener Heldenplatz. Die große Kundgebung gegen Ausländerhass und Rechtsradikalismus wurde zu einem beeindruckenden Fest.
Mitorganisator André Heller meinte am Schluss der Veranstaltung, der Heldenplatz habe einen Teil seines Schreckens verloren.

„Gegen das Vergessen"

In seiner Rede auf dem Wiener Heldenplatz erinnerte Friedensnobelpreisträger Elie Wiesel daran, dass 1938, genau an dieser Stelle, ein Mann von Hass und Vernichtung gesprochen habe. Damals seien noch mehr Menschen gekommen, die hätten noch viel mehr Begeisterung gezeigt. Wiesel bat seine Zuhörer, diese Bilder nicht zu vergessen. Denn nur die Erinnerung an damals ermögliche Solidarität mit den heute Bedrohten.

A10 Früher … . Im 19. Jahrhundert … . In der Zeit der Monarchie / des 3. Reiches … . (Im Jahr) 1938 … . Dieser Tag ist ein wichtiges Datum in der … Geschichte.
Am Anfang / In der ersten Hälfte / Gegen Ende des … Jahrhunderts … .
Im Gegensatz zu früher … / Während … früher ein Symbol für … war, ist er heute … .

A9 

Fotos von einem Ort vergleichen

Dreimal Wiener „Heldenplatz": Notieren Sie Ihre Eindrücke und vergleichen Sie.

→Ü17

A10 

Informationen zur Geschichte ordnen

a) Lesen Sie die Texte und erzählen Sie die Geschichte des Heldenplatzes.
b) Was ist ein „Held"?
Suchen Sie einen anderen Namen für diesen Platz.

→Ü18 – Ü22

A11 

Gibt es ähnliche Plätze in Ihrer Stadt? Beschreiben Sie.

  A12

Konsonantenverbindungen: Anlaut

a) Hören und sprechen Sie nach.
b) Suchen Sie mehr Beispiele.

→Ü23

4 Aussprache

[t-]	[ʃ-]	[k-]
ein **Tr**aum	auf der **Str**aße	ein **Kl**ischee
zwischen den **St**ühlen	**spr**ichwörtlich	**kr**ank sein
Tschaikowsky	**Schl**oss Schönbrunn	ein lauter **Kn**all
Wein **tr**inken	laut **spr**echen	gute **Qu**alität

⚠ Achten Sie auf die Schreibweise!

  A13

Konsonantenverbindungen: Inlaut

a) Lesen Sie die markierten Wörter.
b) Lesen Sie laut und hören Sie.

→Ü24

Wien-Tours: Unser Sta**dtpr**ogramm „Ein Tag in Wien"

Entdecken Sie die Sehe**nsw**ürdigkeiten unserer Stadt:
Kommen Sie mit? Zum Bei**sp**iel morgens in den Stepha**nsd**om und zur Ho**fb**urg am Helde**npl**atz? Mittags vielleicht auf einen Kaffee mit A**pfelstr**udel in den Vo**lksg**arten, und na**chm**ittags ins Ku**nsth**istorische Museum?
Am besten lernen Sie die Wiener Gemü**tlichk**eit in einem Kaffeehaus kennen. Zu jeder Tage**sz**eit können Sie dort To**pfenstr**udel essen, einen Ei**nsp**änner genießen, die Tage**sz**eitungen lesen, di**sk**utieren. Und abends ins Bu**rgth**eater oder in die Staa**ts**oper!

 A14

Auslaut „-st"

Sprechen Sie nach.

→Ü25

Du bru**mmst** und bru**mmst**,
du knu**rrst** und mu**rrst**,
du kla**gst** und fra**gst**,
was du nur ma**gst**?

Du so**llst** und wi**llst** nicht,
du ma**gst** und dar**fst** nicht,
du mu**sst** und ka**nnst** nicht.

Und je**tzt**,
was ma**chst** du je**tzt**?

 A15

Adjektive: „Gegensatzpaare" bilden

a) Suchen Sie zu jedem Adjektiv von links ein Antonym von rechts.
b) Bilden Sie Synonyme mit *„un-"*.
c) Welche Adjektive rechts haben nur ein Antonym mit *„un-"*?

5 Wortschatz

a) ANTONYME (gegensätzliche Bedeutung)

„selten" ≠ „gewöhnlich"

selten langweilig
fremd neu
einfach laut
nervös teuer

un-

bekannt regelmäßig wichtig
frei nötig zufrieden ruhig
gewöhnlich geduldig klar
günstig interessant kompliziert

„selten" ≈ „un gewöhnlich"

b) SYNONYME (ähnliche Bedeutung)

   A16

a) Suchen Sie Gegensatzpaare.
b) Welche Gegensatzpaare hören Sie? Notieren Sie mit Wort-Partnern.

klein, traurig, eckig, riesig, weit, langweilig
selten, schwer, hoch, besonders, breit, schwierig

rund, groß, lustig, leicht, winzig, eng
normal, fröhlich, einfach, häufig, niedrig, schmal

der Weg, das Haus, die Stadt, die Straße, die Gasse, der Raum, das Gesicht, das Gebäude
das Gespräch, der Garten, der Park, die Erklärung, die Wohnung, der Besuch, das Fest

breite Straßen – enge Gassen

A17 

Collage: „Hauptstadt“

a) Suchen Sie in den Bildern und Texten typische Elemente für eine Hauptstadt. Sortieren Sie in einer Mind-map.
b) Was gehört in Ihrer Muttersprache zu „Hauptstadt“? Ergänzen Sie mit einer anderen Farbe.

BURGTHEATER
HELDENPLATZ
PARTERRE RECHTS
Reihe 5

Regierung streitet um flexible Arbeitszeiten

Wien. – Sozialminister Hums bringt das Arbeitszeitgesetz beim nächsten Ministerrat

● Klestil im Spital

Bundespräsident Klestil bleibt nach seiner Lungenembolie auch über das Wochenende im Wiener AKH. Die Embolie in den Ästen der Lungenarterie hat sich weitgehend aufgelöst. Die Ärzte wollen einen weiteren US-Mediziner hinz...

Parlament ■ C 4
Im Stil eines griechischen Tempels von Theophil Hansen 1871 bis 1883 errichtet. Vor dem Gebäude der monumentale Athene-Brunnen von Kundmann.
I., Dr.-Karl-Renner-Ring 3
Tel. 4 80 42 11
U-Bahn: Rathaus (Ausgang Josefstädter Straße)
Führungen: Mo–Fr 11 Uhr (außer an Sitzungstagen), Juli/Aug.: Mo–Fr 10, 11, 14, 15 Uhr
Eintritt frei

Öffentliche Verkehrsmittel

Wien verfügt über ein dichtes Netz öffentlicher Verkehrsmittel: Straßenbahn, Bus, U-Bahn und Schnellbahn. Hauptverkehrsträger ist nach wie vor die Straßen-

NATIONALBIBLIOTHEK

„Ein Weltgebäude der Gedanken“ hat Reinhold Schneider die Österreichische Nationalbibliothek genannt, und tatsächlich, ihre ältesten Schriftdokumente sind 4000 Jahre alt. An sie

Netzkarte „24-Stunden-Wien“
“24 hours Vienna” ticket
Carte « 24 heures à Vienne »
Biglietto „24 ore a Vienna“
ウィーン24時間フリーパス
im Verkehrsverbund Ost-Region

VOR

WStW-VB

A18 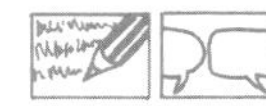

a) Lesen Sie die Beispiele laut.
b) Schreiben Sie zu zweit Texte zum Thema „Hauptstadt“ nach dem Muster.
c) Vergleichen Sie Ihre Texte.

Titel	Großstadtverkehr	Wien
___	Busse	Großstadt,
___ ___	U-Bahnen, Straßenbahnen,	nicht groß.
___ ___ ___	Autos, Autos, Autos.	Zentrum am Rand.
___ ___ ___ ___ (mit VERB)	Wo ist Platz für	Wien ist im Zentrum
___	Menschen?	gewesen.

6 Grammatik

→Ü8, Ü10, Ü20

Aussagen wiedergeben

Wien ist die charmanteste Hauptstadt der Welt. Überall findet man die sprichwörtliche Geselligkeit und Gemütlichkeit, die diese Stadt so anziehend macht.
Außerdem gibt es viele faszinierende Sehenswürdigkeiten.

Da hört man immer wieder, Wien sei so charmant, überall finde man Gemütlichkeit und Geselligkeit. Das mache die Stadt so anziehend.
Und es heißt, es gebe viele tolle Sehenswürdigkeiten.

→Ü9

a) Konjunktiv I: Formen

⚠	sein	haben	werden	müssen	machen	geben	ENDUNGEN
ich	sei- –	*hab- e*	*werd- e*	müss- e	*mach- e*	*geb- e*	**-e**
du	sei- (e)st	hab- est	werd- est	müss- est	mach- est	geb- est	**-est**
er/es/sie	sei- –	hab- e	werd- e	müss- e	mach- e	geb- e	**-e**
wir	sei- en	*hab- en*	*werd- en*	*müss- en*	*mach- en*	*geb- en*	**-en**
ihr	sei- et	hab- et	*werd- et*	müss- et	mach- et	geb- et	**-et**
sie/Sie	sei- en	*hab- en*	*werd- en*	*müss- en*	*mach- en*	*geb- en*	**-en**

⚠ Nur die Formen der 3. Person Singular kommen häufig vor.

→Ü21

b) Tempusformen der Redewiedergabe

„An dieser Stelle hat ein Mann von Hass und Vernichtung gesprochen. Damals kamen noch mehr Menschen, die zeigten noch mehr Begeisterung.
Meine Botschaft ist, das nicht zu vergessen. Dann wird die Welt Österreich anders sehen."

Elie Wiesel erinnerte daran, dass an dieser Stelle ein Mann von Hass und Vernichtung gesprochen habe. Damals seien noch mehr Menschen gekommen, die hätten noch mehr Begeisterung gezeigt.
Seine Botschaft sei, das nicht zu vergessen. Dann werde die Welt Österreich anders sehen.

Signal für Redewiedergabe:

Elie Wiesel erinnerte daran, dass ein anderer an dieser Stelle **gesprochen habe**.
Damals **seien** noch mehr Menschen **gekommen**, die **hätten** noch mehr Begeisterung **gezeigt**.

PERSPEKTIVE: „früher"

Seine Bitte **sei**, das nicht zu vergessen.

Dann **werde** die Welt Österreich anders **sehen**.

PERSPEKTIVE: „später"

Bildung wie Perfekt ← KONJUNKTIV I → Bildung wie Futur I

c) Ersatz der Konjunktiv I-Formen

➜Ü10–Ü11

- ● **Wir müssen** jetzt gehen, **wir können** nicht länger bleiben.
- ○ Es **tut uns** wirklich **leid**, aber sonst **verpassen wir** den letzten Bus!

- ■ Wo sind denn die Gäste?
- □ Sie sagten, **sie müssten** jetzt gehen, **sie könnten** nicht länger bleiben. Es **tue ihnen leid**, aber sonst **würden sie** den letzten Bus **verpassen**.
- ■ Aber der fährt doch erst in zwei Stunden!

Konjunktiv I = Indikativ Präs. ➜ Konjunktiv II
sie müssen = **sie müssen** ➜ **sie müssten**

Konjunktiv II = Ind. Präteritum ➜ **„würd-"** + Infinitiv
sie verpassten = **sie verpassten** ➜ **sie würden verpassen**

Wortbildung (3): Adjektive

a) Adjektive aus **„un-"** + Adjektiv / Partizip II

Manche glauben, Mode ist völlig **unwichtig**.	wichtig	**un**wichtig
Das Reisen mache **unzufrieden**, meinte Elise.	zufrieden	**un**zufrieden
Hier kann man **ungestört** Zeitung lesen.	gestört	**un**gestört

ADJEKTIV	➜ **„un-"** + ADJEKTIV
PARTIZIP II	➜ **„un-"** + PARTIZIP II

b) Adjektive aus Substantiven + **„-lich"** oder **„-ig"**

Was haben Sie bisher **beruflich** gemacht?	der Beruf	beruf**lich**
Was macht Sie in Ihrem Beruf **glücklich**?	das Glück	glück**lich**
Man hat etwas **Sachliches** zu bereden.	die Sache	sach**lich**

SUBSTANTIV	➜ SUBSTANTIV + **„-lich"**

„Ich komme **zufällig** aus diesem Land."	der Zufall	zuf**äll**ig
Giftige Stoffe werden ins Meer geworfen.	das Gift	gift**ig**
Das Wetter heute: warm und **sonnig**.	die Sonne	sonn**ig**

SUBSTANTIV	➜ SUBSTANTIV + **„-ig"**

c) Adjektive aus Verben + **„-lich"**

Das Ehepaar sieht **nachdenklich** aus.	nachdenken	nachdenk**lich**
Unbeschreiblicher Jubel füllte den Platz.	beschreiben	**un**beschreib**lich**

VERB	➜ VERBSTAMM + **„-lich"**

d) Adjektive aus Adverbien + **„-ig"**

Was war Ihre **bisherige** Beschäftigung?	bisher	bisher**ig**
Und was ist Ihre **jetzige** Tätigkeit?	jetzt	jetz**ig**

ADVERB	➜ ADVERB + **„-ig"**

Die Perlenkette

In diesem Kapitel finden Sie keine Wortschatz-Seite, keine Aussprache und keine Grammatik – aber Sie sollen einen Kriminalfall lösen!
In der folgenden Geschichte treffen Sie viele Themen aus den vergangenen Kapiteln wieder. Sie können dann jeweils zurückblättern und sehen, was Sie schon alles gelernt haben. Helfen Sie aber auch dem Privatdetektiv Helmut Müller, seinen „Fall" aufzuklären. Sie werden dazu viel „Köpfchen", Papier und Bleistift brauchen, um wichtige Informationen zu den verschiedenen Personen und zu diesem Fall zu sammeln. Dabei werden Sie nebenbei eine Menge wiederholen.

Viel Spaß!

A1

Ein Bild beschreiben

Was sehen Sie? Was ist hier los?

K16, A1; K29, A9

A2

Vermutungen überprüfen

a) Lesen Sie und vergleichen Sie mit Ihren Vermutungen aus A1.
b) Sammeln Sie wichtige Informationen zu den Personen der Geschichte.

„Tzumm, tzumm, tzumm!!"

Die Musik ist so laut, dass Helmut Müller glaubt, er sei in einer Disco. Dabei steht er mit seinem Fahrrad am Tiergarten und will doch nur die Straße überqueren. „Tzumm, tzumm, tzumm!!" Die Bässe wummern, und das Echo wirft die Musik zurück, so dass sie noch lauter wirkt.

Helmut Müller ist Privatdetektiv in Berlin. Eigentlich wollte er eine kleine Fahrradtour machen, weil ihm sein Arzt „Bewegung" verschrieben hat.

„Ist das eine Demonstration?", fragt ein älterer Herr neben ihm, der das Spektakel ratlos betrachtet.

„Nein, das ist eine Love Parade", schreit Müller, um sich verständlich zu machen.

„Aha, arbeitslose Jugendliche."

„Nein, eine Liebes-Parade ...", versucht es Müller noch mal.

„Wogegen demonstrieren die denn?"

„Die demonstrieren nicht, die feiern! Die haben einfach ihren Spaß!"

„Ganz schön laut, diese Demonstration ..."

„Mein Herr, ich verstehe Sie nicht, die Musik ist so laut ...!"

In dem Moment tanzen zwei Mädchen in papageienbunten Kleidern zu dem alten Herrn, fassen ihn an den Armen und ziehen ihn lachend mit:

„Komm, Opa, ein bisschen Bewegung schadet nicht!"

Müller hält sich an seinem Fahrrad fest und ist froh, dass er nicht tanzen muss. Das Fahrradfahren ist genug Bewegung für ihn.

„Piep, piep, piep ...!"

A3

Kleidung beschreiben

Was würden Sie bei einer Love Parade anziehen?

K16, A7–11, A20

Zuerst glaubt Müller, dass das Piepsen zur Musik der Love Parade gehört. Aber dann erinnert er sich, dass er sein neues Handy eingesteckt hat.

„Müller!“

„Hallo, Chef! Hier ist Bea! Sind Sie noch in der Stadt oder schon in der Sauna?“

Bea Braun ist Müllers Sekretärin, und ohne sie hätte er sein Büro schon längst schließen müssen.

„Bea, ich verstehe Sie nicht. Moment mal, ich suche eine ruhige Ecke, bleiben Sie dran …!“

In der einen Hand das Handy, in der anderen das Fahrrad schaut Müller den Gehsteig rauf und runter; aber er sieht keine Seitenstraße, keine Einfahrt, keine ruhige Ecke. Kurz entschlossen stellt er sein Rad ab und betritt einen Laden. …

Müller steckt sein Handy ein und macht eine Tanzbewegung, wie er sie mal in einem Videoclip gesehen hat. Fast verliert er das Gleichgewicht, und lachend verlässt er den Laden.

Müller radelt durch Seitenstraßen zum Geschäft von Günther Bergmann. Er erinnert sich an seinen alten Schulfreund: immer der Klassenprimus, ein richtiger Streber! Danach haben sie sich ziemlich lange aus den Augen verloren. Erst vor ein paar Jahren, zum 25-jährigen Abiturfest, haben sie sich wieder getroffen: Günther, klein, dick, Glatze, und ein schlauer Geschäftsmann.

Als Müller vor dem Geschäft ankommt, sieht er einen jungen Mann, der gerade große Plastikgitter vor das Schaufenster montiert.

„Ist hier eingebrochen worden?“, fragt ihn der Detektiv.

„Nee, reine Vorsichtsmaßnahme. Da kommt ja nachher die Love Parade vorbei. Und die jungen Leute heutzutage …“, kichert er.

„Arbeiten Sie für Herrn Bergmann?“

„Nee, ick bin ein Trouble Shooter, falls Sie wissen, was das ist.“

„Ein, äh …, was?“

„Ein Mädchen für alles! Herr Bergmann ist ein guter Kunde von uns. Für den arbeiten wir viel. Ich kenn den Laden bestens. Tja, seit ein paar Tagen ist der olle Bergmann ziemlich nervös …“

Müller schaut den jungen Mann noch einmal an, zuckt die Schultern und geht in den Laden. Eine freundliche Dame kommt auf ihn zu …

Als Müller hinausgeht, schüttelt die Verkäuferin den Kopf und greift zum Telefon.

A4

Berufe/Tätigkeiten beschreiben

a) Welche Aufgaben hat wohl die Sekretärin von Helmut Müller?
b) Was macht er alles in seinem Beruf?

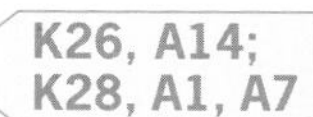
K26, A14; K28, A1, A7

A5  

Hypothesen bilden

a) Was soll Müller tun? Notieren Sie Stichwörter.
b) Was könnte passiert sein?
c) Was denken Sie über Müller?

A6  

Beziehungen beschreiben

a) Welche Beziehung hatten Müller und Bergmann wohl in ihrer Jugend? Welche Schulen haben sie besucht?

K26, A1–3

b) Wie sieht der junge Mann Herrn Bergmann? Was erzählt er wohl später über Müller?

A7  

Ein Gespräch wiedergeben

Was erfahren Sie über die Dame im Schmuckgeschäft, was über Herrn Bergmann? Notieren und berichten Sie.

 **A8**

Anzeigen auswerten

Wo findet die Feier wohl statt? Was vermuten Sie?

K28, A4–A5

LA VIGNA

Bregenzer Straße 9
Wilmersdorf
10707 Berlin

Telefon 8 32 45 61

Öffnungszeiten
Mo. bis Fr. 11 – 18.30 h
Samstag 10 – 14 h
warme Küche 12 – 15.30 h

Neben hervorragenden Weinen werden hier Käse, Schinken, Salami, Nudeln, Gewürze und Kaffee verkauft. Zwischen zwölf und halb vier kommen die Büroangestellten, Rechtsanwälte, Architekten aus der Umgebung zum Essen.

BERLIN BAR

Uhlandstraße 145
Wilmersdorf
10719 Berlin

Telefon: 3 88 97 66

Öffnungszeiten
Täglich 22 – 7 h

Wir verraten einen Geheimtipp: Die Berlin Bar ist die kleinste Bar der Stadt.

GALLIANO

Olivaer Platz 4
Wilmersdorf
10707 Berlin

Telefon: 3 88 16 24

Öffnungszeiten
Täglich 9 – 1 h
Samstag 10 – 1 h

Dass sich Biergarten-Gemütlichkeit und Bistro-Stil nicht unbedingt widersprechen müssen, beweist das Galliano. Bewegt man sich erst einmal ein paar Schritte vom Ku'damm weg, entdeckt man ein wenig Kiezgefühl.

 **A9**

Einen Sachverhalt verstehen

a) Notieren Sie wichtige Informationen:

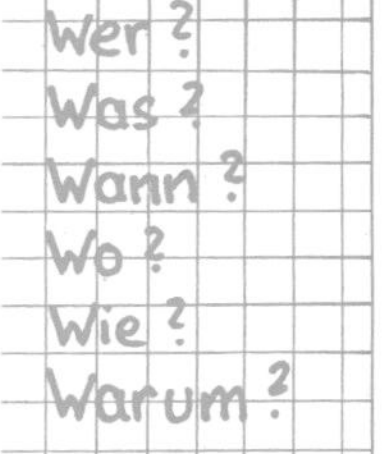

b) Was wird gefeiert? Kennen Sie andere Feste und Feiern?

K25, A11, A14

Müller schwitzt.
„Total verrückt, bei dieser Hitze einen Anzug zu tragen", denkt er und zupft an seiner Krawatte.
Elegant gekleidete Menschen gehen an ihm vorüber, während er an der Bar sein zweites Pils trinkt. Kinder, Jugendliche, Erwachsene und ältere Leute stehen etwas gelangweilt im Foyer des „Galliano" herum.
„Helmut! Mensch, Helmut!"

Ein kleiner Dicker mit rotem Gesicht eilt mit ausgestreckten Armen auf ihn zu.
„Günther? In dem Smoking hätte ich dich fast nicht erkannt."
Bergmann stellt sich dicht neben Müller und flüstert ihm ins Ohr:
„Gut, dass du gekommen bist, Helmut. Die ganze Sache ist ziemlich peinlich, und deshalb wollte ich nicht die Polizei ..."
„Moment mal, Günther, immer der Reihe nach! Worum geht es denn eigentlich?"
„Psst! Nicht so laut! Die Geschichte darf niemand erfahren. Meine ganze Familie ist hier und viele Geschäftspartner und Freunde."
„Na, dann erzähl mal! Aber vorher brauche ich noch ein Bier." Müller deutet auf sein leeres Glas, und der Kellner nickt wissend.

„Ja also, wo soll ich anfangen? Aus meinem Safe ist eine sehr wertvolle Perlenkette verschwunden."

„Wurde bei dir eingebrochen?"

„Nein, das ist es ja! Jemand muss den Safe geöffnet haben und ..."

„Wer kann denn den Safe öffnen?"

„Ja eigentlich nur ich. Das heißt, der Schlüssel ..., also *einen* Schlüssel trage ich immer bei mir, und der *zweite* Schlüssel liegt bei mir zu Hause im Schreibtisch. Und die Codenummer steht in meinem Notizbuch, weil ich mir Zahlen so schlecht merken kann. Und genau dieses Notizbuch ist seit zwei Tagen weg!"

„Das heißt, jeder, der den Schlüssel und den Code hat, könnte den Safe öffnen?"

„Im Prinzip schon, aber außer meiner Familie weiß das doch niemand ..."

„Du meinst damit deine Frau, deinen Sohn, deine Mutter, ...?"

„Äh, ja, äh, schon ..."

„Wie wertvoll ist denn diese Kette?"

„Ach, ein Liebhaberstück! Sehr wertvoll. Schöne große Perlen, reinweiß, mit sehr schöner alter Goldfassung und ..."

„Ich bin kein Liebhaber, Günther. Wie teuer?"

„Also, äh, so zehn- bis fünfzehntausend Mark bestimmt."

„Ist die Kette versichert?"

„Natürlich, was denkst du denn! So ein wertvolles Stück!"

„Was feiert ihr denn heute?"

„Den 75. Geburtstag meiner Mutter."

„Stellst du mich bitte deiner Familie vor, Günther?"

„Wie? Äh, ja. Aber Diskretion, Helmut! Äußerste Diskretion!"

Herr Bergmann wischt sich den Schweiß von der Stirn, die bei ihm fast bis zum Hinterkopf reicht. Müller trinkt sein drittes Bier aus, und zusammen gehen sie in das Restaurant.

A10

Funktionen beschreiben

Wie öffnet man einen Safe? Wie sichert man einen Safe? Schreiben Sie eine Anleitung.

K22, A1–A2

„Kann ich auch eine haben?"

Ilja Bergmann zieht eine Zigarette aus der Packung, reicht sie dem Privatdetektiv und gibt ihm Feuer.

„Danke! Angenehm hier auf der Terrasse. Da drin bekommt man ja Platzangst ..."

„Hm."

„Waren Sie heute in der Stadt? Ich meine bei der Love Parade?"

Ilja Bergmann schaut Müller kritisch an:

„Das meinen Sie nicht im Ernst, oder? Diese Techno-Sch... ist ja wohl eher was für Kinder!"

„Ich bin da heute zufällig reingeraten. Erstaunlich ist das schon, so viele Menschen, die sich friedlich zu einer –"

„Sind Sie Pazifist? Oder Alt-Hippie? Haben Sie nicht gelesen, dass nach dieser friedlichen sogenannten Love Parade mehrere Tonnen Müll zu entsorgen sind? Dass diese Traumtänzer sich einen Dreck um ..."

„Haben Sie denn keine Träume?"

A11

Über Umwelt und Träume sprechen

a) Warum kritisiert Ilja Bergmann die Love-Parade? Stimmen Sie ihm zu oder haben Sie andere Informationen?

K17, A5–6, A8
K19, A9, A18

b) Was ist Ilja Bergmanns Lebenstraum? Was sollte er tun?

K17, A5–A6
K27, A7–A10

c) Sammeln Sie wichtige Informationen zum Fall „Perlenkette". Was vermuten Sie?

„Doch, aber nicht solche. Ich träume von einer Galerie. Ich träume von Kunstaktionen, von Sachen, die wirklich innovativ sind …"

„Und warum eröffnen Sie dann nicht einfach eine Galerie?"

„Tja, guter Mann, weil mir die Kohle fehlt!"

„Aber Ihr Vater …?"

„O Gott, mein Vater! Der war doch von Anfang an dagegen, dass ich Kunstgeschichte studiere. ‚Brotlose Kunst', hat er immer gesagt. Er wollte unbedingt, dass ich in seinen Laden einsteige. Betriebswirtschaft, das war sein Berufswunsch für mich! Dabei weiß doch jeder, dass heute ein Hochschulstudium … . Aber lassen wir das! Übrigens, wenn Sie mal aktuelle Kunst brauchen, äh, hier ist meine Karte."

Ilja Bergmann
Kantstraße 113
D-10243 Berlin

Telefon 0 30/4 13 56 28
Fax 0 30/4 13 56 29

„Ach, interessant! Und danke für die Zigarette. Übrigens, ich heiße Helmut und höre am liebsten Jazz!"

Müller klopft Ilja Bergmann auf die Schulter und geht ins Restaurant zurück.

Da klingelt das Handy in Müllers Tasche. Bea ist am anderen Ende …

 **A12**

Jemanden informieren

Bea fragt nach dem „Fall". Spielen Sie das Telefonat.

 **A13**

Befinden beschreiben

a) Wie geht es der alten Dame? Wie ist ihre Beziehung zu Herrn Bergmann?

K18, A4, A7, A9

b) Was würden Sie ihr zum Geburtstag schenken? Warum?

K25, A11, A14

c) Zeichnen Sie ein Schema der Familie Bergmann.

K18, A16

„Darf ich Ihnen herzlich gratulieren, gnädige Frau!"

Zögernd reicht die alte Dame Müller die Hand:

„Ich kenne Sie nicht!"

„Ich bin ein alter Schulfreund Ihres Sohnes ..."

„Schwiegersohn!"

„Verzeihung, ich wusste nicht …"

„Schon gut, Herr … äh, wie war Ihr Name?"

„Müller. Helmut Müller. Autsch!"

„Verzeihung, junger Mann! Hab ich wohl zu fest gedrückt ...?"

„Das kann man wohl sagen! Sie haben einen ziemlich kräftigen Händedruck für eine ..."

„... alte Dame, wollten Sie sagen, nicht wahr? Aber ich bin ja auch voll im Training!"

„Wie meinen Sie das?"

„Bei uns im Altenheim gibt es seit neuestem Karate-Kurse! Das macht Spaß und hält fit!"

„Sie wohnen also nicht bei Günther …?"

„Nein, nicht mehr! Mein sauberer Herr Schwiegersohn hatte keinen Platz mehr für mich, wissen Sie! Er braucht mein Haus jetzt für seine Partys. Geschäftsfreunde! Dass ich nicht lache! Das wäre zu laut und zu aufregend für mich, hat er gesagt. Abschieben wollte er mich! Aber ich bin ja selbst schuld! Mein verstorbener Mann hat mich immer gewarnt vor diesem Taugenichts! Und wissen Sie, was mir Günther zum Geburtstag geschenkt hat? Eine Reise nach Ostfriesland, mit dem Bus! Lächerlich! Dabei weiß er genau, dass ich so gerne nach Südamerika fahren möchte, nach Chile, auf die Osterinsel … . Aber der wird sich noch wundern! Zum alten Eisen gehöre ich noch lange nicht! Wie war Ihr Name noch mal …?"

„Müller. Helmut Müller!"

Er schüttelt der alten Dame vorsichtig die Hand. Während sie in Richtung Bar davonspaziert, sieht Müller, dass sie ihre Handtasche vergessen hat. …

 **A14**

Was entdeckt Müller? Was denken Sie?

K20, A12–13

„Prost!“

Eine attraktive Dame mittleren Alters hält Müller ihr Weinglas entgegen und stößt mit ihm an.

„Hallo, Frau Bergmann! Sehr schöne Feier! Ich, äh, …“

„Schon gut, Herr Müller, ich langweile mich auch. Aber zum 75. Geburtstag der Mutter muss man halt da sein.“

„Kommen Sie aus dem Urlaub? Sie sehen so erholt aus, so braun gebrannt …“

„Alter Charmeur, was? Aber Sie haben Recht. Ich bin gestern aus Spanien zurückgekommen. Wir haben da ja ein Häuschen an der Costa Brava. Meistens verbringe ich dort den ganzen Sommer. Dort habe ich viele Freunde. - Darf ich Ihnen Felipe vorstellen?“

„Sehr erfreut, Müller.“

„Encantado, Gonzales.“

„Und Günther? Ich meine, äh …, ist Günther auch …?“

„Um Gottes willen, der Langweiler! Nein, Günther muss sich doch dauernd um seine Geschäfte kümmern. Aber ich vermisse ihn nicht … . Habe ich Sie jetzt schockiert, Herr Privatdetektiv?“

„Nein, äh, woher wissen Sie, dass ich Privatdetektiv bin?“

„Hi, hi! Günthers Notizbuch ist sein Gedächtnis, und da steht so allerlei drin … . Prost!“

Mit dieser Bemerkung verlässt sie die Bar. Einen Moment später kommt ihr Ehemann auf Müller zu.

„Amüsierst du dich, Helmut?“

„Sehr, mein Lieber! Du hast wirklich eine reizende Familie! Aber ich will jetzt nicht weiter stören. Wir sollten uns morgen noch mal treffen. Sagen wir so um zwei Uhr, im Café Einstein?“

Müller stellt sein leeres Glas ab und geht in Richtung Ausgang.

„Aber du störst doch nicht, Helmut! Äh, gut, ja, ich komme …“, ruft ihm Bergmann nach. …

Müller sitzt in seinem Lieblingscafé. Es ist fast wie ein richtiges Wiener Kaffeehaus. Er liest die Zeitung. Vor allem der Bericht über die Love Parade interessiert ihn. Ilja Bergmann hatte Recht: Tonnen von Müll blieben nach der Party auf den Straßen liegen. Andererseits lobte die Polizei den friedlichen Charakter der Veranstaltung.

Dann blättert er kurz die Sportseiten durch, und schließlich liest er den Polizeibericht „Unglücksfälle und Verbrechen“: Keine Zeile über Bergmann, nichts über einen Einbruch oder Diebstahl in seinem Uhren- und Schmuckgeschäft.

„Helmut?“

Müller legt die Zeitung weg.

Bergmann eilt aus dem Café Einstein. Müller bestellt noch einen Kaffee und noch ein Stück von seinem Lieblingskuchen. Er ist ja schließlich ziemlich viel mit dem Fahrrad gefahren in den letzten Tagen. Dann holt er den Notizblock aus der Jacke seines altmodischen Jogging-Anzuges und notiert: …

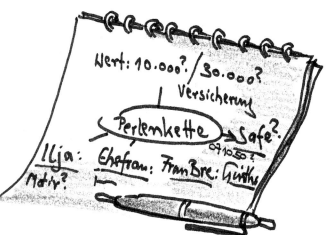

A15

Argumentieren

Warum könnte auch Frau Bergmann die Perlenkette gestohlen haben? Sammeln Sie Argumente dafür und dagegen.

K19, A10

A16 

Lesegewohnheiten

a) Was liest Müller in der Zeitung?
b) Was lesen Sie wo?

K22, A10
K29, A6–7

A17 

Informationen ordnen/auswerten

a) Was erzählt Bergmann? Notieren Sie.
b) Ordnen Sie jetzt alle Informationen.
c) Spielen Sie „Detektivkonferenz“.

A18 

Eine Geschichte fertig schreiben

Wie geht die Geschichte weiter? Vergleichen Sie.

Anhang: Alphabetisches Wörterverzeichnis K 1–30

Informationen zur Benutzung

Das Verzeichnis enthält alle Wörter aus den Kapiteln 1–30 außer den Namen von Personen und Städten. Auch die zusätzlichen Wörter aus den Hörtexten *(Lehrbuch-Cassetten/CDs)* sind nicht in der Liste.

Die Wörter und Seitenangaben aus K 1–15 sind schwarz gedruckt; die zusätzlichen Wörter, Bedeutungen und Angaben aus K 16–30 sind blau gedruckt und mit II vor den Seitenangaben markiert. Beispiele:

Abbildung, die, -en; II, 90
Anlage, die; 91; II, 6

Diese Informationen bietet Ihnen das Wörterverzeichnis:

Wort → **Abend**; Artikel → der; Plural → -e; Seite(n) im Lehrbuch, wo das Wort in einer bestimmten Bedeutung das erste Mal vorkommt → 12

Abend, der, -e; 12

Wortakzent: _ lang oder . kurz (kann bei Wörtern aus anderen Sprachen fehlen)

Fett gedruckte Wörter gehören zur Wortliste des „Zertifikats Deutsch als Fremdsprache". Sie sind besonders häufig und wichtig für Sie.

Verben mit * sind unregelmäßig. Sie müssen sie deshalb immer mit den drei „Stammformen" lernen. Eine alphabetische Liste der unregelmäßigen Verben aus den Kapiteln 1–30 finden Sie auf S. 142–144.

(Pl) = Plural, Wort wird (fast) nur im Plural verwendet.
Ist keine Pluralform angegeben, wird das Wort (fast) nur im Singular verwendet.
(*österr./schweiz.*) = Wort wird nur in Österreich oder in der Schweiz gebraucht oder so geschrieben
(*engl.*) = Wort aus dem Englischen

Manchmal folgt dem Wort eine Erklärung oder weitere Information in Klammern ( ):

AG (= Aktiengesellschaft, die)	➜ der Abkürzung folgt das volle Wort mit Artikel
am (= an dem)	➜ grammatische Information zur Wort-Form
anziehen (sich)	➜ das Verb kann mit oder ohne Reflexivpronomen vorkommen
Aids (das)	➜ das Wort wird meist ohne Artikel verwendet
selbstständig (= selbständig)	➜ das Wort kann auch anders geschrieben werden

A

A (= Österreich); 18
ab; 15, 32
abbiegen *; 64
Abbildung, die, -en; II, 90
Abend, der, -e; 12
Abendessen, das, -; II, 41
Abendkurs, der, -e; II, 65
Abendmusik, die; II, 62
abends; 25
aber; 7, 35
Abf. (= **Abfahrt**); II, 41
abfahren *; 25
Abfahrt, die; 69
Abfahrtszeit, die, -en; 67
Abfall, der, ″-e; II, 35
Abgas, das, -e; II, 35
Abitur, das; II, 85
Abiturfest, das, -e; II, 115
abkühlen; 82
Ablauf, der, ″-e; 24
ablegen; II, 84
Ablehnung, die, -en; II, 10
ablenken (sich); II, 108
ablösen; II, 63
Abneigung, die, -en; 35
abräumen; 85
abreißen *; 107
absagen; II, 86
Absatz, der, ″-e; 90; II, 8
abschieben *; II, 118
abschließen *; II, 85
Abschluss, der, ″-e; II, 85
Abschlussprüfung, die, -en; II, 84
Abschnitt, der, -e; 104
abschreiben *; 38
Absicht, die, -en; 35
absolut; II, 101
Absolvent, der, -en; II, 85
Absolventin, die, -nen; II, 85
Abstand, der, ″-e; II, 101
abstellen; II, 115
abstrakt; 45
Abteil, das, -e; 69
Abteilung, die, -en; II, 16
ab und zu; II, 54
abwaschen *; 85
Abwasser, das, ″-; II, 35
Abwechslung, die, -en; 74
abwechslungsreich; II, 99
ach!; 15
ach so; 10
achten; 22
Achtung!; 97
Achtzylinder, der (= der Achtzylinder-Wagen), -; II, 38
Ackerbau, der; II, 40
Ackerland, das; II, 40
Actionfilm, der, -e; II, 56
Adjektiv, das, -e; 47
Adjektiv-Endung, die, -en; II, 80
Adler, der, -; II, 69
Adresse, die, -n; 9
Adverb, das, -ien; II, 61
Afrika; 18
afrikanisch; II, 8
Afro-Deutsche, der/die, -n; II, 69
AG (= Aktiengesellschaft, die); 98
Agenda, die (*schweiz.*); II, 62
Ägypten; II, 78
ah!; 22
äh; 10
ähnlich; 94
Ähnlichkeit, die, -en; II, 90
Ahnung, die, -en; II, 25
Aids, (das), -; 100
Akademiker, der, -; II, 85
Akkusativ, der; 23
Akkusativergänzung, die, -en; 54
Aktiv, das; II, 36
aktiv; II, 75
Aktivität, die, -en; II, 107
aktuell; II, 40
akut; 96
Akzent, der, -e; 10

Akzentgruppe, die, -n; II, 70
Akzentsilbe, die, -en; 16
Akzentwort, das, ″-er; 10
akzeptieren; 100
Alarm, der, -e; II, 54
alarmieren; II, 84
alarmierend; II, 84
Album, das, Alben; II, 22
Alkohol, der; 100
all; II, 76
alle; 7
Allee, die, -n; 108
allein; 27
allerdings; II, 75
allerlei; II, 90
alles; 15
alles Gute!; II, 22
Allgemeinzustand, der; 98
Allround-Talent, das, -e; II, 99
Alltag, der; II, 19
alltäglich; II, 32
Alltagsbild, das, -er; II, 107
Alltagssituation, die, -en; II, 62
Alltagssprache, die; II, 34
Alpen, die (Pl); II, 63
Alphabet, das, -e; 10
als; 39, 100; II, 16
also; 14
alt; 15, 19
Altenheim, das, -e; II, 24
Alter, das, -; 19; II, 23
Alternative, die, -n; II, 24
Alt-Hippie, der, -s; II, 117
altmodisch; 53
Altstadt, die; 49
Altstadtpanorama, das; 72
am (= an dem); 10, 15
Ambulanz, die, -en; II, 99
Amerika; 18
Amerikaner, der, -; II, 63
Amerikanerin, die, -nen; II, 63
amerikanisch; 32
am meisten; II, 31
Amnesty International (= ai); II, 16
Amnesty-Gruppe, die, -n; II, 16
Amtssitz, der, -e; II, 109
amüsieren (sich); 109
an; 10
Analyse, die, -n; II, 33
analysieren; II, 56
anbieten *; 33, 80
an Bord; 92
anbraten *; 82
anbrüllen; II, 84
ander-; 7
andererseits; II, 100
ändern (sich); 107
anders; 39
aneinander; II, 55
anerkennen *; II, 69
Anfang, der, ″-e; 13
anfangen *; 92
anfangs; II, 63
Anforderung, die, -en; II, 86
Anfrage, die, -n; II, 86
Angabe, die, -n; II, 96
Angebot, das, -e; 67
angehen *; II, 80
angehören; II, 68
Angehörige, der/die, -n; II, 40
angenehm; 76, 80
Angestellte, der/die, -n; II, 101
Angreifer, der, -; II, 30
Angst, die; 65
ängstlich; II, 22
anhalten *; II, 18
Anhalter, der, -; 106
anklicken; II, 55
ankommen *; 25
ankreuzen; 40
Ankunft, die, ″-e; 12; II, 39
Anlage, die; 91; II, 6
Anlass, der, ″-e; II, 79
Anlaut, der, -e; II, 110
Anleitung, die, -en; II, 117
anmachen; II, 54
anmalen; 38
anmelden (sich); II, 84
Anmeldung, die, -en; 13
annehmen *; II, 14, 29
anonym; 75
anpassen (sich); II, 71
anpassungsfähig; II, 98
anprobieren; II, 9
Anreise, die; II, 41
Anruf, der, -e; II, 76
Anrufbeantworter, der, -; II, 59
anrufen *; 26
Ansage, die, -n; II, 107
anschauen; 25
anschließend; II, 41
Anschluss, der; II, 109
Anschlussdose, die, -n; II, 54
Anschrift, die, -en; II, 85
ansehen; 31; II, 69
Ansehen, das; II, 15
anstoßen *; II, 119
anstrengend; II, 100
Anteil, der, -e; II, 33
antik; 91
Antonym, das, -e; II, 110
Antwort, die, -en; 21
antworten; 8
anwenden; 108
anwerben *; II, 66
Anzahl, die; II, 23
Anzeige, die, -n; II, 99
anziehen (sich) *; 80; II, 39
anziehend; II, 106
Anzug, der, ″-e; II, 11
Aperitif, der, -s/e; II, 41
Apfel, der, ″-; 96
Apfelkuchen, der, -; 14
Apfelsaft, der; 14
Apfelshampoo, das, -s; 96
Apfelstrudel, der; II, 110
Apothekerin, die, -nen; 36
Apparat, der, -e; 90
Appell, der, -e; II, 57
Appetit, der; 81
April, der; 18
apropos; II, 107
Arbeit, die, -en; 25
arbeiten; 8
Arbeiter, der, -; II, 66
Arbeiterin, die, -nen; II, 66
Arbeitgeber, der, -; 98
Arbeitnehmer, der, -; II, 101
Arbeitnehmerin, die, -nen; II, 101
Arbeitsblatt, das, ″-er; 31
Arbeitsbuch, das, ″-er; 39
Arbeitsklima, das; II, 70
Arbeitskollegin, die, -nen; 100
Arbeitskraft, die, ″-e; II, 66
Arbeitsleben, das; II, 8
arbeitslos; II, 101
Arbeitslose, der/die, -n; II, 101
Arbeitsmarkt, der; II, 89
Arbeitsplatz, der, ″-; II, 91, 100
Arbeitsprozess, der, -e; II, 91
Arbeitssituation, die; II, 85
Arbeitstag, der, -e; 25
Arbeitsteilung, die; II, 74
Arbeitsvermittlung, die, -en; II, 87
Arbeitswelt, die; II, 101
Arbeitszeit, die, -en; II, 86
Arbeitszeugnis, das, -se; II, 86
Architekt, der, -en; II, 116
Architektur, die; II, 92
Ärger, der; II, 69
ärgerlich; II, 102
Argument, das, -e; II, 33
argumentieren; II, 48
arm; 89
Arm, der, -e; 97
Armenien; II, 62
armenisch; II, 62
Art, die, -en; II, 40
Artikel, der, -; 23, 25
Artikel-Wort, das, ″-er; 23
Arzt, der, ″-e; 98
Ärztetag, der; II, 57
Ärztin, die, -nen; II, 98
asiatisch; II, 8
Asien; 18
Aspekt, der, -e; II, 68
Assimilation, die; II, 34
assimilieren; II, 34
Assoziation, die, -en; II, 34
assoziieren; II, 34
Ast, der, ″-e; II, 70
ästhetisch; II, 90
Astronaut, der, -en; II, 30
Atelier, das, -s; II, 91
Atem, der; 96
Atlas, der, Atlanten; 38
atmen; 96
Atmosphäre, die; 32
Atmung, die; 98
Atomkraft, die; II, 8
Atommüll, der; II, 35
Atomtest, der, -s; II, 57
attackieren; II, 57
attraktiv; II, 119
Attribut, das, -e; II, 89
attributiv; 47
-au (= die Au(e), -(e)n); 64
Aubergine, die, -n; 82
auch; 7
auf; 16
aufbauen; 74
aufbekommen *; II, 83
Aufenthalt, der, -e; II, 65
Aufenthaltsraum, der, ″-e; 32
Auferstehung, die; II, 78
auffallen *; II, 6
Aufforderung, die, -en; 11
Aufforderungssatz, der, ″-e; 11
Aufführung, die, -en; II, 68
Aufgabe, die, -n; 31
aufhängen; 58
aufheben *; II, 57
aufhören; II, 17
aufmachen (sich); II, 66
aufnehmen *; 38
aufpassen; 39
aufrecht; 97
aufregend; II, 118
Aufregung, die, -en; II, 82
aufschneiden *; 89
aufschreiben *; II, 55

aufstehen *; 25
aufsteigen *; II, 31
Aufsuchung, die, -en (*österr.*); II, 108
Auftrag, der, ″-e; 35
Auftritt, der, -e; 106
aufwachen; 98
aufwachsen *; II, 16
auf Wiederhören!; 26
auf Wiedersehen!; 33
Auge, das, -n; 90
Augenblick, der, -e; II, 84
August, der; 18
Auktion, die, -en; 90
aus; 8, 50, 52
ausatmen; 96
Ausbildung, die, -en; II, 16
Ausbildungsweg, der, -e; II, 85
ausblasen *; II, 78
Ausbruch, der, ″-e; 91
ausdenken, sich *; II, 25
Ausdruck, der, ″-e; 34, 68; II, 62
ausdrücken (sich); 101; II, 49
Auseinandersetzung, die, -en; II, 57
Ausflug, der, ″-e; 27
ausfüllen; 13
Ausgang, der, ″-e; II, 119
ausgeben *; II, 33
ausgezeichnet; 81
Ausgleich, der; II, 91
ausgleichen *; II, 57
Ausgrabung, die, -en; 91
aushandeln; II, 75
Auskunft, die, ″-e; 98
Ausland, das; 98
Ausländer, der, -; II, 48
Ausländerhass, der; II, 109
Ausländerin, die, -nen; 49
ausländisch; II, 68
Auslandsaufenthalt, der, -e; II, 65
Auslaut, der, -e; II, 110
ausleihen *; 31
Ausnahme, die, -n; II, 75
Ausruf, der, -e; 22
Ausrufezeichen, das, -; 60
ausruhen, sich; II, 78
Aussage, die, -n; 11
Aussagesatz, der, ″-e; 11
ausschalten; 85
ausschauen; II, 22
ausschlafen *; II, 77
ausschließen *; II, 68
ausschneiden *; 37
Ausschnitt, der, -e; II, 56
aussehen *; 44, 99; II, 86
Aussehen, das; II, 8
außen; 76
Außenseiter, der, -; II, 69
außer; 80
außerdem; 30
außergewöhnlich; II, 68
äußern; 20
Äußerung, die, -en; II, 77
aussetzen; II, 95
Aussicht, die, -en; 48; II, 57
Aussiedler, der, -; II, 69
Aussprache, die; 10
aussprechen *; 40
aussteigen *; 25
Aussteigen, das; II, 33
Aussteiger, der, -; II, 33
ausstellen; II, 92
Ausstellung, die, -en; 15; II, 92
aussterben *; II, 77
ausstoßen *; II, 24
ausstrecken; II, 116
aussuchen; II, 19
Australien (= AUS); 18
austricksen; II, 56
austrinken *; II, 117
ausüben; II, 75
auswählen; 81
auswandern; II, 71
Ausweis, der, -e; 31
ausweisen (sich) *; II, 69
auswerten; II, 99
Auswirkung, die, -en; II, 33
Auszug, der; II, 78
Auto, das, -s; 25
Autobahn, die, -en; 67
Autofahren, das; II, 33
Autofahrer, der, -; II, 33
Autokarte, die, -n; II, 41
automatisch; II, 54
Automobil, das, -e; II, 33
Automobilindustrie, die; II, 33
Autorität, die, -en; II, 75
Autounfall, der, ″-e; 100
Autowerkstatt, die, ″-en; II, 84
autsch!; II, 118

B

Bach, der, ″-e; 64; II, 31
-bach (= der Bach), ″-e); 64
backen *; 85
Bäcker, der, -; 75
Bäckerei, die, -en; 75
Bäckerin, die, -nen; II, 98
Backrohr, das, -e; 82
Backverbot, das, -e; II, 57
Bad, das, ″-er; 48
Badeanzug, der, ″-e; II, 11
Badehose, die, -n; II, 11
Badeinsel, die, -n; II, 41
baden; II, 34
Bahn, die; 66
Bahnfahrt, die, -en; 67
Bahnhof, der, ″-e; 12
Bahnsteig, der, -e; 69
balancieren; II, 100
bald; 36
Balkon, der, -s; II, 25
Ballett, das; 15
Ballon, der, -s; 21
Bananen-Wettlauf, der, ″-e; 32
Band, die, -s (*engl.*); 20
Bank, die, ″-e; 38
Bank, die, -en; 73
Bankkauffrau, die, -en; II, 83
Bär, der, -en; II, 53
Bar, die, -s; II, 116
Bart, der, ″-e; II, 23
Bass, der, ″-e; II, 114
basteln; II, 77
Batterie, die, -n; II, 35
Bauarbeiter, der, -; II, 84
Bauch, der, ″-e; 89
Bauchschmerzen, die (Pl); 89
bauen; 73
Bauer, der, -n; II, 49
Bäuerin, die, -nen; II, 98
Bauernhaus, das, ″-er; 49
Bauernhof, der, ″-e; 56
Baum, der, ″-e; 45
Baumschule, die, -n; II, 85
Baumschulgehilfen-Prüfung, die, -n; II, 85
Baustelle, die, -n; 72
Bayerische Wald, der; 58
Beamte, der/die, -n; II, 42
Beamtin, die, -nen; II, 102
beantworten; 31
bearbeiten; II, 62
„Beatles“ (Pl), die; II, 8
bedeuten; 100
Bedeutung, die, -en; 35; II, 83
bedienen (sich); 80
Bedienung, die; 75
bedingen; II, 69
Bedingung, die, -en; 103
Bedrohte, der/die, -n ; II, 109
beeilen, sich; 86
beeindrucken; II, 30
beeindruckend; II, 109
beeinflussen; II, 8
befassen; II, 24
Befehl, der, -e; 87
Befinden, das; II, 118
befinden, sich *; II, 109
befragen; 49
Befreiung, die; II, 78
befriedigen; II, 33
Begabung, die, -en; II, 90
begegnen; II, 61
begeistern; II, 8
Begeisterung, die; II, 109
Beginn, der; 21
beginnen *; 18
begleiten; 40; II, 21
Begleiter, der, -; 93
begrenzt; 109
Begriff, der, -e; II, 68
begründen; 52
Begründung, die, -en; II, 45
Begrüßung, die, -en; 24
Begrüßungscocktail, der, -s; II, 41
behaupten; 56
Behinderte, der/die, -n; II, 56
Behindertensport, der; II, 56
Behörde, die, -n; II, 68
bei; 13, 96
beide; 56
beides; 34
Beilage, die, -n; 82
beim (= bei dem); 30
Bein, das, -e; 97
Beisel, das, -(*österr.*); II, 106
Beispiel, das, -e; 34
Beitrag, der, ″-e; II, 56
beitragen *; II, 80
bejaht; 101
bekannt; 15; II, 41
Bekannte, das; 104
Bekannte, der/die, -n; 27
beklagen (sich); II, 108
bekommen *; 31
beliebt; II, 77
bemalen; II, 78
bemerken; II, 42
Bemerkung, die, -en; II, 65, 119
Benotung, die; II, 82
benutzen; 53
Benzin, das; II, 35
beobachten; 93
bequem; 67
beraten *; 31
Beraterin, die, -nen; II, 68
Bereich, der, -e; II, 99
bereichernd; 109
bereit sein; II, 33
bereits; II, 63
Berg, der, -e; 61

Bergwerk, das, -e; II, 41
Bergwerksmuseum, das, -museen; II, 41
Bericht, der, -e; 21
berichten; 33
Beruf, der, -e; 19; II, 22
beruflich; II, 75
Berufsalltag, der; II, 100
Berufsanfänger, der, -; II, 85
Berufsanfängerin, die, -nen; II, 85
Berufsausbildung, die, -en; II, 84
Berufschance, die, -n; II, 85
Berufserfahrung, die; II, 99
Berufsleben, das; II, 101
Berufsschule, die, -n; II, 84
berufstätig; II, 75
Berufstätige, der/die, -en; II, 108
Berufswunsch, der, "-e; II, 98
Berufung, die; II, 98
beruhigen, sich; II, 108
berühmt; 91
beschäftigen, sich; II, 102
bescheiden; 89
Bescherung, die, -en; II, 77
beschleunigen; II, 105
beschmutzen; II, 90
Beschränkung, die, -en; II, 33
beschreiben*; 25
Beschreibung, die, -en; 45
beschützen; II, 76
besingen *; II, 62
besonder-; II, 90
besonders; 32, 81
besprechen *; 93
Besprechung, die, -en; 26
bestätigen; II, 62
Besteck, das; 85
bestehen *; II, 55, 84
bestellen; 14
Bestellung, die, -en; 85
bestens; II, 115
bestimmen; II, 100
bestimmt; 23, 57; II, 41
Besuch, der, -e; 98
besuchen; 31
Besucher, der, -; 21
betonen; 53
betont; 29
Betonung, die, -en; 44
Betracht; II, 22
betrachten; II, 11
Betrachtung, die, -en; II, 38
betreffen *; II, 68
betreten *; II, 115
betreuen; II, 16
Betreuer, der, -; II, 68
Betreuerin, die, -nen; II, 16
Betrieb, der, -e; 31; II, 84
Betriebsklima, das; II, 84
Betriebswirtschaft, die; II, 118
betrügen *; II, 7
Bett, das, -en; 28
Bettdecke, die, -n; 52
beugen, sich; II, 14
beunruhigend; II, 90
Bevölkerung, die; II, 48
bevor; II, 67
bewachen; 107
bewaffnet; 107
bewähren, sich; II, 85
bewahren; II, 30
bewältigen; II, 62
bewegen; II, 39
Bewegung, die, -en; 63, 97; II, 41
beweisen *; II, 69
bewerben, sich *; II, 86
Bewerber, der, -; II, 99
Bewerberin, die, -nen; II, 99
Bewerbung, die, -en; II, 86
Bewerbungsgespräch, das, -e; II, 86
Bewerbungsunterlagen, die (Pl.); II, 99
bewerten; 10; II, 69
Bewölkung, die; II, 57
bewusst; 100; II, 30
bezahlen; 66, 83
Bezahlung, die; II, 86
bezeichnen; II, 68
Bezeichnung, die, -en; II, 45
beziehen, sich *; II, 45, 107
Beziehung, die, -en; 98
Bezirk, der, -e; II, 108
Bezugswort, das, "-er; II, 29
BH (= Büstenhalter), der, -s; II, 11
Bibliothek, die, -en; 12
Bier, das; 25
Biergarten, der, "-; II, 55
Biergarten-Gemütlichkeit, die; II, 116
bieten *; II, 99
Big-Band, die, -s; 32
Bikini, der, -s; II, 11
Bild, das, -er; 30
bilden; 63; II, 90
bildende Kunst, die, "-e; II, 90
Bilderbogen, der, -/"-; II, 23
Bilderserie, die, -n; II, 64
Bildseite, die, -n; II, 54
Bildung, die; II, 36
Billard, das; 27
billig; 49
Binde, die, -n; 98
Bindestrich, der, -e; 60
Biografie, die, -n; II, 41
Biologie, die; II, 82
bis; 16, 25, 80; II, 35
bis auf; 92
bisher; II, 63
bisherig-; II, 86
Bistro-Stil, der; II, 116
bitte; 9, 12
Bitte, die, -n; II, 103
blass; 52
Blatt, das, "-er; 21, 31, 58
blättern; II, 114
blau; 38
blaugrau; 44
blaugrün; 42
bleiben *; 85, 97
bleich; II, 40
Bleistift, der, -e; 38
Blick, der; 49
blicken; II, 23
blind; 65
Blitz, der, -e; II, 57
Block, der, "-e; 50
blödeln; II, 107
Blödsinn, der; II, 69
blond; 56
Blues, der; 20
blühen; II, 39
Blume, die, -n; II, 76
Bluse, die, -n; II, 11
Blut, das; 89
Boden, der, "-; 51; II, 31
Bogen, der, -/"-; II, 23
Boje, die, -n; 109
boomen; II, 8
Boot, das, -e; 92
Bosnien; II, 68
Botschaft, die, -en; II, 109
Boutique, die, -n; 73
Boxen, das; II, 56
Branche, die, -n; II, 99
brasilianisch; 92
braten *; 85
Braten, der; 83
Brauch, der, "-e; II, 77
brauchen; 30, 69
Brauchtum, das; II, 78
braun; 43
braun gebrannt; II, 119
brav; II, 9
brechen (sich) *; 100
Breitengrad, der, -e; 92
brennen *; II, 27
Brett, das, -er; II, 24
Brief, der, -e; 27
Brille, die, -n; II, 11
bringen *; 58; II, 6
Brot, das; 75
Brötchen, das, -; 81
brotlos; II, 118
Brücke, die, -n; 58
Bruder, der, "-; 52
brummen; II, 110
Brunnen, der, -; II, 95
Brust, die; 97
brutto; II, 100
Buch, das, "-er; 28
Bücherregal, das, -e; II, 78
Buchstabe, der, -n; II, 70
buchstabieren; 13
bücken (sich); II, 66
Bückling, der, -e; II, 40
Büfett, das, -s; 32, 81
Bühnenstück, das, "-e; II, 56
Bundeshauptstadt, die; 110
Bundesland, das, "-er; II, 57
Bundesminister, der, -; II, 33
Bundespräsident, der, -en; II, 109
Bundesrepublik Deutschland, die (= BRD); 73
Bundesstraße, die, -n; 64
Bundestag, der; II, 17
bunt; 43
-burg (= die Burg, -en); 64
Bürger, der, -; II, 41
Bürgerin, die, -nen; II, 41
Büro, das, -s; 25
Büroangestellte, der/die, -n; II, 116
Büroerfahrung, die, -en; II, 99
Bürojob, der, -s; II, 99
Bürokauffrau, die, -en; II, 86
Bürokaufmann, der, "-er; II, 99
Bürokraft, die, "-e; II, 99
Bürozeit, die, -en; II, 86
bürsten; 96
Bus, der, -se; 15
Butter, die; 52

C

ca. (= circa); 74
Café, das, -s; 14
Cappuccino, der, -s; 14
Car-Sharing, das (*engl.*); II, 33
Car-Sharing-Projekt, das, -e; II, 34
Cassette, die, -n; 10
CD, die, -s; 22
CD-Player (*engl.*), der, -; II, 54
CH (= die Schweiz); 18
Chance, die, -n; II, 32

Chaoten-Show, die, -s; II, 56
Charakter, der; II, 119
charmant; II, 106
Charmeur, der, -e; II, 119
Checkliste, die, -n; 98
Chemie, die; II, 82
Chemikalie, die, -n; II, 31
chic/schick; 80; II, 10
Chile; II, 16
China; 77
chinesisch; II, 57
Chor, der, ″-e; 60
Christ, der, -en; II, 78
Christenheit, die; II, 78
circa (= zirka); 65
City-Info, die; 16
City-Information, die; 12
Clear/Copy (*engl.*); II, 54
Club, der, -s; 18
Club-Tour, die; 18
Cocktail, der, -s; II, 41
Codenummer, die, -n; II, 117
Cola, das/die, -s; 14
Collage, die, -n; 77
Computer, der, -; 51
Computerprogramm, das, -e; 31
Computerspiel, das, -e; II, 81
cool (*engl.*); II, 11
Couch, die; II, 78
Curry, der; 83
CZ (= die Tschechische Republik); 18

D

D (= Deutschland); 18
da; 12, 66
dabei; II, 11
dabei sein; 50, 83
da sein *; 18, 26
Dach, das, ″-er; 44
Dachboden, der, ″-; 53
dafür; 73
dagegen; II, 8
dagegen sein; II, 32
daheim; 39
Daheimgefühl, das, -e; II, 50
dahin; II, 25
dahinfliegen *; II, 76
dahinter; 72
damals; 107
Dame, die, -n; II, 63
Damen-Finale, das; II, 63
Damen-Tennis, das; II, 63
damit; 67; II, 32
danach; 39
dank; II, 65
Dank, der; 12
dankbar; II, 76
danke; 12
danken; 87
dann; 12, 36, 96
dann und wann; II, 40
daran; II, 6
darauf; 82; II, 14
darin; 37
darstellen; II, 25
darüber; 82
darum; II, 24
das; 8, 10
dass; 31
Dativ, der; 41
Dativergänzung, die, -en; 54
Datum, das, Daten; 21
Dauer, die; 65
dauern; 21
Dauerstelle, die, -n; II, 85
davon; II, 15
davonfliegen *; II, 14
davonspazieren; II, 118
davor; 45
dazu; 38; II, 32
dazugehören; 50
dazugießen *; 82
dazupacken; II, 11
dazupassen; II, 16
DDR (= Deutsche Demokratische Republik); 107
Decke, die, -n; 51
decken; 85
definieren; II, 49
Definition, die, -en; II, 66
Definitionsfrage, die, -n; II, 13
dein-; 41
Deklination, die, -en; 41
dekorieren; II, 77
demnächst; II, 79
Demonstrant, der, -en; II, 49
Demonstrantin, die, -nen; II, 49
Demonstration, die, -en; II, 8
Demonstrativ-Artikel, der; II, 21
demonstrieren; II, 63
denken *; 30
Denkhandwerk, das; II, 108
Denkmal, das, ″-er; II, 94
denn; 16, 59; II, 76
Depression, die, -en; 100
der; 12, 89
derjenige; II, 50
derzeit; II, 99
deshalb; 39
Desinfektionsmittel, das, -; 98
Destination, die, -en; II, 38
deswegen; II, 61
Detektiv, der, -e; II, 114
deuten; II, 116
deutlich; II, 48
deutsch; 30
Deutsch; 7
Deutsch als Fremdsprache; II, 62
Deutschbuch, das, ″-er; 38
Deutsche, der/die, -n; 8
Deutsche Demokratische Republik, die (= DDR); 73, 107
Deutschkurs, der, -e; 10
Deutschland (= D); 18
deutschsprachig; II, 66
Dezember, der; 18
Dia, das, -s; II, 76
Dialekt, der, -e; II, 51
Dialog, der, -e; 10
Dialog-Partikel, die, -n; II, 10
Dia-Vortrag, der, ″-e; 32
dicht; 73
dick; II, 8
die; 7, 12
die (Pl); 8
Diebstahl, der, ″-e; II, 119
dienen; II, 40
Diener, der, -; 93
Dienst, der, -e; II, 99
Dienstag, der (= Di); 26
Dienstleistung, die, -en; II, 102
Dienstplan, der, ″-e; II, 100
dies-; II, 8
diesmal; 92
Diktat, das, -e; 31
diktieren; 101
Ding, das, -e; 74
Diphthong, der, -e; 46
Diplom, das, -e; II, 65
diplomatisch; II, 98
Diplom-Übersetzer, der, -; II, 99
Diplom-Übersetzerin, die, -nen; II, 99
direkt; 65
Direktion, die, -en; II, 84
Direktivergänzung, die, -en; II, 96
Disco (= Disko) die, -s; 32
Discothek (= Diskothek) die, -en; 106
Diskretion, die; II, 117
Diskussion, die, -en; II, 8
diskutieren; 25
Disziplin, die; II, 98
DM (= Deutsche Mark); 67
doch; 15, 17
Dogenpalast, der; II, 41
Doktor, der; 89, 98
Dokument, das, -e; II, 54
Dom, der, -e; II, 106
Donau, die; 58
donnern; 91
Donnerstag, der (= Do); 26
Doppel, das; II, 63
Doppelpunkt, der, -e; 60
doppelt; 109
Doppelzimmer, das, -; II, 41
Dorf, das, ″-er; 43
Dorn, der, -en; II, 84
dort; 25
Dosis, die; II, 8
Dr. (= Doktor, der); 98
dramatisch; II, 90
dran sein; II, 35
dranbleiben *; II, 115
drängen (sich); 84; II, 6
drauf (= darauf); II, 69
draußen; 44
Dreck, der; II, 117
drehen (sich); 97; II, 7
Dresdner, der, -; 72
Dresdnerin, die, -nen; 74
dringend; II, 33
drinnen; II, 10
Dritte Reich, das; II, 109
Dritte Welt, die; II, 17
Dritte-Welt-Laden, der, ″-; II, 24
Drittel, das, -; II, 75
Droge, die, -n; II, 8
drüben; 65
Druck, der, -e; II, 92
drücken; 96; II, 63
du; 6
Dünger, der, -; II, 34
dunkel; 44
dunkelbraun; II, 84
dunkelrot; 44
dünn; II, 11
Duo, das, -s; 90
durch; 45, 96
durchblättern; II, 59
Durchfall, der, ″-e; 98
Durchsage, die, -n; II, 64
Durchschnitt, der, -e; II, 23
durchschnittlich; II, 98
durchstreifen; II, 40
durchtanzen; II, 6
durchziehen *; II, 40
dürfen *; 35
duschen (sich); 25
duzen; 77
D-Zug, der, ″-e; II, 38

E
E (= Spanien); 18
Echo, das, -s; II, 25, 114
echt; 51; II, 6
Ecke, die, -n; II, 115
eckig; 51
Effizienz, die; II, 65
Ehe, die, -n; II, 68
ehe; II, 72
ehemalig; 109
Ehemann, der, ″-er; II, 119
Ehepartner, der, -; II, 74
eher; II, 48
Ei, das, -er; 28
Eierschale, die, -n; II, 78
eigen-; 22
Eigenschaft, die, -en; II, 34
eigentlich; 36
Eile, die; 73
eilen; II, 116
Eimer, der, -; II, 32
ein-; 12
einander; II, 55
einatmen; 96
einbrechen *; II, 115
Einbruch, der, ″-e; II, 119
Eindruck, der, ″-e; 76
einengen; II, 76
Einer, der, -; II, 58
einfach; 13, 66, 96
Einfahrt, die, -en; II, 115
einfallen *; II, 43
eingehen *; II, 83
einig-; 32
einkaufen; 27
Einkaufsgespräch, das, ″-e; II, 9
Einkaufsstraße, die, -n; 73
Einkaufsszene, die, -n; II, 9
Einkaufszentrum, das, -zentren; 73
Einkaufszettel, der, -; 83
Einkommen, das, -; II, 33
einladen *; 27
Einladung, die, -en; 33
einleben, sich; II, 41
einlegen; II, 54
einleiten; II, 45
Einleitung, die, -en; 92
einmal; 14, 25
einmalig; II, 29
einordnen; II, 67
ein paar; 52
einpacken; 110; II, 11
Einrichtung, die; 50
einrühren; 82
einsam; 92
Einsame, der/die, -n; II, 24
einsatzfreudig; II, 102
einschalten (sich); 85; II, 59
einschätzen; II, 85
einschlafen *; 92
einschließen *; 109
einschreiben, sich *; II, 85
Einspänner, der, -; II, 108
einsperren; II, 95
einstecken; II, 115
einsteigen *; 69; II, 118
einstellen; II, 85
Einstellung, die, -en; II, 107
einteilen (sich); II, 100
eintönig; II, 76
eintreten *; II, 99
Eintritt, der; 21; II, 109
Eintrittskarte, die, -n; 48
einverstanden sein; II, 6
einwandern; II, 71
Einweihungsparty, die, -partys; 51
Einwohner, der, -; II, 40
Einzel-; II, 28
Einzelverb, das, -en; II, 28
Einzelzimmer, das, -; 12
einzig-; 93
einzigartig; 67
Einzug, der; II, 54
Eis, das; 83
Eisen, das, -; II, 118
Elbe, die; 72
elegant; 80
Elektriker, der, -; 98
Element, das, -e; II, 47
Elfmeter, der, -; II, 57
Elfmeter-Tor, das, -e; II, 57
Elimination, die; II, 18
Elsass, das; II, 48
Eltern, die (Pl); 107
E-mail (*engl.*), die, -s; II, 55
emigrieren; II, 41
emotional; II, 102
empfehlen *; 39, 99
Ende, das; 18
endlich; 53
endlos; 44
Endsilbe, die, -n; II, 18
Endung, die, -en; 11
Energie, die, -n; 100; II, 32
eng; 49
Engagement, das; II, 8
engagieren, sich; II, 24
England; 18
Engländer, der, -; II, 40
Engländerin, die, -nen; II, 40
Englisch; 7
Enkel, der, -; II, 26
Enkelin, die, -nen; II, 26
Enkelkind, das, Enkel(kinder); II, 24
entdecken; 40; II, 118
entfernt; 109; II, 40
entführen; 88
entgegen -; II, 92
entgegensetzen; II, 92
entlang; 65
entlang fahren *; 107
entlassen *; II, 101
entlegen; II, 38
entscheiden (sich) *; II, 58, 102
Entscheidung, die, -en; II, 17
Entscheidungsfrage, die, -n; II, 34
entschließen, sich *; II, 20, 115
Entschuldigung!; 9
entsorgen; II, 117
entspannen (sich); 96
entspannt; 97
entstehen *; 72
Enttäuschung, die, -en; II, 77
entwerfen *; II, 25
entwickeln (sich); II, 38
Entwicklung, die, -en; II, 47
entzündet; 98
er; 6
erbauen; 15
erbauen, sich; 88
Erdboden, der; 72
Erde, die; II, 30
Erdgeschoss, das, -e; 53
Erdkunde, die (= Geographie); II, 82
Ereignis, das, -se; 107
erfahren *; 100; II, 15
Erfahrung, die, -en; II, 7
erfinden *; II, 14
Erfolg, der, -e; II, 15, 63
erfragen; II, 63
erfreuen; II, 40
ergänzen; 10
Ergänzung, die, -en; 54
Ergebnis, das, -se; II, 33
erhalten *; 91; II, 30
erhitzen; 82
erholen, sich; II, 119
erinnern (sich); 107
Erinnerung, die, -en; 92
erkälten, sich; 98
Erkältung, die, -en; II, 63
erkennen *; 110; II, 106
erklären; 39
Erklärung, -en; II, 51
erkunden; II, 41
erlauben; II, 8, 57
Erlaubnis, die; 35
erleben; II, 7
Erlebnis, das, -se; II, 8
erledigen; II, 101
Erleichterung, die; II, 56
erlernen; II, 98
erleuchtet; 107
Erlös, der, -e; 32
ermöglichen; II, 109
Ernährung, die; 100
ernst; 33
Ernst, der; II, 84
ernsthaft; II, 39
ernten; 93
eröffnen; II, 57
Eröffnung, die, -n; 32; II, 92
Eröffnungsfeier, die, -n; II, 56
Eröffnungsspiel, das, -e; II, 56
erreichen; 39, 109; II, 23
errichten; II, 94
Ersatz, der; II, 113
erschließen *; 94
erschöpft; 92
erschrecken *; 93
erst; 25, 36
erstaunlich; II, 117
erstaunt; II, 25
Erste Hilfe, die; 98
erstellen; II, 54
ertrinken *; 92
erwachen; 94
erwachsen; 74
Erwachsene, der/die, -n; II, 7
Erwachsensein, das; II, 23
Erwachsenwerden, das; II, 7
erwähnen; II, 107
erwärmen; II, 31
erwarten; II, 77
erweitern; II, 36
erzählen; 25
Erzähler, der, -; 90
Erzählung, die, -en; II, 103
erziehen *; II, 75
Erziehung, die; II, 80
es; 12
es geht; 20
es gibt; 12
Esoterik, die; II, 8
Espresso, der, -s; 14
Essen, das, -; 26
Essig, der; 77
Etage, die, -n; 53
Etui, das, -s; 38
etwa; 12
etwas; 16
eu(e)r-; 41
EU-Kommission, die; II, 57
Europa; 7
Europa-Tournee, die, -n; 21
europäisch; II, 23
Europameisterschaft, die, -en (= EM); II, 56

Frühlingsanfang, der; II, 78
Frühlingsfest, das, -e; II, 78
frühlingsgrün; II, 40
Frühstück, das; 25
frühstücken; 25
Frühstücksbüfett, das, -s; II, 41
Frühstücks-TV, das; II, 59
frustrieren; II, 88
frustrierend; II, 88
fühlen (sich); 40, 96
führen; 64; II, 9
Führer, der, -; II, 94, 108, 109
Führerschein, der, -e; II, 102
Führung, die, -en; II, 41
füllen; II, 78
Füller, der, -; 38
Fun (*engl.*); II, 6
funkeln; II, 84
Funkgerät, das, -e; II, 101
Funktion, die, -en; 108; II, 54
funktionieren; II, 55
für; 12, 18; II, 39
fürchten; II, 31
Fürsorge, die; 77
Fuß, der, ''-e; 13, 93
Fußball, der; 98
Fußball-Europameisterschaft, die, -en; II, 56
Fußboden, der, ''-; 52
Fußgängerzone, die, -n; 73
Futter, das; 75
füttern; II, 74
Futur I, das; II, 105

G

g (= Gramm); 82
Gabel, die, -n; 85
Galerie, die, -n; II, 62
Gang, der, ''-e; II, 41, 100
ganz; 13, 21; II, 7
Ganze, das; 50
gar; 68, 88
garantieren; II, 54
Garten, der, ''-; II, 70
Gartenbau, der; II, 85
Gartenparty, die, -s; 80
Gasse, die, -n; 16
Gast, der, ''-e; 32
Gastarbeiter, der, -; II, 66
Gastarbeiterin, die, -nen; II, 66
Gastgeber, der, -; 51
Gastgeberin, die, -nen; 51
Gasthof, der, ''-e; II, 43
Gastland, das, ''-er; II, 67
Gaukler, der, -; 88
Gaumen, der, -; II, 51
GB (= Großbritannien); 18
Gebäude, das, -; 72
geben *; 12, 22; II, 57
Gebiet, das, -e; 107
geboren; II, 16
Gebrauch, der; 62
Geburt, die, -en; II, 23
Geburtsdatum, das, -daten; II, 85
Geburtsort, der, -e; II, 85
Geburtstag, der, -e; II, 79
Geburtstagsfeier, die, -n; II, 101
Geburtsvorbereitungskurs, der, -e; II, 74
Gedächtnis, das, -se; II, 119
Gedanke, der, -n; 95; II, 22
Gedicht, das, -e; 68
geduldig; II, 110
gefährlich; 100
gefallen *; 20
Gefallen, das; 20
Gefangene, der/die, -n; 93
Gefühl, das, -e; 100
gegen; 80, 84, 93
Gegend, die, -en; II, 49
Gegengrund, der, ''-e; II, 60
Gegensatz, der, ''-e; 101
gegensätzlich; II, 110
Gegensatzpaar, das, -e; II, 110
Gegenstand, der, ''-e; 38
gegenständlich; II, 92
Gegenteil, das; II, 93
gegenüber; II, 25
Gehalt, das, ''-er; II, 86
Gehaltsvorstellung, die, -en; II, 87
Geheimsprache, die, -n; II, 25
Geheimtipp, der, -s; II, 116
gehen *; 12, 20, 24, 27
Gehilfe, der, -n; II, 85
gehoben; II, 34
gehören; 54, 98; II, 49
Gehsteig, der, -e; II, 115
geil (*Jugendsprache*); II, 6
Gelände, das, -; II, 38
gelb; 38
Geld, das; 89
Geldbeutel, der, -; II, 42
Geliebte, der/die, -en; II, 39
gelingen *; II, 67, 68
gelten *; 67
Gemälde, das, -; 72; II, 90
Gemäuer, das, -; II, 90
gemeinnützig; 32
gemeinsam; 33
Gemeinsame, das; II, 69
gemischt; 83; II, 68
Gemüse, das; 75
gemustert; II, 11
gemütlich; II, 55
Gemütlichkeit, die; II, 106
Gemütsstimmung, die, -en; II, 40
genau; 13
genauso; 76
genauso wenig; II, 107
Generation, die, -en; II, 8
Genie, das, -s; II, 93
genießen *; II, 19
Genitiv, der; II, 29
Genitiv-Attribut, das, -e; II, 89
Genitiv-Umschreibung, die; II, 80
Gen-Lebensmittel, das, -; II, 56
gentechnisch; II, 57
genug; 93
Geographie, die; 91
geographisch; 64
gerade; 8, 97
geradeaus; 12
Gerät, das, -e; II, 54
geraten *; II, 117
geräuchert; 83
Geräusch, das, -e; 61
Geräuschemacher, der, -; 90
Gerede, das; II, 69
Gericht, das, -e; 83
gern(e); 12, 20
Geruch, der, ''-e; II, 47
Gesamt- ; II, 83
Gesamtschule, die, -n; II, 83
Geschäft, das, -e; 50
Geschäftsfreund, der, -e; II, 118
Geschäftskonzept, das, -e; II, 101
Geschäftsmann, der, ''-er; II, 115
Geschäftspartner, der, -; II, 116
Geschäftstermin, der, -e; II, 101
Geschäftszeit, die, -en; II, 86
geschehen *; 72
Geschenk, das, -e; II, 77
Geschichte, die, -n; 61; II, 82
Geschirrspülmaschine, die, -n; 50
Geschwister, die (Pl); II, 26
Geselle, der, -n; II, 84
Geselligkeit, die; II, 106
Gesellschaft, die; II, 33, 108
Gesetz, das, -e; II, 7
Gesicht, das, -er; 96
Gespräch, das, -e; 57
Gesprächsklima, das; 98
Gesprächssituation, die, -en; II, 86
Gesprächsversuch, der, -e; II, 25
gestalten; 91
Gestaltung, die; 91
gestatten; II, 69
gestern; 84
gestreift; 44; II, 11
gestresst; 100
gesund; 48
Gesundheit, die; 96
Gesundheitsmagazin, das, -e; 96
Gesundheitstipp, der, -s; II, 63
Getränk, das, -e; 14
Getreide, das, -; 92
Gewalt, die; II, 8
gewaltig; 92
Gewehr, das, -e; 92
Gewicht, das; 98
Gewinn, der, -e; II, 58
Gewinnausgabe, die; 32
gewinnen *; II, 15, 63
Gewinner, der, -; II, 63
Gewinnerin, die, -nen; II, 63
Gewitter, das, -; 57
gewöhnen, sich; II, 17
Gewohnheit, die, -en; II, 119
gewöhnlich; 104
Gewürz, das, -e; II, 47
gießen *; 82; II, 76
Gift, das, -e; II, 34
giftig; II, 31
Giftstoff, der, -e; II, 35
gigantisch; 110
Gitarre, die, -n; 32
Gitarrist, der, -en; II, 8
Gitarristin, die, -nen; II, 8
Gitter, das, -; II, 115
Glanz, der; 96; II, 109
Glas, das, ''-er; 25, 90
Glatze, die, -n; II, 115
glauben; 51, 72
gleich; 12, 28
gleichfalls; 81
Gleichgewicht, das; II, 115
Gleichgültigkeit, die; II, 107
gleichzeitig; 104
gliedern; II, 70
Glück, das; 60, 100
glücklich; II, 15
Glückwunsch, der, ''-e; II, 79
glühen; II, 39
gnädig; II, 118

golden; II, 69
Goldfassung, die, -en; II, 117
Goldorange, die, -en; II, 39
Gospel, das/der, -s; 32
Gott, der, "-er; 21
Gottesdienst, der, -e; II, 77
Gourmet, der, -s; II, 41
Grad, der, -/-e; 99
Graduierung, die; 78
Graffito, das, Graffiti; 73
Grammatik, die, -en; 10, 31
grammatisch; 37
grandios; II, 109
Gras, das, "-er; 61
gratis; II, 63
Gratulation, die, -en; II, 79
gratulieren; 51
grau; 43
graubraun; 44
Graue Panther, die (Pl); II, 24
greifen *; II, 115
Grenze, die, -n; 57
Grenzmauer, die, -n; 107
Grenzstreifen, der, -; 107
Grenzweg, der, -e; 110
Grieche, der, -n; II, 66
Griechenland; II, 42
Griechin, die, -nen; II, 66
griechisch; 81
Grill, der, -s; 83
Grippe, die; 98
groß; 31, 37
großartig; 48
Großbritannien; 7
Große, der/die, -n; II, 74
Größe, die, -n; II, 9, 109
Großeltern, die (Pl); II, 26
Großfamilie, die, -n; II, 75
Großkaufhalle, die, -n; 75
Großmutter, die, "-; II, 26
Großraumwagen, der, -/"-; II, 63
Großstadt, die, "-e; 73
Großstadtverkehr, der; II, 111
Großvater, der, "-; II, 26
Grube, die, -n; II, 40
Grubenlicht, das -er; II, 41
Grüezi!; 6
grün; 42
grünblau; 42
Grund, der, "-e; 36
Grundbaustein, der, -e; II, 62
Grundkenntnisse, die (Pl); II, 99
gründlich; 96
Grundschule, die, -n; II, 85
Grundstufe, die; 31
Grundwasser, das; II, 31
Grünen, die (Pl); II, 17
grüngelb; 45
grünlich; 52
Gruppe, die, -n; 30
Gruppenarbeit, die, -en; 37
Gruß, der, "-e; 67
grüßen; II, 43
gucken; 74; II, 9
guck mal!; II, 9
günstig; 67
Gurke, die, -n; 82
Gürtel, der, -; II, 11
gut; 6, 12, 32; II, 10
Gute Nacht!; 24
Gute-Nacht-Geschichte, die, -n; II, 56
Guten Abend!; 12
Guten Appetit!; 81
Guten Morgen!; 24
Guten Tag!; 6
gut tun; II, 38
Gymnasiallehrer, der, -; II, 83
Gymnasiallehrerin, die, -nen; II, 83
Gymnasium, das, Gymnasien; II, 41
Gymnastik, die; 97

H

H (= Ungarn); 18
Haar, das, -e; 96
haben; 13; II, 14
haha!; 48
halb; 24
Halbjahr, das, -e; II, 82
halblaut; 10
Halbtagsstellung, die, -en; II, 99
Halbzeit, die, -en; II, 57
Hälfte, die, -n; 97
Halle, die, -n; 15
Hallenbad, das, "-er; II, 41
hallo!; 10, 80
Hals, der, "-e; 96
Hals-Nasen-Ohrenkrankheiten, die (Pl); II, 99
halt; II, 119
halten * (sich); 77; II, 8, 40
Haltestelle, die, -n; II, 59
Haltung, die, -en; II, 86
Hand, die, "-e; 93
Händedruck, der, "-e; II, 118
Handel, der; II, 84
Handelsschule, die, -en; II, 41
Handkante, die, -n; II, 24
Händler, der, -; 74
Handlung, die, -en; 21; II, 17
Handschrift, die, -en; 109
Handschuh, der, -e; II, 11
Handspiel, das, -e; II, 57
Handtasche, die, -n; II, 55
Handtuch, das, "-er; 52
Handwerk, das, -e; II, 90
Handy, das, -s (*engl.*); II, 55
Hängematte, die, -n; 92
hängen *; 58
harmonisch; 45
hart; II, 8
Harz, der; II, 40
Harzreise, die, -n; II, 40
Haschisch, das; II, 8
Hase, der, -n; II, 78
Hass, der; II, 25
hässlich; 45
häufig; 98
Häufung, die, -en; II, 87
Haupt-; 7
Hauptakzent, der; 101
Hauptbahnhof, der (= Hbf.), "-e; 13
Hauptkirche, die, -n; 15
Hauptsatz, der, "-e; 95
Hauptschule, die, -en; II, 87
Hauptspeise, die, -n; 83
Hauptstadt, die, "-e; 7
Hauptstraße, die, -n; 16
Haus, das, "-er; 15
Hausarbeit, die, -en; II, 74
Hausaufgabe, die, -n; II, 74
Häuschen, das, -; II, 119
Hausfrau, die, -en; II, 75
Haushalt, der, -e; 75
Haushaltshilfe, die, -n; II, 99
Hausmannskost, die; II, 111
Haut, die; 94
Haxe, die, -n; II, 41
Hbf. (= der Hauptbahnhof), der; II, 63
he!; 65
heben *; II, 83
Heft, das, -e; 28
Heim, das, -e; II, 24
Heimat, die; 109
Heimatbahnhof, der, "-e; II, 100
Heimatkunde, die; II, 82
Heimatland, das, "-er; II, 7
heimatlos; II, 49
Heimweh, das; II, 73
Heirat, die, -en; II, 23
heiraten; II, 16
heiß; 14
heißen *; 8, 56; II, 56
heiß geliebt; II, 22
heizen; 48
Hektik, die; II, 107
Held, der, -en; II, 109
Heldenplatz, der; II, 106
helfen *; 31
hell; 45
hellgelb; 45
Hemd, das, -en; II, 8
Henne, die, -n; II, 78
her; 109
Herausforderung, die, -en; II, 102
herbeilaufen *; 88
Herbst, der; 61
Herd, der, -e; 50
hereinschauen; II, 59
hergeben *; II, 7
Hering, der, -e; II, 40
herkommen *; II, 18
Herkunft, die; II, 62
Herr; der, -en; 26
herrichten; 82
herrlich; 43, 81
herrschen; 73
herstellen; II, 63
herum; 101
herumreisen; II, 16
herumstehen *; II, 116
herunterkommen *; II, 14
hervorragend; II, 116
Herz, das; 98
herzlich; 67
Herzlichkeit, die; II, 107
Heurige, der, -n; II, 107
heute; 21
heutig; II, 38
heutzutage; II, 75
hier; 13, 26
hierher; II, 72
Hilfe, die, -n; 31
hilfsbereit; II, 98
Hilfsverb, das, -en; II, 36
Himbeere, die, -n; 84
Himmel, der; 43; II, 6
himmelhoch; II, 40
hin (und zurück); 58; II, 6
hinauf; II, 84
hinausgehen *; II, 115
hinausschauen; II, 25
hinein; 53
hineinschauen; II, 90
hingegen; II, 33
hinreiten *; 59
hinten; 16
hinter; 57
Hintergrund, der; 91
Hinterkopf, der, "-e; II, 117
hinüber; 92
hinunter; II, 47

Kaninchen, das, -; II, 74
Kannibale, der, -n; 93
Kante, die, -n; II, 24
Kantine, die, -en; II, 59
Kanu, das, -s; 93
Kanzler, der, -; II, 109
Kapitän, der, -e; 93
Kapitel, das, -; 104
Kapsel, die, -n; II, 92
kaputt; 100
kaputtgehen *; II, 32
kaputtmachen; II, 30
Karate; II, 118
Karriere, die, -n; II, 75
Karsamstag, der; II, 78
Karte, die, -n; 14, 16, 21
Kartengruß, der, "-e; II, 79
Kartenspieler, der, -; II, 108
Kartoffelkroketten, die (Pl); 83
Kartoffelsalat, der, -e; 81
Käse, der; 14
Käsekuchen, der, -; 14
Käse-Sandwich, das, -(e)s; 14
Kasus-Signal, das, -e; 70
Katastrophe, die, -n; 91
Katze, die, -n; 75
kaufen; 50
Kauffrau, die, -en; II, 16
Kaufhalle, die, -n; 75
Kaufmann, der, -leute; II, 19
kaufmännisch; II, 84
kaum; 36
kausal; II, 60
Kausalsatz, der, "-e; 95
kein-; 27
Keller, der, -; 48
Kellner, der, -; II, 116
Kellnerin, die, -nen; II, 116
kennen (sich) *; 33, 56
kennen lernen; 72
Kenntnisse, die (Pl); II, 86
kennzeichnen; II, 108
Kennzeichnung, die, -en; II, 56
Kennzeichnungspflicht, die, -en; II, 57
Kerl, der, -e; 89
Kern, der, -e; II, 10
Kerze, die, -n; II, 77
Kette, die, -n; II, 114
kg (= Kilogramm); 82
kichern; II, 115
Kiez, der, -e; II, 116
Kiezgefühl, das; II, 116
Kilometer (= km), der, -; 64
Kind, das, -er; 49
Kindererziehung, die; II, 80
Kindergarten, der, "-; II, 65
kinderlieb; II, 99
Kindersterblichkeit, die; II, 23
Kinderzahl, die, -en; II, 26
Kindheit, die; II, 23
Kino, das, -s; 15
Kinoprogramm, das, -e; II, 55
Kiosk, der, -e; II, 59
Kirche, die, -n; 15
Kissen, das, -; 52
Kiste, die, -n; II, 10
klagen; II, 26
Klammer, die, -n; 29
Klang, der, "-e; 42
klar; 65, 92
Klasse, die, -n; 31, 66; II, 69
Klassenarbeit, die, -en; II, 82
Klassenprimus, der; II, 115
Klassenzimmer, das, -; 38
Klassik, die; 20
klassisch; II, 90
klatschen; II, 70
Klavier, das, -e; 20
kleben; 37
Kleid; das, -er; II, 8
kleiden, sich; II, 116
Kleider, die (Pl); 32
Kleiderfarbe, die, -n; 42
Kleidung, die; II, 8
klein; 14, 107
Kleine, der/die, -n; II, 74
klimatisch; II, 40
klingeln; 25
klingen; 48
Klinik, die, -en; 100
Klippe, die, -n; 92
Klischee, das, -s; II, 110
Klo (= Klosett), das, -s; II, 82
klopfen; 16; II, 118
Klotz, der, "-e; 110
km (= der Kilometer); 67
knacken; II, 51
Knacklaut, der, -e; II, 51
Knall, der; II, 110
Knie, das, -; 97
Knoblauch, der; 83
Knoblauchrahmsuppe, die, -n; 83
Knochen, der, -; 93
Knödel, der, -; 89
Knödelfresser, der, -; 89
knurren; II, 110
Koch, der, "-e; II, 84
kochen; 27
kochend; 82
Kochkunst, die, "-e; II, 49
Kochzeit, die, -en; 82
Koffer, der, -; II, 11
Kofferpacken, das; II, 11
Kohl, der; II, 40
Kohle, die (*Umgangssprache*); II, 7
Kollege, der, -n; 34
Kollegin, die, -nen; 34
kombinieren; 34
komfortabel; 49
komisch; 45
Komma, das, -s/-ta; 60
kommen *; 8
Kommentar, der, -e; 45
kommentieren; II, 39
kommerziell; II, 77
Kommission, die, -en; II, 57
Kommunikationsmedium, das, -medien; II, 55
kommunizieren; II, 55
Komödie, die, -en; II, 56
Komparativ, der, -e; 78
Kompetenz, die; II, 65
komplett; 49
Komplex, der, -e; 110
kompliziert; II, 110
Komponist, der, -en; II, 62
Komposition, die, -en; 45
Kompositum, das, Komposita; 53
Kompromiss, der, -e; II, 7
Konditionalsatz, der, "-e; 103
Konferenz, die, -en; 25
Kongress, der, -e; II, 62
Konjunktion, die, -en; 95
Konjunktiv, der, -e; II, 52, 112
Konjunktiv-Umschreibung, die; II, 52
konkret; II, 32
konkurrieren; II, 76
Konnektor, der, -en; II, 12
können *; 31
Konsekutivsatz, der, "-e; II, 37
Konsonant, der, -en; 29
Konsonantenhäufung, die, -en; II, 87
Konsonantenverbindung, die -en; 101
konstruieren; 37
Konsum, der; II, 57
Kontakt, der, -e; 75
Kontra, das; II, 33
Kontrast, der, -e; 43
Kontrastakzent, der, -e; II, 43
Kontrastwort, das, "-er; II, 43
Kontrolle, die, -en; II, 26
kontrollieren; 75
Konvention, die, -en; II, 8
konzentrieren, sich; 96
Konzept, das, -e; II, 101
Konzert, das, -e; 15
konzessiv; II, 60
Kooperation, die, -en; II, 83
Kopf, der, "-e; 56
Köpfchen, das, -; II, 114
Kopfhörer, der, -; II, 54
Kopfkissen, das, -; 52
Kopfstand, der, "-e; 101
Kopfweh, das; 100
Kopie, die, -n; II, 54
kopieren; II, 54
Körper, der, -; 96
Körperhaltung, die, -en; II, 86
Körperteil, der, -e; 96
korrekt; 37; II, 69
Korrespondenz, die, -en; 26
korrigieren; 10
Kostbarkeit, die, -en; 90
kosten; 12, 106
Kostüm, das, -e; II, 11
Kotelett, das, -s; 83
krachen; II, 24
Kraft, die, "-e; 96
Kraftfahrzeug, das, -e; II, 33
kräftig; II, 84, 118
Kram, der; II, 83
krank; 98
Kranke, der/die, -n; II, 86
Krankenhaus, das, "-er; 100
Krankenkasse, die, -n; II, 86
Krankenpfleger, der, -; II, 98
Krankenschwester, die, -n; II, 98
Krankheit, die, -en; 98
Kräuterextrakt, der, -e; 96
Kräutershampoo, das, -s; 96
Krawatte, die, -n; II, 8
kreativ; II, 87
Kreativität, die; II, 33
Kreide, die, -n; 38
Kreis, der, -e; 61
Kreislauf, der, "-e; II, 31
kreuz und quer; II, 40
Kreuzung, die, -en; 12
Krieg, der, -e; 100
Krimi, der, -s; II, 55
Kriminal-; II, 114
Kriminalfall, der, "-e; II, 114
Kriminalkomödie, die, -n; II, 56

Magic; 21
Mai, der; 18
Mail-Box (= Mailbox, *engl.*), die, -en; II, 59
majestätisch; II, 109
-mal; 48
Mal, das, -e; 93
malen; 38
Maler, der, -; 45
Malerei, die, -en; II, 90
Malerin, die, -nen; 45
Maltechnik, die, -en; II, 91
Maltherapie, die, -n; 100
Mama, die; II, 14
man; 10
Management, das; II, 102
Manager, der, -; 36
manche-; II, 38
manchmal; 27
manipulieren; II, 62
Mann, der, ″-er; 16, 36
Männchen, das, -; 97
Männerrolle, die, -n; II, 75
männlich; II, 8
Mantel, der, ″-; 71
Märchen, das -; 48
Mark, die (= DM, DEM); 12
Marke, die, -n; II, 13, 42
Marketing-Abteilung, die, -en; II, 16
markieren; 38
markiert; 94
Markt, der, ″-e; 13
Marktplatz, der, ″-e; 16
Marktstand, der, ″- ; 74
Marmelade, die, -n; 28
Marschmusik, die; 20
März, der; 18
Marzipan, das; II, 78
Maschine, die, -en; II, 101
maskulin; 23
Maß, das, -e; 48
Massage, die, -n; 101
Masse, die, -n; II, 39
massieren; 96
mäßig; 89
Maßnahme, die, -n; II, 37
Maßstab, der, ″-e; 92
Mast, der, -en; 93
Material, das, -ien; 98
Mathematik, die; II, 82
Matrose, der, -en; II, 40
Matura, die; II, 91
Mauer, die, -n; 107
Mecklenburg-Vorpommern; II, 57
Medien, die (Pl); II, 54
Medien-Ereignis, das, -se; II, 56
Medienprodukt, das, -e; II, 58
Medikament, das, -e; 98
Mediothek, die, -en; 31
Mediothekarin, die, -nen; 31
medizinisch-chirurgisch; II, 99
Meer, das, -e; 44
Mehl, das; 77
mehr; 31; II, 7
mehrer-; 44
mehrmals; 97
mehrsprachig; II, 48
Mehrsprachigkeit, die; II, 48
Meile, die, -n; 92
mein-; 9
meinen; 30; II, 9
meinerseits ; II, 38
Meinung, die, -en; 21
meist(ens); 34
meisten, die (Pl); II, 8
Melancholie, die; II, 47
Melange, die, -; II, 108
melden (sich); 67; II, 56
Meldung, die, -en; II, 56
Melodie, die, -n; II, 10
Menge, die, -n; II, 76
Mensch, der, -en; 6; II, 10
Menschenfresser, der, -; 93
Menschenrecht, das, -e; II, 17
menschlich; II, 57
Menü, das, -s; 83
merken (sich); II, 24, 117
Merkwort, das, ″-er; II, 28
Merkzettel, der, -; 37
Messer, das, -; 85
Meteo, das (= *schweiz.* Wetterbericht); II, 56
Meter, der, -; 48
Methode, die, -n; 39
Metzgerei, die, -en; 75
Miete, die, -n; 49
Milch, die; 14
Million, die, -en; II, 33
Mimik, die; II, 86
mindestens; 96
Mind-map, die, -s; 22
Mineralwasser, das; 14
Mini-Fernbedienung, die; II, 54
Mini-Pizza, die, -s/-Pizzen; 14
Minirock, der, ″-e; II, 8
Minister, der, -; II, 33
Ministerium, das, Ministerien; 110
mintgrün; II, 6
minus (-); II, 63
Minute, die, -n; 13
Mischung, die, -en; II, 62
missbrauchen; II, 34
missen; II, 107
Missfallen, das; 20
Missverständnis, das, -se; II, 68
Mist, der; 85
mit; 10
mitarbeiten; II, 16
Mitarbeiter, der, -; II, 19
Mitarbeiterin, die, -nen; II, 17
mitbringen *; 31
miteinander; 93
mitfliegen *; 65
Mitglied, das, -er; II, 24
Mitgründer, der, -; II, 101
mitklopfen; II, 70
mitkommen *; 15
mitlesen *; 10
mitmachen; II, 16
mitnehmen *; 31
Mitorganisator, der, -en; II, 109
Mittag, der; 24
mittags; 27
Mitte, die; 56
Mittel, das, -; 98
Mittel-; II, 66
Mitteleuropa; II, 66
Mittelfeld, das; II, 97
Mittelpunkt, der, -e; 104
Mittelstufe, die; 31
mitten; 48
Mitternacht, die; 24
mittler-; II, 119
Mittwoch, der (= Mi); 26
Mitwirkende, der/die, -n; II, 56
mitziehen *; II, 114
mixen; 21
Möbel, die (Pl); 51
mobil; II, 33
Mobilität, die; II, 33
möcht- ; 14
Modalverb, das, -en; 31
Mode, die, -en; II, 8
Modell, das, -e; II, 75
Moderator, der, -en; II, 54
modern; 45, 97
modisch; II, 8
mögen *; 20, 35, 81
möglich; 84
Möglichkeit, die, -en; 15
möglichst; 84
Mokka (*österr.* Mocca), der, -s; II, 108
Moment, der, -e; 12, 94; II, 49
momentan; II, 58
Monarchie, die, -n; II, 109
Monat, der, -e; 18
Mond, der; II, 30
mondän; II, 41
Montag, der (= Mo); 26
montieren; II, 115
Monument, das, -e; II, 109
morgen; 21
Morgen, der, -; 24
morgens; 67
Mosaik, das, -en; 91
Mosaikbild, das, -er; 91
Motiv, das, -e; II, 93, 119
Motorboot, das, -e; II, 41
Motto, das, -s; II, 8
Mountain Bike, das, -s; 107
Mozzarella, der, -s; 82
müde; 90, 96
Müll, der; II, 32
Müllberg, der, -e; II, 32
Mülleimer, der, -; II, 32
Multi; II, 8
Mund, der, ″-er; 96
mündlich; II, 27
Mündung, die, -en; 92
Münster, das, -; 13
Murmelvokal, der, -e; 53
murren; II, 110
Museum, das, Museen; 15
Musical, das, -s; 15
Musik, die; 18
Musikanlage, die, -n; II, 6
Musiker, der, -; 19
Musikerin, die, -nen; 22
Musikstil, der, -e; 22
Musik-Szene, die; II, 8
Muskatnuss, die, ″-e; 82
müssen *; 31
Muster, das, -; 37
Mutter, die, ″-; II, 7
Muttersprache, die, -n; 19
Mütze, die, -n; II, 11
Myrte, die, -n; II, 39

N

N (= Norwegen); 18
na!; 65
nach; 18, 24, 92
nach und nach ; II, 47
Nachbar, der, -n; 48
Nachbarin, die, -nen; II, 55
nachdem; II, 67
nachdenken *; II, 25
nachdenklich; II, 6
nach Hause; 25
Nachhilfe, die, -n; II, 65
nachkommen *; II, 67
Nachmittag, der, -e; 24
nachmittags; 31

Nachname, der, -n; 8
Nachricht, die, -en; II, 40, 54
nachschlagen *; II, 58
Nachspeise, die, -n; 83
nachsprechen *; 16
nächst-; 66, 92
Nacht, die, "-e; 24
Nachteil, der, -e; 49
Nachtisch, der, -e; 84
Nachtpublikum, das; II, 108
nachts; 107
Nachtzuschlag, der, "-e; II, 100
nachzeichnen; II, 31
Nacken, der, -; 97
nahe; 92
Nähe, die; 75
na ja!; II, 7, 9
Name, der, -n; 8
nämlich; 48
nanu!; 22
Narretei, die, -en; 88
Nase, die, -n; 96
nass; 96
Nationalbibliothek, die, -en; II, 111
Nationalfeiertag, der, -e; II, 49
Nationalhymne, die, -n; II, 49
Nationalität, die, -en; 8
nationalsozialistisch; II, 109
Natur, die; 61
Naturkatastrophe, die, -n; 91
Naturkunde, die (= Biologie); II, 82
natürlich; 20, 96
Nazi, der, -s (= Nationalsozialist, -en); 15
n. Chr. (= nach Christus); 91
Nebel, der, -; II, 63
neben; 71
nebenbei; II, 114
nebeneinander; II, 16
Nebensatz, der, "-e; 94
neblig; II, 63
Neffe, der, -n; II, 26
negativ; 17
nehmen *; 12; II, 6
nein; 13
nennen (sich) *; 45, 90; II, 67
Neon-Gelb, das; II, 6
Nepal; 32
Nerv, die, -en; II, 108
nervig; II, 77
nervös; 84
Nervosität, die; 96
nett; 76
Netzkarte, die, -en; II, 111
Netzschalter, der, -; II, 54
Netzsteckdose, die, -n; II, 54
Netzstecker, der, -; II, 54
neu; 23
Neubauviertel, das, -; 49
Neubeginn, der; 110
„Neue Zürcher", die (= „Neue Zürcher Zeitung"); II, 108
Neujahr, das; II, 79
neulich; II, 55
Neutrum, das, Neutra; 23
nicht; 8
Nichte, die, -n; II, 26
nicht-gleichzeitig; II, 72
nichts; 51
nichts tun *; II, 47
Nicht-Verstehen, das; II, 25
nicken; II, 116
nie; 19
Niederbayern; 56
niedrig; 53
niemals; II, 69
niemand; 89
Nigeria; 33
Niveau, das, -s; II, 62
NL (= die Niederlande; Pl); 18
noch; 25
nominale Gruppe, die; II, 88
Nominativ, der; 23
Norddeutschland; 49
Norden, der; 7
Nordrhein-Westfalen; II, 17
nordrhein-westfälisch; II, 84
Nordsee, die; 44
normal; 96
normalerweise; 25
Not, die; 101
Note, die, -n; II, 82
notieren; 10
nötig; 80
Notiz, die, -en; 19
Notizblock, der, "-e; II, 119
Notizbuch, das, "-er; II, 117
notwendig; II, 98
Notwendigkeit, die, -en; 35
November, der; 18
Nr. (= die Nummer); 21
Nudelblatt, das, "-er; 82
Nudeln, die (Pl); 77
Null-Artikel, der; 23
Nummer, die, -n; 13
nun; 109
nur; 17
Nuss, die, "-e; II, 77
Nusstorte, die, -n; 14
nutzen; II, 54
nützlich; 94

O

o!; II, 39
ob; II, 39
oben; 38
Ober, der, -; 85
ober-; II, 25
Oberlippe, die; 96
Oberstufe, die; 31
obgleich; II, 61
Obst, das; 75
obwohl; II, 55
oder; 14
Ofen, der, "-; 84
offen; 100, 107
öffentlich; 106
offiziell; 24; II, 48
öffnen; 68, 96
Öffnung, die, -en; 109
Öffnungszeit, die, -en; II, 108
oft; 19
o Gott!; II, 118
oh!; 22
ohne; 10
Ohnmacht, die; II, 8
Ohr, das, -en; 96
o ja!; 15
oje!; 22
O.K. (= o.k., okay); 15
ökonomisch; II, 40
Oktober, der; 18
Öl, das, -e; 77
oliv; 43
Onkel, der, -; II, 26
Open Air, das, -s ; 18
Oper, die, -n; 15
Operation, die, -en; 100
Opernhaus, das, "-er; 15
opfern; II, 78
orange; 46
Orange, die, -en; II, 39
ordentlich; II, 74
ordnen; II, 119
Ordner, der, -; 38
Ordnung, die; 80
Organisation, die, -en; 32
Organisationstalent, das, -e; II, 102
Organisator, der, -en; II, 109
organisch; II, 91
organisieren; II, 24
Orgelbauer, der, -; 90
Orgelkonzert, das, -e; II, 62
Orientierung, die; 12
original; II, 58
Original, das, -e; 90
Originalbild, das, -er; 90
originell; 50
Orkan, der, -e; 92
Ort, der, -e; 12
Ortsbezeichnung, die, -en; II, 45
Ortsname, der, -n ; 64
Osten, der; 7
Osterbrot, das, -e; II, 78
Osterei, das, -er; II, 78
Osterfest, das, -e; II, 78
Osterhase, der; II, 78
Osterinsel, die; II, 118
Ostern, das; II, 78
Österreich; 7
Österreicherin, die, -nen; 8
österreichisch; II, 108
Ostersonntag, der; II, 78
Osterzeit, die, -en; II, 78
Osteuropa; 107
Ostfriesland; II, 41
Ostler, der, -; 109
Ostschweiz, die; II, 91
Ost und West; 107
out sein; II, 8
Ozon, das; II, 32
Ozonloch, das; II, 32

P

P (= Portugal); 18
Paar, das, -e; II, 11
packen; II, 11
Packung, die, -en; II, 117
Palast, der, "-e; II, 41
Panorama, das, Panoramen; 72
Pantomime, die, -n; 89
Papa, der; II, 14
papageienbunt; II, 114
Papier, das, -e; 32; II, 42
Parade, die, -; II, 114
Paradestraße, die, -n; 108
Park, der, -s; II, 43
Parlament, das, -e; II, 111
Partei, die, -en; II, 57
Parteitag, der, -e; II, 57
Parterre, das; 53
Partikel, die, -n; II, 10
Partizip, das; 62; II, 88
Partner, der, -; 9; II, 26
Partnerarbeit, die, -en; 37
Partnerin, die, -nen; 9; II, 26
Party, die, -s; 51
Pass, der, "-e; II, 49
passen; 22
passend; 61
passieren; 25
Passiv, das; II, 36
Patient, der, -en; 98

Pause, die, -n; 10
Pazifist, der, -en; II, 117
PC (= personal computer, *engl.*), der, -s; II, 86
PC-Kenntnisse, die (Pl); II, 99
Peace (*engl.*); II, 6
peinlich; II, 84, 116
Pensionist, der, -en; II, 108
per; 106
perfekt; II, 33
Perfekt, das; 62
Perle, die, -n; II, 117
Perlenkette, die, -n; II, 114
Person, die, -en; 7
Personalpronomen, das, -; 17
Personenname, der, -n; II, 29
persönlich; 75, 96
Persönlichkeit, die, -en; II, 25
Perspektive, die, -n; II, 112
Pessach-Fest, das; II, 78
Petersilie, die; 83
Petersiliensuppe, die, -n; II, 40
Pfahl, der, ″-e; 93
Pfanne, die, -n; 85
Pfeffer, der; 77
pfeifen *; II, 84
Pfeil, der, -e; 28
Pfennig, der, -e; II, 42
Pferd, das, -e; 56
Pflanze, die, -n; II, 31
Pflanzenöl, das, -e; 96
Pflaster, das, -; 98
pflegen (sich); 96
Pflicht, die, -en; II, 57
pflücken; II, 15
phantastisch (= fantastisch); 49; II, 30
Phase, die, -n; II, 92
Photographie, die, -n (= die Fotografie/das Foto); II, 22
Physik, die; II, 62
Piepsen, das; II, 115
Pille, die -n; 100
Pilot, der, -en; II, 84
Pilotin, die, -nen; II, 100
Pils, das, -; II, 116
pink; II, 6
Pizza, die, -s/Pizzen; 14
Pizzeria, die, -s/Pizzerien; 94
PL (= Polen); 18
Pkw (= Personenkraftwagen), der, -s; II, 33
Plan, der, ″-e; 15
planen; 25
Planet, der, -en; II, 15
Planung, die, -en; 26
Plastik, das; 50
Plastik, die, -en; II, 90
Plastikgitter, das, -; II, 115
Platte, die, -n; 22, 82
Plattenladen, der, ″-; II, 59
Platz, der, ″-e; 13, 50, 99
Platzangst, die; II, 117
platzen; 89
Platzkarte, die, -n; 66
plaudern; II, 108
Player, der, -; II, 59
plötzlich; 59
Plural, der, -e; 29
plus (= +); II, 63
Plusquamperfekt, das; II, 72
Poesie, die; 90
Polaroid, das, -s; II, 62
Polen; 8
Politik, die; 25
Politiker, der, -; II, 49
Politikerin, die, -nen; II, 98
„politisch korrekt"; II, 69
politisch; 107
Polizei, die; II, 41
Polizeibericht, der, -e; II, 119
Polizist, der, -en; II, 98
Polizistin, die, -nen; II, 98
Polnisch; 8
Portion, die, -en; 33
Porträt, das, -s; 52; II, 90
Portugal (= P); 18
Portugiese, der, -n; II, 66
Portugiesisch; II, 48
Position, die, -en; 70, 103
positiv; 17
Positiv, der; 78
Possessivartikel, der, -; 41
Post, die; 12; II, 59
Poster, das, -; 51
Postkarte, die, -n; 32
Postkutsche, die, -n; II, 38
prädikativ; 47
Präfix, das, -e; 29
Praktikum, das, Praktika; II, 85
praktisch; 49, 96; II, 75
Präposition, die, -en; 30
Präpositional-Attribut, das, -e; II, 89
Präsens, das; 17
Präsens-Stamm, der; II, 27
Präsentation, die, -en; 26
Prater, der; II, 106
Präteritum, das; 79
Präteritum-Signal, das, -e; 79
Präteritum-Stamm, der; II, 27
Praxis, die; II, 84
Praxis, die, Praxen; 99
Preis, der, -e; 32, 50
preiswert; 50
Presse, die; II, 92
preußisch; II, 40
prima; 81
primitiv; 45
Prinzip, das, -ien; II, 117
privat; II, 101
Privatdetektiv, der, -e; II, 114
Privatperson, die, -en; II, 101
Privatwagen, der, -/″-; II, 33
pro; 48
Pro, das; II, 33
Probe, die, -n; II, 73
proben; II, 68
probieren; 81; II, 9
Problem, das, -e; 31
problematisch; II, 34
Produkt, das, -e; 96
Produzentengalerie, die; II, 92
produzieren; II, 35
Profisportler, der, -; II, 98
Profisportlerin, die, -nen; II, 98
Prognose, die, -n; II, 101
Programm, das, -e; 31, 32
Programmangebot, das, -e; II, 62
Projekt, das, -e; 26; II, 107
Projektionsapparat, der, -e; 90
Projektor, der, -en; 38
projizieren; 90
Pronomen, das, -; 54
Pronominaladverb, das, -ien; II, 104
Prospekt, der, -e; 15
Prospekt-Text, der, -e; II, 107
Prost!; 81
Protest, der, -e; II, 57
protestieren; II, 6
Protokoll, das, -e; 27
Prozent, das, -e; II, 23
Prozess, der, -e; II, 91
Prüfung, die, -en; II, 62
Prunkstraße, die, -n; II, 106
Publikum, das; II, 108
Pudding, der, -s; 84
Pullover, der, -; II, 8
Pult, das, -e; 38
Punkt, der, -e; 60, 96; II, 57
putzen; 85

Q
Quadratmeter (m^2, qm), der, -; 48
Qualität, die, -en; 49, 101
Quantität, die; II, 45
quer; 67
Quote, die, -n; II, 23

R
Racket (*engl.*), das, -s; II, 63
Rad, das (= Fahrrad), ″-er; II, 56
radeln (= Rad fahren); II, 115
Radiergummi, der, -s; 38
Radio, das, -; 30
Radiosendung, die, -en; II, 58
Radiowecker, der, -; II, 59
Rahmsauce, die, -n; 83
Rand, der, ″-er; 49; II, 57
randalieren; II, 57
Rangliste, die, -n; II, 63
Rasse, die, -n; II, 69
Rassismus, der; II, 69
Rat, der; 35
Rate, die, -n; II, 23
raten; 51
Rathaus, das, ″-er; 16
ratlos; II, 114
rauchen; 89, 91
Raucher, der, -; II, 63
Raucherin, die -nen; II, 63
rauchgrau; II, 38
rauf; 48
raufen; II, 69
Raum, der, ″-e; 32
Raumwort, das, ″-er; 44
reagieren; II, 42
Reaktion, die, -en; II, 103
real; 103
realisieren; II, 17
Rechnung, die, -en; 83
Recht, das, -e; II, 9
recht; 99
rechts; 12
Rechtsanwalt, der, ″-e; II, 116
Rechtsanwältin, die, -nen; II, 116
Rechtsattribut, das, -e; II, 89
Rechtschreibung, die, -en; II, 83
Rechtsradikalismus, der; II, 109
Recorder, der, -; 38
Recycling, das; II, 34
Redaktion, die, -en; 96
Redaktionskonferenz, die, -en; 25
Rede, die, -n; II, 109
reden; 58
Redewiedergabe, die; II, 112

Solo, das, -s/Soli; 106
Sommer, der, -; 48
Sommerfest, das, -e; 32
Sonderangebot, das, -e; II, 9
sondern; 82
Sonderpreis, der, -e; 67
Song, der, -s; II, 7
Sonne, die, -n; 57
Sonnenbrille, die, -n; II, 11
Sonntag, der (= So); 26
sonst; 37, 89
so oft; 67
Sorge, die, -n; 77; II, 31
sorgen; 77
sortieren; II, 93
Soße, die, -n; 82
so viel; 67
soweit; II, 30
sowie; II, 40
Sowjetunion, die; 107
sozial; 98
Soziale, das; 98
sozialistisch; 73
Sozialkunde, die; II, 82
sozusagen; 108
Spag(h)etti, die (Pl); 27
Spanien (=E); 9
Spanier, der, -; II, 63, 66
Spanierin, die, -nen; II, 63, 66
Spanisch; 7
spannend; II, 17
sparen; 89; II, 66
Sparpreis, der, -e; 66
sparsam; II, 32
Spaß, der, "-e; 36, 90
spät; 24, 25
später; 25
spazieren gehen *; II, 15
Speise, die, -n; 14
Speisewagen, der, -/"-; 69
Spektakel, das, -; II, 57
spenden; 32
Spezialität, die, -en; 32
speziell; 31
Spiegel, der, -; 52
Spiel, das, -e; 30, 88, 106
spielen; 10, 51
Spieler, der, -; 89
Spielfilm, der, -e; II, 54
Spinatspätzle, die (Pl); 83
Spirale, die, -n; 61
spirituell; II, 62
Spital (*österr./schweiz.*), das, "-er; II, 111
spitze/Spitze!; 20
splittern; II, 24
spontan; II, 48
Sport, der; 15
sportlich; II, 99
Sportschau, die; II, 56
Sportseite, die, -n; II, 119
Sportunfall, der, "-e; 98
Sprachdiplom, das, -e; II, 65
Sprache, die, -n; 6
Spracherfolg, der, -e; II, 65
Sprachgrenze, die, -n; II, 51
Sprachinstitut, das, -e; II, 65
Sprachkenntnisse (Pl); II, 102
Sprachkurs, der, -e; 30
Sprachlandschaft, die, -en; II, 48
Sprachlernbiografie, die, -n; II, 65
sprachlich; 104
sprachlos; II, 54
Sprachtraining, das, -s; II, 65
Sprachunterricht, der; II, 59
Sprechausdruck, der; 68
sprechen *; 6; II, 33, 60
Sprechen, das; II, 40
Sprecher, der, -; II, 79
Sprechmelodie, die; 10
Sprechpause, die, -n; 60
Sprechzimmer, das, -; 99
Sprichwort, das, "-er; II, 48
sprichwörtlich; II, 106
springen *; 92
spritzen; 89
Spülbecken, das, -; 50
spülen; 85
Spur, die, -en; 93; II, 40
spüren; 94
Staat, der, -en; 28
Staatsbürger, der, -; II, 69
Staatsbürgerin, die, -nen; II, 69
Staatsgebiet, das, -e; 107
Stadion, das, Stadien; II, 57
Stadt, die, "-e; 6
Stadtanlage, die; 91
Stadtbibliothek, die, -en; 12
Stadtbild, das; II, 6
Stadtblatt, das, "-er; 21
Stadtführung, die, -en; II, 41
Stadtmensch, der, -en; 49
Stadtplan, der; "-e; 13
Stadtplaner, der, -; II, 47
Stadtplatz, der, "-e; 16
Stadtprogramm, das, -e; II, 107
Stadtrand, der; 49
Stadtrundfahrt, die, -en; 15
Stadtzentrum, das, Stadtzentren; 49
Stamm, der, "-e; 11
Stammcafé, das, -s; II, 108
Stand, der, "-e; 74
Standbild, das, -er; II, 94
ständig; II, 75
Star, der, -s; II, 63
stark; 56
Start, der, -s; II, 57
starten; 57
Station, die, -en; II, 19, 107
Statistik, die, -en; II, 23
statt; II, 37
stattfinden *; II, 92
Stau, der, -s; 67
staunen; 109
Steak, das, -s; 83
Steckbrief, der, -e; II, 34
Steckdose, die, -n; II, 54
stecken; 94; II, 55
Stecker, der, -; II, 54
stehen *; 44, 57; II, 9
stehen lassen *; II, 33
stehlen *; II, 42
steigen *; 16, 57
Stein, der, -e; 72
Steintreppe, die, -n; II, 47
Stelle, die, -n; 82; II, 7
stellen; 21, 45
Stellenangebot, das, -e; II, 99
Stellenanzeige, die, -n; II, 99
Stellengesuch, das, -e; II, 99
Stellung, die; 54; II, 7, 99
sterben; 100
Stereoton, der; II, 56
Stern, der, -e; II, 21
stets; II, 6
Steward, der, -s; II, 100
Stewardess, die, -en; II, 100
Stichpunkt, der, -e; II, 8
Stichwort, das, -e; II, 40
Stiefel, der, -; II, 11
Stift, der, -e; 38
Stil, der, -e; 22
Stimme, die, -n; 42
stimmen; 48
stimmhaft; II, 87
stimmlos; II, 87
Stimmung, die, -en; II, 6
Stirn, die, -en; II, 117
Stock, der, "-e; 48; II, 43
Stockwerk, das, -e; 49
Stoff, der, -e; 110; II, 31
stolz; II, 84
stoppen; 69
stören; II, 119
Störung, die, -en; II, 57
stoßen *; 84
Strafe, die, -n; II, 89
Strafraum, der; II, 57
Strand, der, "-e; 44
Straße, die, -n; 13
Straßenbahn, die, -en; 16
Straßenname, der, -n; II, 48
Straßentheater, das, -; 90
Streber, der, -; II, 115
Strecke, die, -n; 67
Streetdance-Gruppe (*engl.*), die, -n; II, 68
streichen *; II, 92
Streichquartett, das, -e; 32
Streifen, der, -; 107
Streit, der; II, 75
streiten *; II, 47
streng; 107
Stress, der; 96
streuen; 82
Strichpunkt, der, -e; 60
Strom, der, "-e; II, 35
strukturieren; II, 91
Strümpfe, die (Pl); II, 11
Stück, das, -e; 50
Student, der, -en; 31
Studentin, die, -nen; 31
Studienkollege, der, -n; II, 62
Studienkollegin, die, -nen; II, 62
Studiensituation, die; II, 85
studieren; 14
Studierende, der/die, -n; 31
Studio, das, -s; II, 56
Studium, das, Studien; II, 41
Stufe, die, -n; 48
Stuhl, der, "-e; 38
Stunde, die, -n; 21; II, 82
stundenlang; 44
Stundenplan, der, "-e; II, 82
Sturm, der, "-e; 92
stürzen (sich); II, 14
Suaheli; 33
Subjekt, das, -e; 11
Substantiv, das, -e; 23
Substantiv-Ausdruck, der, "-e; II, 26
Substantiv-Gruppe, die, -n; 102
Suche, die; II, 91
suchen; 12; II, 34
süchtig; 100
Südamerika; 92
Süddeutsche, die (= die Süddeutsche Zeitung); II, 108
Süddeutschland; II, 63
Süden, der; 7
Südseeinsel, die, -n; II, 39
Sünde, die, -n; II, 78
super; 20
super-; II, 8

superkurz; II, 8
Superlativ, der, -e; 78
superleicht; II, 54
Supermarkt, der, "-e; 75
superschnell; II, 61
Superzahl, die; II, 57
Suppe, die, -n; 60
Suppentopf, der, "-e; 83
surfen; II, 60
süß; 84
Süßigkeit, die, -en; II, 77
Sweatshirt, das, -s; II, 11
Symbol, das, -e; 72
sympathisch; 50
Symphonie, die, -n; 42
Synagoge, die, -n; 15
Synonym, das, -e; II, 110
System, das, -e; II, 69
Szene, die, -n; 99; II, 8

T

Tabak, der; 100
Tabelle, die, -n; II, 23
Tablett, das, -s; II, 100
Tablette, die, -n; 98
Tafel, die, -n; 38
Tag, der, -e; 6, 93
Tag!; 10
Tagesablauf, der; 24
Tageskarte, die; 83
Tageskurs, der, -e; II, 65
Tagespublikum, das; II, 108
Tagesschau, die; II, 56
Tagessuppe, die; 83
Tageszeit, die, -en; 24
Tageszeitung, die, -en; II, 57
-tägig; II, 100
täglich; II, 59
tagsüber; II, 16
Talent, das, -e; II, 63
Tannenzweig, der, -e; II, 77
Tante, die, -n; II, 26
Tante-Emma-Laden, der, "-; 75
Tanz, der, "-e; 32
Tanzbewegung, die, -en; II, 115
tanzen; 32
Tanz-Gruppe, die, -n; II, 68
Tanzmusik, die; 32
Tanzwettbewerb, der, -e; 32
Tanz-Workshop, der, -s; II, 68
Tasche, die, -n; 38
Tasse, die, -n; 85
Taste, die, -n; II, 54
tätig; II, 86
Tätigkeit, die, -en; II, 86

Tauern, die (Pl); II, 41
Tauern-Autobahn, die; II, 41
Taugenichts, der, -e; II, 118
Taxi, das, -s; 101
Taxizentrale, die, -n; II, 101
Team, das, -s; II, 99
teamorientiert; II, 102
Technik, die, -en; 37; II, 58
Techniker, der, -; II, 84
Technikerin, die, -nen; II, 84
technisch; II, 58
Techno; II, 6
Technologie, die, -n; II, 33
Tee, der, -s; 14
Teil, der, -e; 34
teilen (sich); 109; II, 74
teilnehmen *; 33
Teilnehmer, der, -; 37
Teilnehmerin, die, -nen; II, 24
teils - teils; 72
Teilung, die, -en; 109
Teilzeit, die; II, 99
Tel. (= das Telefon); 21
Telefon, das, -e; 26
Telefon-Anschlussdose, die, -n; II, 54
Telefon-Anschlussstecker, der, -; II, 54
Telefonat, das, -e; II, 86
Telefongespräch, das, -e; 67
telefonieren; 25
telefonisch; II, 86
Telefonist, der, -en; II, 99
Telefonistin, die, -nen; II, 99
Teller, der, -; 83
Tempel, der, -; 91
Tempo, das; II, 107
temporal; 40; II, 72
Temporalsatz, der, "-e; II, 29
Tempus, das, Tempora; II, 27
Tempusform, die, -en; II, 36
Tennis, das; II, 63
Tennis-Szene, die; II, 63
Tennis-Welt, die; II, 63
Teppich, der, -e; 51
Termin, der, -e; 19
Terminkalender, der, -; 19
Terrasse, die, -n; 48
testen; 39
teuer; 50
Text, der, -e; 8
Text-Referenz, die, -en; II, 12
Textwiedergabe, die, -n; 32
Thailand; 32
thailändisch; 32
Theater, das, -; 15, 90
Thema, das, Themen; 25

thematisch; 104
theoretisch; II, 84
Therapie, die, -n; 100
Thermen, die (Pl); 91
Thriller, der, -; II, 56
Thunfisch, der, -e; 83
Ticket, das, -s; 67
tief; 16, 96
Tier, das, -e; II, 21
Tiergarten, der, "-; 108
Tinte, die, -n; 92
Tipp, der, -s; 38
Tiramisu, das, -s; 84
Tirol; II, 40
Tisch, der, -e; 38
Titel, der, -; 68
tja!; 51
Toast, der, -e/s; 28
toben; 92
Tochter, die, "-; II, 26
Tod, der, -e; 93
todmüde; 92
Toilette, die, -n; 51
toll; 20; II, 25
Tomate, die, -n; 28
Tombola, die, -s; 32
Tonne, die, -n (= t); II, 117
Topf, der, "-e; 83
Topfenstrudel, der; II, 110
Tor, das, -e; 108; II, 57
Torte, die, -n; 14
total; II, 77
töten; 93
Toto, das; II, 57
Tour, die, -en; 18
Tourismus, der; II, 39
Tourismus-Werbung, die, -en; II, 106
Tourist, der, -en; 48
Touristikbranche, die; II, 99
touristisch; II, 57
Tournee, die, -n; 18
Tradition, die, -en; II, 78
tragbar; II, 54
tragen *; 32
Trainer, der, -; II, 68
Trainerin, die, -nen; II, 68
Training, das; 96
Traktor, der, -en; II, 99
Träne, die, -n; II, 47
Traum, der, "-e ; 53
Traum-Baum, der; II, 15
Traum-Blatt, das, "-er; II, 15
träumen; 33, 58
Traumgeschichte, die, -n; II, 14
traumhaft; II, 18
Trauminsel, die, -n; II, 18
Traumtag, der, -e; 28

Traumtänzer, der, -; II, 117
Traumwohnung, die, -en; 53
traurig; 33
treffen (sich) *; 21, 25, 74; II, 75
Treffpunkt, der, -e; II, 65
treiben *; II, 7
Trend, der, -s; II, 8
trennbar; 29
trennen; II, 51
Treppe, die, -n; 48
treten; II, 94
Trick, der, -s; 96
trinken *; 25, 89
Trinkwasser, das; II, 34
Triumph, der, -e; II, 63
triumphal; II, 63
trocken; 96
Tropfen, die (Pl); 100
trösten; II, 76
trotz; II, 57
Trouble Shooters, die (Pl); II, 101
trüb; II, 40
Tscheche, der, -n; II, 62
Tschechien; 64
tschechisch; 57
Tschechisch; 7
Tschechische Republik, die; 57
Tschechoslowakei, die; 107
tschüs!; 33
T-Shirt, das, -s; II, 9
Tuch, das, "-er; II, 11
tun *; 39; II, 42
Tür, die, -en; 51
Türke, der, -n; II, 66
Türkei, die; 8
Türkin, die, -nen; 8
türkis; 42
türkisch; II, 66
Türkisch; 7
Turm, der, "-e; 44
Turmwächter, der, -; 48
Turmwohnung, die, -en; 48
Turnier, das, -e; II, 63
Turnschuh, der, -e; II, 11
TV (= Television, Fernsehen), das; II, 59
Typ, der, -en; 40
typisch; 43

U

U-Bahn, die, -en; 15
Übel, das, -; II, 98
üben; 10
über; 20, 64
überall; 43
überbacken *; 83

Verstärker, der, -; II, 79
verstauchen; 100
verstecken; II, 78
verstehen (sich) *; 20, 33; II, 49
Verstehen, das; II, 25
Verstopfung, die, -en; 98
verstorben; II, 118
Versuch, der, -e; II, 25
versuchen; 30, 81
Versuchsperson, die, -en; II, 33
Verteidigung, die; II, 24
verteilen; II, 102
Vertrag, der, "-e; II, 85
vertrauen; II, 98
Vertrauen, das; II, 102
vertraut; II, 76
vertreten *; II, 83
Vertreter, der, -; II, 84
Vertreterin, die, -nen; II, 84
Verwaltungszentrale, die, -n; 110
Verwandte, der/die, -n; II, 67
verwenden; 84; II, 39
Verwendung, die, -en; II, 61
verwirklichen; II, 19
Verzeihung!; II, 118
verzichten (auf); II, 33
verzollen; II, 42
VHS, die (= Volkshochschule); II, 55
Video, das, -s; 31
Video-Recorder, der, -; 38
Viehzucht, die; II, 40
viel; 12
viele; 15
vielen Dank!; 12
vielfach; II, 90
vielfältig; II, 62
viel Glück!; II, 79
vielleicht; 48
vielseitig; II, 90
Viertel; 24
Viertel, das, -; 49
Vietnam; II, 8
Vietnam-Krieg, der; II, 8
Villa, die, Villen; 45
violett; 43
Violett, das; 52
Vogel, der, "-; 68
Vogelstimme, die, -n; II, 49
Vokal, der, -e; 22
Volkskundler, der, -; II, 78
Volkskundlerin, die, -nen; II, 78
Volksmusik, die; 20
voll; 19
völlig; 73
vollkommen; II, 108
Vollmond, der; II, 78
vollstopfen (sich); II, 83
Vollverb, das, -en; II, 21
von; 7, 15, 34
von Beruf; II, 22
von klein auf; II, 69
von vorne; II, 31
vom (= von dem); 13
vor; 24, 70
vor allem; 75
vor allem; II, 74
voraussetzen; II, 99
Voraussetzung, die, -en; II, 61
vorbei; II, 27
vorbeigehen *; 96
vorbeikommen *; II, 115
vorbereiten; 26
Vorbereitung, die, -en; II, 92
Vorbild, das, -er; II, 8
Vordergrund, der; II, 14
Vorfeld, das; II, 97
Vorgang, der, "-e; II, 37
Vorgangspassiv, das; II, 36
Vorgesetzte, der/die, -n; II, 102
vorhaben *; II, 14
Vorhang, der, "-e; II, 78
Vorhersage, die, -n; II, 63
vorlesen *; 53
Vorliebe, die, -n; 35
vorliegen *; II, 33
Vormittag, der, -e; 24
vormittags; II, 63
Vorname, der, -n; 8
vorn(e); 16
vornehm; II, 108
vorprogrammieren; II, 77
Vorschlag, der, "-e; 67
vorschlagen; 74
Vorsicht!; 89
Vorsicht, die; 89
vorsichtig; II, 57
Vorsichtsmaßnahme, die, -n; II, 115
Vorsilbe, die, -n; II, 10
Vorspeise, die, -n; 83
vorstellen; 9, 61
Vorstellung, die, -en; II, 49
Vorteil, der, -e; 49
Vortrag, der, "-e; 32
vorübergehen *; II, 116
Vorurteil, das, -e; II, 50, 69
Vulkan, der, -e; 91

W

wachsen *; II, 8, 40
wachsend; 109
Wächter, der, -; 48
Wachturm, der, "-e; 107
Wagen, der, -/"-; II, 14, 40
wählen; 61, 83
Wahnsinn, der; II, 6
wahnsinnig; II, 6
wahr; 48; II, 7
während; II, 33, 54
Wahrheit, die, -en; II, 14
wahrscheinlich; 48
Wald, der, "-er; 58
Wand, die, "-e; 51
Wandel, der; 72
Wanderkarte, die, -n; II, 41
wandern; 27
Wanderung, die, -en; 68
Wandtafel, die, -n; 38
wann; 18
Ware, die, -n; 75
Wärme, die; II, 107
warnen; II, 84
warten; 33
Wartezimmer, das, -; 99
warum; 30
was; 6, 9
Waschbecken, das, -; 52
waschen (sich); 96
Waschmaschine, die, -n; II, 101
Waschtisch, der, -e; 52
was für; 74
Wasser, das; 14, 46
Wasserkreislauf, der, "-e; II, 31
Wasserproblem, das, -e; II, 31
Wasserverschmutzung, die; II, 32
Watt (= W), das, -; II, 6
WC, das, -s; 48
Wechseldienst, der; II, 99
wechseln; 57; II, 42
Wechselpräposition, die, -en; 70
Wecker, der, -; 25
weg; 21
Weg, der, -e; 12
Wegbeschreibung, die, -en; 64
wegbewegen, sich; II, 116
wegen; II, 40
wegfahren *; II, 76
wegfallen *; II, 18
wegfliegen *; II, 14
weggehen *; 25
weglegen; II, 119
weg sein *; 109
wegwerfen *; II, 32
wehtun; 89
wehen; 57
weiblich; II, 8
weich; II, 91
Weihnachten; II, 22
weihnachtlich; II, 77
Weihnachtsbaum, der, "-e; II, 77
Weihnachtszeit, die; II, 77
weil; 89
Wein, der, -e; 25
Weinglas, das, "-er; II, 119
Weisheit, die, -en; II, 30
weiß; 44
Weißrusse, der, -n; II, 63
Weißrussin, die, -nen; II, 63
Weißwein, der, -e; 87
weit; 13, 44
weiter; 18
weiter-; 94
weiterfahren *; 69
weiterfliegen *; II, 15
weiterführen; II, 84
weitergehen *; II, 14
weiterhin; II, 57
weiterhören; II, 26
weiterleben; II, 16
weiterlernen; II, 84
weitermachen; II, 31
weiterschreiben *; II, 6
weitersprechen *; II, 25
welch-; 7
Welle, die, -n; 92
Welt, die, -en; 100
weltberühmt; 92
Weltbürger, der, -; II, 41
Weltbürgerin, die, -nen; II, 41
Weltkrieg, der, -e; 109
Weltrangliste, die, -n; II, 63
Welttourismus-Organisation, die; II, 39
Welttournee, die, -n; 18
weltweit; II, 57
Wen-Do; II, 24
wenden *; II, 27
wenig; 21
wenige; 44
wenn; 96
wer; 7
Werbebranche, die; II, 99
Werbemittel, das, -; II, 101
Werbeslogan, der, -s; II, 58
Werbetext, der, -e; II, 41
Werbung, die; II, 16
werden *; 48, 89
werfen (sich) *; 92, 93

Alphabetische Liste der unregelmäßigen Verben in Kapitel 1–30

° Das Perfekt und Plusquamperfekt dieser Verben bilden süddeutsche, österreichische und schweizerische Deutschsprecher in der Regel mit „sein" statt mit „haben"

Infinitiv	3. P. Sg. Präteritum	3. P. Sg. Perfekt (hat/ist + Part. II)	Infinitiv	3. P. Sg. Präteritum	3. P. Sg. Perfekt (hat/ist + Part. II)
abbiegen	bog … ab	ist abgebogen	ausblasen	blies … aus	hat ausgeblasen
abfahren	fuhr … ab	ist abgefahren	ausgeben	gab … aus	hat ausgegeben
abreißen	riss … ab	hat/ist abgerissen	ausgleichen	glich … aus	hat ausgeglichen
abschieben	schob … ab	hat abgeschoben	ausleihen	lieh … aus	hat ausgeliehen
abschließen	schloss … ab	hat abgeschlossen	ausschlafen	schlief … aus	hat ausgeschlafen
abschreiben	schrieb … ab	hat abgeschrieben	ausschließen	schloss … aus	hat ausgeschlossen
abwaschen	wusch … ab	hat abgewaschen	ausschneiden	schnitt … aus	hat ausgeschnitten
anbieten	bot … an	hat angeboten	aussehen	sah … aus	hat ausgesehen
anbraten	briet … an	hat angebraten	aussprechen	sprach … aus	hat ausgesprochen
anerkennen	erkannte … an	hat anerkannt	aussteigen	stieg … aus	ist ausgestiegen
anfangen	fing … an	hat angefangen	aussterben	starb … aus	ist ausgestorben
angehen	ging … an	ist angegangen	ausstoßen	stieß … aus	hat ausgestoßen
anhalten	hielt … an	hat angehalten	austrinken	trank … aus	hat ausgetrunken
ankommen	kam … an	ist angekommen	ausweisen (sich)	wies (sich) … aus	hat (sich) ausgewiesen
annehmen	nahm … an	hat angenommen			
anrufen	rief … an	hat angerufen	backen	backte	hat gebacken
ansehen	sah … an	hat angesehen	befinden, sich	befand sich	hat sich befunden
anstoßen	stieß … an	hat angestoßen	beginnen	begann	hat begonnen
anwerben	warb … an	hat angeworben	beitragen	trug … bei	hat beigetragen
anziehen (sich)	zog (sich) … an	hat (sich) angezogen	bekommen	bekam	hat bekommen
auffallen	fiel … auf	ist aufgefallen	beraten	beriet	hat beraten
aufheben	hob … auf	hat aufgehoben	beschreiben	beschrieb	hat beschrieben
aufnehmen	nahm … auf	hat aufgenommen	besingen	besang	hat besungen
aufschneiden	schnitt … auf	hat aufgeschnitten	besprechen	besprach	hat besprochen
aufschreiben	schrieb … auf	hat aufgeschrieben	bestehen	bestand	hat bestanden
aufstehen	stand … auf	ist aufgestanden	betreffen	betraf	hat betroffen
aufsteigen	stieg … auf	ist aufgestiegen	betreten	betrat	hat betreten
aufwachsen	wuchs … auf	ist aufgewachsen	betrügen	betrog	hat betrogen

Infinitiv	3. P. Sg. Präteritum	3. P. Sg. Perfekt (hat/ist + Part. II)	Infinitiv	3. P. Sg. Präteritum	3. P. Sg. Perfekt (hat/ist + Part. II)
beweisen	bewies	hat bewiesen	gelingen	gelang	ist gelungen
bewerben, sich	bewarb sich	hat sich beworben	gelten	galt	hat gegolten
beziehen, sich	bezog sich	hat sich bezogen	genießen	genoss	hat genossen
bieten	bot	hat geboten	geraten	geriet	ist geraten
bleiben	blieb	ist geblieben	geschehen	geschah	ist geschehen
braten	briet	hat gebraten	gewinnen	gewann	hat gewonnen
brechen	brach	hat/ist gebrochen	gießen	goss	hat gegossen
brennen	brannte	hat gebrannt	greifen	griff	hat gegriffen
bringen	brachte	hat gebracht	halten (sich)	hielt (sich)	hat (sich) gehalten
dahinfliegen	flog … dahin	ist dahingeflogen	° hängen	hing	hat gehangen
da sein	war … da	ist da gewesen	heben	hob	hat gehoben
davonfliegen	flog … davon	ist davongeflogen	heißen	hieß	hat geheißen
dazugießen	goss … dazu	hat dazugegossen	helfen	half	hat geholfen
denken	dachte	hat gedacht	herbeilaufen	lief … herbei	ist herbeigelaufen
dranbleiben	blieb … dran	ist drangeblieben	hergeben	gab … her	hat hergegeben
durchziehen	durchzog	hat durchzogen	herkommen	kam … her	ist hergekommen
dürfen	durfte	hat gedurft/dürfen	° herumstehen	stand … herum	hat herumgestanden
einbrechen	brach … ein	hat/ist eingebrochen	herunterkommen	kam … herunter	ist heruntergekommen
einfallen	fiel … ein	ist eingefallen	hinausgehen	ging … hinaus	ist hinausgegangen
eingehen	ging … ein	ist eingegangen	hinreiten	ritt … hin	ist hingeritten
einladen	lud … ein	hat eingeladen	kaputtgehen	ging … kaputt	ist kaputtgegangen
einschlafen	schlief … ein	ist eingeschlafen	kennen (sich)	kannte (sich)	hat (sich) gekannt
einschließen	schloss … ein	hat eingeschlossen	klingen	klang	hat geklungen
einschreiben, sich	schrieb sich … ein	hat sich eingeschrieben	kommen	kam	ist gekommen
			können	konnte	hat gekonnt/können
einsteigen	stieg … ein	ist eingestiegen	lassen	ließ	hat gelassen/lassen
eintreten	trat … ein	ist eingetreten	laufen	lief	ist gelaufen
empfehlen	empfahl	hat empfohlen	lesen	las	hat gelesen
entlangfahren	fuhr … entlang	ist entlanggefahren	° liegen	lag	hat gelegen
entlassen	entließ	hat entlassen	liegen bleiben	blieb … liegen	ist liegen geblieben
entscheiden (sich)	entschied (sich)	hat (sich) entschieden	losfahren	fuhr … los	ist losgefahren
entschließen, sich	entschloss sich	hat sich entschlossen	losgehen	ging … los	ist losgegangen
entstehen	entstand	ist entstanden	lügen	log	hat gelogen
entwerfen	entwarf	hat entworfen	mitbringen	brachte … mit	hat mitgebracht
erfahren	erfuhr	hat erfahren	mitfliegen	flog … mit	ist mitgeflogen
erfinden	erfand	hat erfunden	mitkommen	kam … mit	ist mitgekommen
erhalten	erhielt	hat erhalten	mitlesen	las … mit	hat mitgelesen
erkennen	erkannte	hat erkannt	mitnehmen	nahm … mit	hat mitgenommen
erschließen	erschloss	hat erschlossen	mitziehen	zog … mit	hat/ist mitgezogen
erschrecken	erschrak	ist erschrocken	mögen	mochte	hat gemocht/mögen
ertrinken	ertrank	ist ertrunken	müssen	musste	hat gemusst/müssen
erziehen	erzog	hat erzogen	nachdenken	dachte … nach	hat nachgedacht
essen	aß	hat gegessen	nachkommen	kam … nach	ist nachgekommen
fahren	fuhr	hat/ist gefahren	nachschlagen	schlug … nach	hat nachgeschlagen
fallen	fiel	ist gefallen	nachsprechen	sprach … nach	hat nachgesprochen
fangen	fing	hat gefangen	nehmen	nahm	hat genommen
fernsehen	sah … fern	hat ferngesehen	nennen (sich)	nannte (sich)	hat (sich) genannt
festhalten	hielt … fest	hat festgehalten	pfeifen	pfiff	hat gepfiffen
° festliegen	lag … fest	hat festgelegen	raten	riet	hat geraten
festnehmen	nahm … fest	hat festgenommen	reiben	rieb	hat gerieben
finden	fand	hat gefunden	reiten	ritt	hat/ist geritten
fliegen	flog	hat/ist geflogen	riechen	roch	hat gerochen
fließen	floss	ist geflossen	rufen	rief	hat gerufen
fressen	fraß	hat gefressen	saufen	soff	hat gesoffen
geben (sich)	gab (sich)	hat (sich) gegeben	scheinen	schien	hat geschienen
gefallen	gefiel	hat gefallen	schießen	schoss	hat geschossen
gehen	ging	ist gegangen	schlafen	schlief	hat geschlafen

Infinitiv	3. P. Sg. Präteritum	3. P. Sg. Perfekt (hat/ist + Part. II)	Infinitiv	3. P. Sg. Präteritum	3. P. Sg. Perfekt (hat/ist + Part. II)
schlagen	schlug	hat geschlagen	vertreten	vertrat	hat vertreten
schließen	schloss	hat geschlossen	vorbeigehen	ging ... vorbei	ist vorbeigegangen
schneiden	schnitt	hat geschnitten	vorbeikommen	kam ... vorbei	ist vorbeigekommen
schreiben	schrieb	hat geschrieben	vorhaben	hatte ... vor	hat vorgehabt
schreien	schrie	hat geschrien	vorlesen	las ... vor	hat vorgelesen
schweigen	schwieg	hat geschwiegen	vorschlagen	schlug ... vor	hat vorgeschlagen
schwimmen	schwamm	hat/ist geschwommen	vorübergehen	ging ... vorüber	ist vorübergegangen
sehen	sah	hat gesehen	wachsen	wuchs	ist gewachsen
sein	war	ist gewesen	waschen (sich)	wusch (sich)	hat (sich) gewaschen
senden	sandte	hat gesandt/ gesendet	weg sein	war ... weg	ist weg gewesen
			wegfahren	fuhr ... weg	ist weggefahren
singen	sang	hat gesungen	wegfallen	fiel ... weg	ist weggefallen
° sitzen	saß	hat gesessen	wegfliegen	flog ... weg	ist weggeflogen
sollen	sollte	hat gesollt/sollen	weggehen	ging ... weg	ist weggegangen
spazieren gehen	ging ... spazieren	ist spazieren gegangen	wegwerfen	warf ... weg	hat weggeworfen
			wehtun	tat ... weh	hat ... wehgetan
sprechen	sprach	hat gesprochen	weiterfahren	fuhr ... weiter	ist weitergefahren
springen	sprang	ist gesprungen	weiterfliegen	flog ... weiter	ist weitergeflogen
stattfinden	fand ... statt	hat stattgefunden	weitergehen	ging ... weiter	ist weitergegangen
° stehen	stand	hat gestanden	weiterschreiben	schrieb ... weiter	hat weiter- geschrieben
stehen lassen	ließ stehen	hat stehen (ge)lassen			
stehlen	stahl	hat gestohlen	weitersprechen	sprach ... weiter	hat weitergesprochen
steigen	stieg	ist gestiegen	wenden	wandte/wendete	hat gewandt/ gewendet
sterben	starb	ist gestorben			
stoßen	stieß	hat/ist gestoßen	werden	wurde	ist geworden
streichen	strich	hat gestrichen	werfen (sich)	warf (sich)	hat (sich) geworfen
streiten	stritt	hat gestritten	widersprechen	widersprach	hat widersprochen
teilnehmen	nahm ... teil	hat teilgenommen	wieder erkennen	erkannte ... wieder	hat wieder erkannt
tragen	trug	hat getragen	wiedergeben	gab ... wieder	hat wiedergegeben
treffen (sich)	traf (sich)	hat (sich) getroffen	wissen	wusste	hat gewusst
treiben	trieb	hat getrieben	wollen	wollte	hat gewollt/wollen
trinken	trank	hat getrunken	ziehen	zog	hat/ist gezogen
tun	tat	hat getan	zukommen	kam ... zu	ist zugekommen
übernehmen	übernahm	hat übernommen	zulaufen	lief ... zu	ist zugelaufen
umgehen	ging ... um	ist umgegangen	zunehmen	nahm ... zu	hat zugenommen
umherlaufen	lief ... umher	ist umhergelaufen	zurechtfinden, sich	fand sich ... zurecht	hat sich zurecht- gefunden
umschreiben	umschrieb	hat umschrieben			
umsehen, sich	sah (sich) ... um	hat (sich) umgesehen	zurückbringen	brachte zurück	hat zurückgebracht
umsteigen	stieg ... um	ist umgestiegen	zurückfliegen	flog ... zurück	ist zurückgeflogen
unterbrechen	unterbrach	hat unterbrochen	zurückfließen	floss ... zurück	ist zurückgeflossen
untergehen	ging ... unter	ist untergegangen	zurückgehen	ging ... zurück	ist zurückgegangen
unterhalten (sich)	unterhielt (sich)	hat (sich) unterhalten	zurückkommen	kam ... zurück	ist zurückgekommen
unternehmen	unternahm	hat unternommen	zurückrufen	rief ... zurück	hat zurückgerufen
unterscheiden	unterschied	hat unterschieden	zurückwerfen	warf ... zurück	hat zurückgeworfen
verbieten	verbot	hat verboten	zusammenbinden	band ... zusammen	hat zusammen- gebunden
verbinden	verband	hat verbunden			
verbringen	verbrachte	hat verbracht	zusammen- bringen	brachte ... zusammen	hat zusammen- gebracht
vergehen	verging	ist vergangen			
vergessen	vergaß	hat vergessen	zusammen- kommen	kam ... zusammen	ist zusammen- gekommen
vergleichen	verglich	hat verglichen			
verlassen (sich)	verließ (sich)	hat (sich) verlassen	zusammen sein	war ... zusammen	ist zusammen gewesen
verlaufen	verlief	ist verlaufen			
verlieren	verlor	hat verloren	° zusammen- sitzen	saß ... zusammen	hat zusammen- gesessen
verraten	verriet	hat verraten			
verschreiben	verschrieb	hat verschrieben	° zusammen- stehen	stand ... zusammen	hat zusammen- gestanden
verschwinden	verschwand	ist verschwunden			
verstehen (sich)	verstand (sich)	hat (sich) verstanden	zuwachsen	wuchs ... zu	ist zugewachsen